REBECCA MARTIN

Der entschwundene Sommer

Roman

Verlagsgruppe Random House FSC®-N001967
Das für dieses Buch verwendete
FSC®-zertifizierte Papier *Holmen Book Cream*
liefert Holmen Paper, Hallstavik, Schweden.

Originalausgabe 04/2014
Copyright © 2014 by Diana Verlag, München,
in der Verlagsgruppe Random House GmbH
Dieses Werk wurde vermittelt durch die
Literarische Agentur Thomas Schlück GmbH, 30827 Garbsen
Redaktion | Carola Fischer
Umschlaggestaltung | t.mutzenbach design, München
Umschlagmotiv | © plainpicture/wildcard;
Holger Leue / LOOK-foto; shutterstock
Satz | C. Schaber Datentechnik, Wels
Druck und Bindung | GGP Media GmbH, Pößneck
Alle Rechte vorbehalten
Printed in Germany

ISBN 978-3-453-35754-9

www.diana-verlag.de

1

Das Ende der Kindheit, *1912*

Corinna setzte sich abrupt auf und brachte das Boot dadurch bedenklich zum Schaukeln. Für einen Augenblick stockte der Fünfzehnjährigen der Atem, und das nicht nur der schwankenden Nussschale wegen. Weiter hinten am Horizont, gen Westen, war es in kurzer Zeit noch dunkler geworden. Mächtige Wolken türmten sich drohend himmelhoch auf und kündeten von dem Gewitter, das schon den ganzen Tag über diesem Ort gelastet hatte. Corinna umklammerte mit beiden Händen den Bootsrand, so sehr, dass ihre Finger zu schmerzen begannen. Weiß zeichneten sich die Knöchel unter der Haut ab. Wind kam auf, streifte über die Oberfläche des Sees und ließ hier und da kleine Wellen entstehen. Wasser klatschte gegen die Bootswand. Etwas weiter entfernt ragte zu beiden Seiten des Sees hoch und dunkel und nunmehr ebenso bedrohlich anzusehen der Wald auf. In Reichweite von Corinna rauschte das Schilf am eigentlich nahen und für sie doch so fernen Ufer in den ersten heftigeren Windböen. Fast sah es aus, als würde sie danach greifen können, aber steif vor Angst getraute sie sich nicht, sich zu bewegen oder auch nur den Bootsrand loszulassen. Als sie die Augen schloss, zitterten Tränen an ihren Augenlidern.

Wie konnte das nur geschehen? Wie bin ich hierhergeraten?

Corinna öffnete die Augen. In diesem kurzen Zeitraum hatte der immer stärker auffrischende Wind das Boot noch weiter vom rettenden Ufer fortgetrieben, weg auch von der Seite des Sees, auf der sie vielleicht noch auf sich hätte aufmerksam machen können. In der kleinen Bucht, in die sie nun hineintrieb, würde sie vom *Hotel zum Goldenen Schwan* aus nicht mehr zu entdecken sein. Und das Ufer blieb ebenfalls unerreichbar: Corinna hatte nie schwimmen gelernt.

Sie bemühte sich, ruhiger zu atmen. In einiger Entfernung erkannte sie bald darauf, dunkel, länglich und irgendwie höhnend die im Wasser schaukelnden Ruder, die ihrer gleichaltrigen Freundin Beatrice – gerade eben noch, wie es Corinna schien – ungeschickt aus den Händen gerutscht waren. Es war auch Beatrices Idee gewesen, sich in diesem Boot zu verstecken.

»Da finden sie uns nie«, hatte sie gesagt und damit Johannes und Ludwig von Thalheim gemeint, die beiden Brüder, mit denen sie seit vielen Jahren die Sommer verbrachten. So sollte es auch dieses Jahr sein. »Wir müssen uns nur ganz flach auf den Rücken legen, dann bemerken sie uns nicht. Du wirst schon sehen. Die kommen nie auf unser Versteck.«

Corinna erinnerte sich, kurz gezögert zu haben, aber Beatrices entschlossene Stimme duldete keinen Widerspruch.

Also bin ich ihr gefolgt. Wie immer.

Beatrice war schließlich die Tochter von Hermann Kahlenberg, dem Besitzer des *Hotels zum Goldenen Schwan* und damit Mamas Arbeitgeber. Beatrice traf die Entscheidungen. Das hatte sie immer getan, und Corinna, die sich mit Entscheidungen schwertat, hatte sie dafür auch stets bewundert. Beatrice kannte kein Zögern und keine Furcht. Es war gut, ihre Freundin zu sein.

Corinna sah wieder nach Westen, in die Richtung, aus der sich das Gewitter anbahnte. In den letzten Minuten hatte sich der Himmel weiter verdunkelt. Der Wind türmte das Wasser zu immer höheren Wellen auf. Das Boot schaukelte unablässig.

Noch regnete es nicht. Corinna fröstelte in ihrem Unterkleid. Die restliche Kleidung und ihre guten Schuhe lagen neben ihr im Rumpf. Sie hatte sie abgelegt, als sie erstmals daran gedacht hatte, das Boot zu verlassen. Corinna biss sich auf die Unterlippe: Ich will nicht hier sein, ich will nicht alleine auf dem See sein, nicht bei Gewitter … Aber auch wenn sie die Augen schloss, um einfach nichts mehr zu sehen, erinnerte sie das stete Auf und Ab des Boots unerbittlich daran, wo sie sich befand.

Aber vielleicht würde sie der Wind dem Ufer ja doch noch nahe genug bringen, auch wenn es momentan eher danach aussah, als treibe sie direkt ins Schilf hinein, wo das Anlanden schwierig wurde.

Ob Mama rechtzeitig bemerkt, dass ich nicht da bin? Nein, wahrscheinlich fiel es Irene Mayer frühestens am nächsten Morgen auf. Die Arbeit in der Küche war schwer, und danach fiel sie meist nur noch erschöpft ins Bett, ohne sich zu versichern, ob die Tochter denn überhaupt in ihrem lag.

Corinna hatte auf diese Weise gelernt, früh auf sich selbst aufzupassen. Sie kannte es nicht anders. Schon als Vierjährige hatte sie allein gegessen und sich selbst fürs

Bett fertig gemacht. Morgens war sie oft allein aufgestanden und hatte sich auch ohne fremde Hilfe angekleidet. Mittags hatte sie dann in der Hotelküche gegessen, wo sich häufig Beatrice zu ihr gesellt hatte, die das Essen in der Küche abenteuerlich fand.

Und wo blieb Beatrice jetzt? Würde sie Hilfe holen können, wie versprochen?

Corinna schauderte. Sie hatte gleich ein schlechtes Gefühl gehabt, bei der Wahl dieses Verstecks, und sich doch nicht dagegen ausgesprochen. Erstmals mischten sich in ihr Angst und Ärger über die Situation, in die ihre beste Freundin sie gebracht hatte. Noch einmal versuchte sie, den Abstand zum Ufer einzuschätzen. Aber nein, es war einfach zu weit weg.

Und wenn ich ins Wasser springe und mich außen am Boot festhalte? Vielleicht wird es mir so gelingen, an Land zu kommen? Unwillkürlich dachte Corinna an die Wasserpflanzen. Ein neuer Schauder überlief sie. Gewiss würden sich die langen, biegsamen Stängel des Tausendblatts um ihre Beine winden und sie zu Fall bringen. Sie hasste Wasserpflanzen, sogar die Seerosen, die es hier und da gab. Wenn sie an die glitschig feuchte Berührung dachte, zitterte sie wie Espenlaub. Deshalb planschte sie gewöhnlich auch höchstens mal in der Nähe des Sandstrandes, oder setzte sich auf einen abgelegenen Bootssteg und kühlte sich an heißen Sommertagen ab, indem sie die Beine ins Wasser baumeln ließ. Dort war das Wasser frei von den verhassten Pflanzen.

Corinna reckte den Hals und schaute noch einmal zur Hoteluferseite hin. Inzwischen war das Gebäude nicht mehr zu sehen, nur noch das Dach und der obere Giebel mit Beatrices Fenster. Ob die Freundin das Haus inzwischen sicher erreicht hatte – oder war sie, wie von ihnen beiden befürchtet, ihrer Mutter, Edith Kahlenberg, in die Arme gelaufen?

In der Ferne grollte es gefährlich. Schlagartig wurde es noch düsterer, der See verlor den letzten Rest seiner Schönheit. Windböen peitschten über die Wasseroberfläche, erste, vereinzelte Regentropfen platschten auf das Boot und auf Corinna. Es war so weit. Das Gewitter würde sie in Kürze erreicht haben.

Soll ich schreien? Aber wer wird mich hier draußen um diese Uhrzeit hören?

Der Speisesaal war jetzt bis auf den letzten Platz besetzt, das Personal hatte alle Hände voll zu tun.

Und wenn ich mich über den Bootsrand beuge und das Boot mit den Händen paddelnd in die richtige Richtung bringe?

Corinna versuchte es sofort, und gab schon im nächsten Augenblick bebend wieder auf. Um ins Wasser zu gelangen, musste sie sich sehr weit über den Bootsrand beugen, und dann lief sie Gefahr, doch hineinzustürzen und zu ertrinken.

Wieder einmal richtete sie sich resigniert auf. Der Warnruf eines Vogels ließ sie zusammenzucken, ein Schatten flatterte über sie hinweg. Der Donner grollte noch lauter.

Aber ich muss etwas tun.

Corinna überwand sich nochmals. Es gelang ihr, das Wasser mit einer Hand zu erreichen. Wieder schauderte sie. Es war erst Anfang des Sommers und das Wasser tatsächlich noch recht kühl. Aber es half nichts. Sie musste handeln, musste sich retten. Sie schwang die Beine über den Bootsrand, zögerte erneut. Als sie sich sachte vorbeugte, kippte das Boot. Bevor sie sichs versehen hatte, rutschte Corinna nach vorn. Das kalte Wasser, das über ihrem Kopf zusammenschlug, nahm ihr zugleich den Schrei und den Atem. Wie ein Stein ging sie unter.

Ich ertrinke, o mein Gott, ich ertrinke …

Corinna schlug um sich. Dann fanden ihre Füße den Boden, feuchten, schlammigen Seeboden. Sie durfte sich nicht vorstellen, was da unter ihr war, wenn die Angst sie nicht vollkommen lähmen sollte.

Und jetzt? Sie konnte stehen, ja, aber wenn sie sich reckte, erreichte sie gerade eben den Bootsrand, und dann fehlte ihr die Kraft, sich und das Boot in Richtung Ufer zu bewegen. Sie wollte das Boot aber nicht verlassen. Es war ihre einzige Sicherheit.

Das nächste Donnern klang grollender und bedrohlicher als zuvor. Auf Corinnas Gesicht mischten sich die Tränen mit dem Wasser des Sees. Sie konnte nichts dagegen tun, ebenso wenig wie gegen die quälenden Gedanken, die sie einfach nicht losließen: Ich werde ertrinken. Allein. Hier draußen.

Das Boot schaukelte, als sie sich in ihrer Angst höher reckte, um sich besser festzuhalten. Im nächsten Moment wäre es fast gekentert. Corinna schrie auf. Aber niemand hörte sie. Ihre Stimme verlor sich im aufkommenden Gewittersturm.

2

$\mathcal{D}$er siebzehnjährige Johannes ging wie immer voraus, während sein fünfzehnjähriger Bruder Ludwig hintendrein lief. Johannes fiel das erstmals auf, als er sich kurz umdrehte, und er erkannte gleichzeitig überrascht, dass er sich noch niemals zuvor Gedanken darum gemacht hatte. Er war der Ältere, es schien nur natürlich, dass er vorausging.

Kurz nach dem Mittagessen waren sie heute im *Hotel zum Goldenen Schwan* eingetroffen, wo die Familie von Thalheim, wie schon in den vergangenen fünf Jahren, ihre Sommerfrische verbringen würde. Als besonders gute Gäste hatten die Hotelbesitzer, Herr und Frau Kahlenberg, seine Eltern, Cornelius und Gesine von Thalheim, persönlich begrüßt. Man hatte ihnen ein leichtes Mahl bereitet, obgleich die Küche erst später aufmachte, aber die Brüder hatten sich lieber gleich getrollt. Während das Gepäck nach oben gebracht wurde, machten sich die Jungen ungeduldig davon, entschlossen, die Welt, die für die nächsten Wochen ihre sein würde, nach einem langen Jahr neu zu entdecken. Bereits hinten bei der Schaukel trafen sie auf die Mädchen. Offenbar hatten Beatrice und Corinna sie erwartet. Beatrice hatte auf der Schaukel gesessen, aber sie hatte es nicht mehr wie ein Kind getan, sondern deutlich die Frau verraten, die sie einmal werden würde, und er hatte für einen Moment lang den Blick nicht von ihr nehmen können. Obgleich sie sich zwölf Monate lang nicht gesehen hatten, war ihnen allen gewesen, als hätten sie sich erst am Vortag getrennt. Es hatte keinen Moment des Fremdseins gegeben, nicht das geringste Zögern. Sie hatten sich rasch darauf geeinigt, wieder lange Tage am See zu verbringen, natürlich in der Bucht dort drüben, auf der vom Hotel abgewandten Seite, wo sie für sich sein konnten. Kurz darauf waren sie gemeinsam durch die großzügige Parkanlage gestromert, die das Hotel umgab. Es war Beatrices Idee gewesen, Verstecken zu spielen, eigentlich ein Kinderspiel, aber in kürzester Zeit hatten alle ihr Vergnügen daran entdeckt.

Und eigentlich, Johannes runzelte die Stirn, hatte er es für ziemlich unmöglich gehalten, dass die Mädchen einfach so spurlos verschwanden. Jetzt war auch noch ein Gewitter im Anmarsch.

Sollten sie aufgeben? Johannes legte den Kopf in den Nacken. Die ersten Regentropfen benetzten sein Gesicht. Das ferne, dunkle Grollen rückte immer näher und ließ sich längst nicht mehr überhören.

»Es regnet«, war nur einen Atemzug später Ludwigs Stimme zu hören. Johannes antwortete nicht. Er musste plötzlich daran denken, dass er schon die ganzen letzten Wochen lang daheim auf Gut Thalheim auf ihre Ankunft hier im Taunus gewartet hatte. Er hatte sich an das letzte Jahr erinnert, an Ausflüge und an lange Nachmittage an dem Waldsee, der das Hotel für ihn zu etwas Besonderem machte. Er hatte auch darüber nachgedacht, ob sie nicht langsam zu alt für ihre Spiele wurden, die aber doch immer aus dem Moment heraus entstanden und für die er sich stets nur anfangs zu groß fühlte.

Aber nein, Johannes beschleunigte seine Schritte, wir sind nicht zu alt fürs Versteckspiel, auch nicht fürs »Fang mich doch«, noch nicht einmal für »Blindekuh«. Wir werden niemals zu alt sein.

An dem Geräusch in seinem Rücken erkannte er, dass Ludwig ebenfalls schneller lief. Ob die Mädchen wohl noch in ihrem Versteck ausharrten, oder hatten sie sich vor dem aufziehenden Gewitter ins Haus gerettet? Eigentlich konnte Johannes sich nicht vorstellen, dass Beatrice einfach so aufgab – sie gewiss nicht.

Sie ist wirklich etwas Besonderes.

Der Gedanke, so plötzlich in seinem Kopf, ließ ihn unvermittelt stehen bleiben.

»Wir müssen zum Abendessen«, murrte Ludwig hinter ihm. »Außerdem regnet es. Schon gemerkt?«

»Natürlich, aber zuerst müssen wir Beatrice und Corinna finden«, gab Johannes zurück. »Vorher hab ich ohnehin keinen Hunger.«

Er bückte sich nach einem Stecken, den er vor sich auf dem Boden entdeckt hatte, und ließ ihn gleich darauf mit weit ausholenden Schlägen durchs Schilf sausen. Als er bemerkte, dass Ludwig sich nicht von der Stelle rührte, drehte er sich halb zu ihm hin.

»Aber ich hab Hunger«, beharrte der Jüngere.

»Dann geh doch. Ich finde die beiden Mädchen jedenfalls. Ich will nämlich gewinnen.« Johannes grinste. »Du nicht?«

»Aber ich will nicht allein zurück«, entgegnete Ludwig und schob trotzig die Unterlippe vor. Johannes ließ den Stecken sinken.

»Mama wird dich schon nicht fressen«, gab er gleichmütig zurück.

»Ich hab keine Angst vor Mama.« Ludwigs Stimme klang scharf. »Aber sie wird ärgerlich sein, wenn du nicht da bist«, fügte er dann hinzu.

Johannes schwieg. »Aber es ist noch so schön hier draußen«, bemerkte er dann und bewegte seine nackten Zehen.

Ja, das war es; er fühlte sich frei hier, frei von den drückenden Zwängen und Erwartungen seiner Familie. Anfang des Jahres war er siebzehn Jahre alt geworden. Sein Vater rechnete fest damit, dass er nun sehr bald seinen Militärdienst antrat, so wie es in ihrer Familie Brauch war. In Vorbereitung darauf sollte er im Herbst einige Zeit im Haus von Onkel Falkenstein, einem erfahrenen Militär, wohnen. Johannes hatte noch nie viel mit dem Soldatentum anfangen können, das seine Familie ausmachte. Er malte gern, er erschuf Dinge mit den Händen, etwas, was für den Vater, mehr noch aber für seine Mutter, für die Gestaltung seiner Zukunft nicht infrage kam.

Militärdienst … Johannes starrte seine Zehen an. Nein, das war eher etwas für Ludwig. Der konnte es ja kaum erwarten, sich zu melden, das hatte er erst gestern wieder während der Fahrt betont.

Aber jetzt ist erst einmal Sommer, dachte Johannes, und ich will nicht darüber grübeln.

Er hob den Kopf, straffte den Nacken. Sein Blick wanderte erneut zu den dunklen, drohenden Wolken im Westen hinüber. Er spürte, dass die Regentropfen dicker und kälter wurden.

»Das Gewitter kommt immer näher«, stellte Ludwig fest.

»Hm.« Johannes entschied, trotzdem weiterzulaufen. Sein Stecken raschelte durchs Schilf. Ludwig schloss sich ihm laut aufseufzend an.

»Wir werden nichts mehr bekommen«, versuchte der Jüngere es noch einmal. »Mama und Papa werden uns auf unser Zimmer schicken.«

»Dann gehen wir eben später in die Küche«, warf Johannes über seine Schulter zurück. »Beatrice hilft uns. Du wirst schon sehen. Das wird noch ein richtiges Abenteuer.«

»Mama wird das nicht gut finden.«

»Mama wird das gar nicht bemerken.«

Ludwig verstummte. Dann räusperte er sich.

»Mama möchte auch gar nicht, dass wir so viel mit den Mädchen spielen. Das ist unschicklich, sagt sie. Diese Leute sind nicht wie wir.«

»Ach, wirklich?«

Johannes setzte seinen Weg fort, ohne den Bruder eines Blickes zu würdigen. Wer brachte Ludwig auf solche Gedanken? Beatrice, Corinna, Ludwig und er selbst waren immer gute Spielkameraden gewesen … Nun, Ludwig wollte es Mama natürlich stets recht machen. *Dabei zollt sie ihm nie auch nur den kleinsten Dank für seine Nibelungentreue.*

Nachdenklich ließ Johannes seinen Stecken sinken. Das Verhältnis zwischen Mama und Ludwig war schon immer seltsam gewesen, ohne dass er genau hätte benennen können, was es ausmachte. Als Kind war da so ein Gefühl gewesen, dass etwas zwischen den beiden nicht stimmte. Bis heute hatte sich daran nichts verändert.

Johannes sah seinen Bruder nachdenklich von der Seite an. Ludwig tat ihm mit einem Mal leid, aber er hätte seine Gedanken niemals aussprechen können, ohne ihm zu nahe zu treten. Also ging er einfach weiter.

Mit jedem Schritt spürte Johannes jetzt mehr Sand unter den Füßen. Sie näherten sich der kleinen Bucht, in der sie schon ganze Nachmittage gemeinsam mit Beatrice und Corinna verbracht hatten. Als sie das Ziel erreichten, atmete Johannes tief durch, ließ endlich den Stecken fallen und stemmte die Hände in die Hüften. Das auf den letzten Metern dicht wachsende Schilf verlor sich an dieser Stelle und gab den Blick auf den See frei. Ein Stück weiter stand eine alte Trauerweide, von der aus ein dicker Ast bis weit übers Wasser hinweg ragte. An der vordersten Spitze hatten Beatrice, Ludwig und er selbst im letzten Jahr ein dickes Tau befestigt, waren hochgeklettert und hatten sich dann immer wieder von dort aus ins Wasser fallen lassen.

Für einen Augenblick verlor Johannes sich in Erinnerungen. Der Blitz, der im nächsten Moment vom Himmel herabfuhr, ließ beide Brüder zusammenzucken. Dann donnerte es krachend.

»Komm, jetzt ist es aber wirklich Zeit«, drängelte Ludwig.

Johannes kniff die Augen zusammen und trat einen Schritt vor.

»He, guck mal, da ist jemand auf dem See.«

»Was?« Ludwig schüttelte den Kopf. »Bei diesem Wetter? Blödsinn!«

»Doch«, Johannes streckte den Arm aus, »da drüben.«

Ludwig trat an seine Seite, kniff die Augen zusammen und sagte nichts mehr. Vor ihnen, etwa zwanzig Meter vom Ufer entfernt, schaukelte das Ruderboot, das sie selbst schon oft benutzt hatten.

»Aber da ist ja gar keiner drin«, stellte der Jüngere fest.

Johannes war indes bereits in kurzer Hose ein paar Schritte ins Wasser hineingelaufen. Die Kälte ließ ihn frösteln.

»Guck mal, das Ruder.« Johannes streckte den Arm aus und deutete auf etwas, das einige Meter entfernt vom Boot im Wasser trieb. »Wie ist das denn da hingekommen, wenn niemand im Boot ist – na, sag schon?«

Ludwig zuckte die Achseln. »Das weiß ich nicht, aber siehst du hier vielleicht irgendjemanden?«

Johannes reckte sich und spähte wieder auf das Wasser hinaus. Und dann hörten sie es beide, leise und kläglich: »Hilfe, helft mir doch, bitte! Hilfe!«

Im nächsten Moment war Johannes schon fast fünf Meter weit ins Wasser hineingelaufen. Wieder blitzte und donnerte es.

»Es ist Gewitter, du kannst nicht ins Wasser gehen!«, trug Ludwigs Stimme hinter ihm her.

Johannes blieb stehen, sah seinen Bruder an und deutete dann mit eindringlicher Geste in Richtung des Bootes: »Hast du es etwa nicht gehört? Da draußen ist jemand!«

Ludwig trat unruhig von einem Bein auf das andere.

»Aber das ist gefährlich. Wir könnten doch Hilfe holen.«

Johannes schüttelte den Kopf. »Dann ist es womöglich zu spät!«

»Aber …«

Johannes wandte sich schon wieder ab und lief weiter, warf sich, als das Gehen zu anstrengend wurde, ins Wasser und schwamm los. Er war ein guter Schwimmer, bemerkte aber rasch, dass es dieses Mal schwierig werden würde. Ein kräftiger Wind war aufgekommen. Immer mehr Wellen bildeten sich, die das Fortkommen deutlich erschwerten. Zudem trieb das Boot weiter und weiter ab, und er musste sich anstrengen, ihm zu folgen. Er rief, bekam aber keine Antwort, rief noch einmal, schluckte Wasser und musste heftig husten.

Nun gut, vorerst würde er sich ausschließlich auf das Schwimmen konzentrieren. Er musste wirklich alle Kraft dafür aufwenden, dabei war er ein guter Schwimmer. Manchmal schwappten die Wellen jetzt höher, über seinen Kopf hinweg, sodass er beim Luftholen aufpassen musste. Johannes arbeitete kräftig mit den Beinen, während er innerlich mitzählte. Eins. Zwei. Drei. Vier. Und wieder von vorne. Eins. Zwei. Drei. Vier.

So ging es besser. Endlich näherte sich das Boot, langsam zwar, aber doch stetig. Jetzt konnte er es schon fast berühren. Ein Kopf tauchte mit einem Mal über den Wellen auf und verschwand sofort wieder: »Corinna!«

Johannes erreichte das Boot, ließ es aber sofort wieder los. Es schaukelte heftig. Wo war sie? Wo war Corinna jetzt? Er wandte den Kopf und sah zu der kleinen Bucht zurück. Ludwig winkte ihm zu, gestikulierte, schrie etwas unhörbar in den Wind.

Entschlossen kämpfte Johannes sich um das Boot herum. Auch hier niemand … Weit und breit war niemand zu sehen.

Er warf erneut den Kopf herum, sah nach links, nach rechts, in alle Richtungen. Irgendwo musste Corinna sein. Sie konnte doch nicht einfach verschwinden? Natürlich war das Wasser unruhig, und es war sicher nicht leicht, stehen zu bleiben, aber immerhin *konnte* man hier doch stehen.

»Corinna!«, brüllte er nochmals. Eine neue Welle schwappte Wasser in Johannes' offenen Mund. Er hustete stark, da schoss plötzlich, etwa zwei Meter von ihm entfernt, ein Kopf aus dem Wasser und verschwand lautlos wieder.

Corinna! Johannes stürzte sich in die Richtung, in der er das Mädchen zuletzt gesehen hatte, tastete panisch im Wasser unter sich herum. Wo war sie? Wo war sie, verdammt? Wieder schoss der Kopf hoch; stumm, kein Laut, die Augen vor Schreck und Panik geweitet. Johannes nahm alle Kraft zusammen und hechtete zu ihr, bekam sie zu fassen. Corinna schlug um sich, kratzte, erwischte ihn schmerzhaft irgendwo im Gesicht. Er packte ihre Arme, dankbar dafür, dass sie so klein und zart war, viel mehr Kind noch als Frau. Sie wehrte sich noch etwas, dann, mit einem Mal, erschlaffte ihr Körper.

3

Einige Stunden früher … Eine Weile lang lagen Corinna und Beatrice im Boot auf dem Rücken und schauten in den tiefblauen Sommerhimmel hinauf, über den hier und da dünne Wolkenschleier zogen. Es war den ganzen Tag über sehr warm gewesen, fast schon drückend heiß, und bestimmt würde es am Abend ein Gewitter geben. Noch war davon aber nichts zu bemerken. Das Boot schaukelte sanft und machte die beiden Mädchen mit seinen Bewegungen schläfrig. Es war schon länger her, dass sie zuletzt Johannes' und Ludwigs Stimmen gehört hatten, die sich jedoch bald wieder entfernten. Nach kurzem Schweigen fingen die Mädchen wieder an, leise miteinander zu reden. Niemand hörte sie. Das Plätschern des Wassers schluckte ihre Stimmen, während sie über die höhere Schule sprachen, auf die Beatrice im Herbst wechseln würde, und über die Arbeit, die Corinna am Ende dieses letzten gemeinsamen Sommers in der Küche des Hotels antreten sollte.

Beatrice rollte sich auf die Seite und stützte ihren Kopf auf die rechte Hand. »Kannst du dir das überhaupt vorstellen? In der Küche zu arbeiten, meine ich? Überhaupt zu arbeiten … Irgendwie ist das doch eine komische Vorstellung. Dass du schon weißt, was du werden willst, ist auch irgendwie seltsam. Ich weiß das noch gar nicht …«

Corinna zuckte die Achseln. Nun, es war ja nicht so, dass sie sich groß Gedanken darum gemacht hatte, welchen Beruf sie ergreifen könnte. Ihre Mutter Irene arbeitete in der Küche, also würde sie es auch tun. Sie würde keine Ausbildung machen, nicht weiter zur Schule gehen … Sie musterte die Freundin.

»Wie meinst du das? Werdet ihr nicht ohnehin das Hotel übernehmen, du und dein Zukünftiger? Du wirst Hotelbesitzerin, ganz einfach.«

Beatrice schnalzte mit der Zunge. »Vermutlich.« Sie feixte. »Mein Weg ist also auch schon vorgezeichnet.«

Corinna gab keine Antwort, während sie wieder einmal an die Zeit nach diesem Sommer dachte. Sie hatte sich nie Gedanken darum gemacht, was dann sein würde. Warum sollte sie das auch? Warum sollte sie sich den Kopf über Dinge zerbrechen, die sich ohnehin nicht ändern ließen? Mama hatte ja sogar verlangt, dass Corinna gleich zu Beginn der Sommerferien zu arbeiten anfinge, aber Beatrices Vater hatte sich dagegengestellt. Corinna war froh, dass ihr wenigstens diese Wochen geblieben waren.

Und deshalb werde ich mich immer an diesen Sommer des Jahres 1912 erinnern.

Auch Beatrices Mutter Edith hatte davon überzeugt werden müssen, dass Irene Mayers Tochter erst nach dem Sommer mit der Arbeit beginnen würde.

»Aber wir werden alle Hände gebrauchen können, Hermann«, hatte sie argumentiert. »Besonders im Sommer. Das Haus wird voll besetzt sein.«

»Sie ist doch noch ein Kind«, hatte Hermann gutmütig erwidert, »lass ihr diesen Sommer. Sie müssen noch schnell genug erwachsen werden.«

Corinna erinnerte sich an Frau Kahlenbergs prüfenden Blick auf ihre dünnen Arme. Bitte, hatte sie wortlos gefleht, bitte lass mir noch diesen einen Sommer, nur diese paar Wochen, in denen alles ist, wie es immer war. Nach diesem Sommer wollte sie ihre Arbeit ja tun, gewiss nicht gerne, aber sie würde sie tun.

Ihre eigene Mutter hatte es sich natürlich nicht nehmen lassen, sie mehrfach darauf hinzuweisen, dass sich Corinna am untersten Ende der Hierarchie wiederfinden würde – bei den Spülerinnen, den Mädchen, die das Gemüse putzten, die Kartoffeln schälten, alle Zuarbeit verrichteten, morgens die Kamine auskehrten und sich niemals, niemals vor den Gästen zeigten. Sie würde ein graues Kleid tragen und eine dunkle Schürze dazu – keine weiße, die stand nur den Mädchen von oben zu.

Aber einen Sommer habe ich noch … Und ja, sie würde Beatrices Vater immer dafür dankbar sein. Er war derjenige, der Wärme in ihr Leben brachte, ein guter Mensch. So nannte man das wohl. Beatrices Mutter Edith dagegen ging Corinna lieber aus dem Weg, und sie wusste, dass es Beatrice selbst ähnlich erging.

Beatrice bewegte sich jetzt wieder, setzte sich gerade im Boot auf. Eine Weile hatten sie nun wirklich gar nichts mehr von den Jungen gehört. Offenbar suchten die beiden sie woanders, was bedeutete, dass Beatrice recht gehabt hatte mit der Wahl des Verstecks. Die lachte jetzt plötzlich laut auf, beruhigte sich aber gleich wieder und ließ ihren Mund ein kleines »Oh« formen.

Corinna kniff die Augen zusammen, um den Gesichtsausdruck der Freundin besser erkennen zu können.

»Was ist denn?«, fragte sie und rappelte sich ebenfalls auf.

Und dann sah sie es auch schon selbst: Das Boot befand sich nicht mehr neben dem Steg, es war abgetrieben. Das Seil, mit dem es festgemacht war, musste sich unbemerkt gelöst haben. Wer von ihnen beiden es versäumt hatte, die Befestigung noch einmal zu überprüfen, ließ sich im Nachhinein nicht klären. Nun war es in jedem Fall zu spät.

Beatrice lachte wieder, während sich Corinnas Magen zusammenkrampfte. Natürlich, Beatrice ließ sich nie von etwas beeindrucken. Spontan griff sie nach den Rudern, doch die waren wohl schwerer als erwartet, und noch bevor Beatrice sie in den Halterungen hatte befestigen können, waren sie auch schon ihren Händen entglitten und trieben im Wasser davon. Der Versuch der Mädchen, sie wieder herauszufischen, brachte das Boot fast zum Kentern. Beatrice lachte daraufhin noch lauter.

Corinna selbst kämpfte gegen die Tränen. Wie sollten sie denn wieder an Land kommen, in einem Boot ohne Ruder? Sie sah zu Beatrice hin, die offenbar bereits den Abstand vom Boot zum Land abschätzte. Sie fragte sich gerade, ob Beatrice tatsächlich daran dachte, ans Ufer zu schwimmen, als diese sich schon blitzschnell ihres leichten Sommerkleides und ihrer Schuhe entledigt hatte und, nur mit Unterwäsche bekleidet, über den Rand des Boots ins Wasser glitt. Die Freundin tauchte unter, dann durchbrach ihr Kopf die glitzernde Wasseroberfläche.

»Herrlich!«, rief sie Corinna prustend zu und grinste breit. »Auf Zehenspitzen kann man hier noch gut stehen. Komm, wir laufen einfach ans Ufer.«

Corinna schüttelte ängstlich den Kopf. »Kannst du nicht das Boot ziehen?«, bat sie ihre Freundin.

Beatrice versuchte es, gab aber rasch auf. »Es ist zu schwer«, sagte sie. »Du wirst doch laufen müssen.«

»Aber ich kann nicht schwimmen.«

»Du kannst hier stehen«, wiederholte Beatrice diesmal überdeutlich, als spreche sie mit einem kleinen Kind. »Auf Zehenspitzen. Du musst gar nicht schwimmen.«

Corinna schüttelte erneut heftig den Kopf. »Ich kann nicht. Ich habe Angst.«

»Vor Wasser?«, begann Beatrice sie zu necken. Corinna gab keine Antwort. »Na, dann eben nicht«, murmelte Beatrice. Als sie losließ, gab sie dem Boot ungewollt einen Stoß. Corinna verfolgte halb erstarrt, wie sich das Ufer noch ein wenig weiter entfernte. Jetzt war es gänzlich unmöglich, an Land zu kommen. Auch wenn sie sich doch noch überwunden hätte – hier konnte sie wirklich nicht mehr stehen.

»Holst du Hilfe?«, rief sie der Freundin mit zitternder Stimme hinterher. Beatrice drehte sich um.

»Natürlich, was denkst du denn?« Sie strich sich eine nasse blonde Haarsträhne aus der Stirn. »Es wird aber vielleicht etwas dauern. Du weißt ja, ich muss hinten ums Haus herum. Wenn Mama mich so in Unterwäsche draußen sieht, wird sie außer sich sein. Sie wird glauben, dass es deine Schuld ist, und dann verbietet sie uns sicher endgültig den Kontakt miteinander, und du landest gleich in der Küche. Aber vielleicht finde ich ja auch Papa zuerst, oder sogar einen der Jungs … Johannes kann schwimmen, Ludwig auch. Hab keine Angst, ich rette dich. Das ist doch selbstverständlich.«

Corinnas Hände umklammerten den Bootsrand. Was und wie auch immer, fuhr ihr durch den Kopf, nur beeil dich!

Während Beatrice sich entfernte, presste sie die Lippen aufeinander. Mit einem Mal drängte Ärger in ihr hoch. Das kam alles nur davon, dass Beatrice immer bestimmen musste. Beatrice entschied, was gespielt wurde, wohin sie gingen, welche Lieder sie sangen. Sie bestimmte einfach alles, ganz gleich, wie gefährlich oder albern es auch war. Es schien ja auch nur zu natürlich, sie war Hermann Kah-

24

lenbergs Tochter, die Tochter des Mannes, dem das ganze Gelände hier, das prächtige Hotel und auch der Waldsee gehörten, der in mühevoller Arbeit von seinen Urgroßeltern angelegt worden war. Corinna aber, kaum vier Monate jünger, war lediglich das Kind der Hilfsköchin, ein Bastard noch dazu, der seinen Vater nicht kannte und von dessen Mutter man sich erzählte, dass ihre Freizügigkeit sie einmal ins Grab bringen würde. Ging es nach Beatrices Mutter, so konnte Corinna froh sein, dass sie sich überhaupt in Beatrices Nähe aufhalten durfte. Edith Kahlenberg sah die Freundschaft der Mädchen mit äußerstem Unwillen und versuchte bei jeder Gelegenheit, einen Keil zwischen das Gespann zu treiben.

Was sollen die Leute denken, hatte Corinna sie einmal zu Herrn Kahlenberg sagen hören, als sei etwas Schmutziges an Corinna, etwas, was sie von den anderen Kindern unterschied und was es ihr unmöglich machte, mit Beatrice befreundet zu sein.

Ginge es nach Edith Kahlenberg, würde Beatrice eine Dame werden und gut heiraten, eine Vorstellung, über die die Mädchen gern lachten, während sie sich barfüßig durchs Unterholz schlugen. Noch ließ Beatrice genauso wenig die Dame in sich erkennen wie Corinna. Sie waren Freundinnen und das, seitdem sie zum ersten Mal gemeinsam auf Beatrices Wippe gesessen hatten.

Corinna sah nochmals in die Richtung, in der Beatrice verschwunden war, ließ dann ihren Blick unbehaglich über das Wasser schweifen.

Hast du endlich schwimmen gelernt?, hatte der ältere Johannes sie gefragt, als sie heute Mittag zum ersten

Mal seit zwölf Monaten wieder voreinandergestanden hatten.

Corinna hatte den Kopf geschüttelt. Jetzt fängt mein letzter Sommer an, hatte sie nur gedacht.

Wenn du willst, bring ich es dir bei, hatte Johannes gesagt und die Hände in die Hüften gestemmt. Während seiner Abwesenheit war er ein gutes Stück in die Höhe geschossen. Corinna erinnerte sich, in diesem Moment urplötzlich Beatrices Blick auf sich gespürt zu haben, und hatte nicht gewusst, was sie antworten sollte.

Auch jetzt fröstelte sie noch. Gesellschaftlich gesehen standen die adligen von Thalheims noch höher als die Kahlenbergs. Wenn Beatrices Mutter mit den von Thalheims sprach, wurde ihre Stimme ganz ehrerbietig, und Corinna ließ sich am besten gar nicht sehen. Was bedeutete es wohl, wenn ein Johannes von Thalheim anbot, einen das Schwimmen zu lehren?

Eine leichte Windböe trieb das Boot zur Seite, und Corinna hob den Kopf, um in Richtung Westen zu schauen. Dass es dort am Himmel immer dunkler wurde, war ihr schon aufgefallen. Inzwischen war es so düster, dass die hellen Sonnenstrahlen, die ab und an zwischen den Wolken durchspitzten, geradezu grell wirkten.

Wo blieb Beatrice nur? Vielleicht war sie doch Frau Kahlenberg in die Arme gelaufen und sofort auf ihr Zimmer geschickt worden?

Corinna hielt es für durchaus möglich, dass Frau Kahlenberg ihre Tochter zur Strafe einsperrte, ohne sie anzuhören. Hatte Beatrice ihrer Mutter wenigstens sagen können, dass Corinna sich auf dem See befand?

Prüfend schaute Corinna zum Horizont. In den wenigen Augenblicken, in denen sie es nicht getan hatte, war es dort noch dunkler geworden. Regenwolken dräuten. Neuer Wind kam auf. Das Boot schaukelte, trieb weiter, jedoch nicht zum Ufer hin, sondern im Kreis. Ob sie es wagen sollte zu schreien?

Dieses impertinente Kind kennt seinen Platz nicht. Jemand muss ihm zeigen, wo es hingehört, tönte wieder die Stimme von Beatrices Mutter in ihrem Kopf.

Das Wort »Kind« hörte sich aus Edith Kahlenbergs Mund tatsächlich wie etwas Widerwärtiges an. Corinna dachte daran, wie sie danach vor dem Spiegel gestanden und sich genau angesehen hatte.

Nein, sie war kein Engel wie Beatrice. Sie war kleiner als die Freundin, dunkelhaarig, mit dichten, fast buschigen, sehr geraden Augenbrauen, die ihr etwas Düsteres verliehen. Alles an ihr war eckig, Haare und Augen waren tiefdunkel. Rassig, sagten die Männer, wenn sie von ihrer Mutter sprachen … Vielleicht würden sie das irgendwann auch von ihr sagen.

Der heutige Nachmittag, an dem sie gleich nach deren Ankunft zum ersten Mal mit den Thalheim-Jungen gespielt hatten, schien eine Ewigkeit entfernt. Johannes würde in diesem Sommer wahrscheinlich zum letzten Mal mit den Mädchen spielen; nächstes Jahr würde er sich sicherlich endgültig zu groß dafür fühlen. Ludwig, auf der anderen Seite, war noch ein richtiger Junge, mit weichen, blonden Locken und ebenso weichen Gesichtszügen.

Verdammt, wo blieb Beatrice nur? Würde sie doch aus dem Boot klettern müssen, um selbst an Land zu kommen?

Aber ich kann nicht schwimmen.

Und Mama würde außer sich sein, wenn sie ihre Kleidung nass machte. Die guten Schuhe, die sie von einem Unbekannten zum Geburtstag bekommen hatte. Am Morgen ihres letzten Geburtstags hatte jemand das Paket gebracht: weiße Sandalen mit einer zarten Blütenstickerei, richtige Schuhe mit Sohlen aus Leder und nicht aus Holz.

Von deinem Vater, hatte Mama eines Abends, einige Wochen später, gesagt, als sie wieder einmal betrunken gewesen war. Schau nur, wie viel du ihm wert bist, ein ganzes, echtes Paar Schuhe.

Corinna hatte darüber gerätselt, ob die Stimme ihrer Mutter dabei abfällig geklungen hatte oder nicht. Eigentlich sprach Irene nie über Corinnas Vater. Eine Zeit lang hatte sie sogar behauptet, sie könne sich gar nicht an ihn erinnern, aber Corinna wusste, dass das nicht stimmte.

Sie erinnerte sich, die weißen, vorne geschlossenen Sandalen angeschaut und darüber gegrübelt zu haben, wie viel sie ihm nun tatsächlich wert war. Als sie am nächsten Morgen vorsichtig nachgefragt hatte, um doch noch mehr über ihren Vater zu erfahren, hatte ihre Mutter nichts mehr davon wissen wollen.

Ich war betrunken, Mädchen, da redet man dummes Zeug. Ich habe dir die Sandalen gekauft – wer denn sonst? Und ich prügele dich, dass dir Hören und Sehen vergeht, wenn da etwas drankommt. Und jetzt bedanke dich bei deiner Mutter, die sich Tag und Nacht für dich krumm schuftet.

Corinna hatte sich unsicher bedankt und doch gewusst, dass ihre Mutter log. Niemals hatte sie das Geld für diese Schuhe gehabt.

Einen Moment lang starrte Corinna noch auf die Sandalen, dann zog sie sie aus. Sie durften nicht nass werden. Danach schlüpfte sie aus ihrem Kleid, einem einfachen beigen Kittel, und kauerte im nächsten Moment fröstelnd im Unterkleid in der Mitte des Boots.

Mama hatte sie erwischt, gerade als es Beatrice fast gelungen war, sich hinten durch den Personaleingang ins Haus und hinauf in ihr Zimmer zu stehlen. Wer hatte auch ahnen können, dass Edith Kahlenberg just in diesem Moment dort vorbeikommen würde? Gewöhnlich war dieser Weg sicher, denn Mama fand sich zum Abendessen stets im großen Speisesaal ein, um kurze Gespräche mit den Gästen zu führen und natürlich auch, um allgemein nach dem Rechten zu sehen. Mama hatte die Dinge gern in der Hand. Doch heute war sie nicht im Speisesaal, jedenfalls ausgerechnet nicht zu der Zeit, als Beatrice sich nach oben schleichen wollte.

»Fräulein!«, hielt Mamas schneidende Stimme sie am Treppenaufgang zurück. Beatrice drehte sich um. Obwohl es ein warmer Sommertag war, fröstelte sie unter dem scharfen Blick ihrer Mutter in ihrer Unterwäsche unwillkürlich.

»Auf dein Zimmer«, herrschte Mama sie im nächsten Moment an. »Wir sprechen uns oben, Fräulein. Was denkst du dir eigentlich dabei, hier in diesem Aufzug herumzulaufen?«

»Aber, Mama, Corinna braucht unsere …«

»Schweig!«

Beatrice versuchte es noch einmal. »Mama, Corinna ist …«

Edith schüttelte den Kopf. »Habe ich mich nicht deutlich ausgedrückt? Nach oben, Fräulein!«

Und dann scheuchte Edith ihre Tochter auch schon auf dem schnellsten Weg hinauf in deren Zimmer. Kaum hatte sich die Tür hinter ihnen geschlossen, verzogen sich ihre kühlen, gleichmäßigen Gesichtszüge zu einer Maske des Zorns. Ihre sonst so weiche, ruhige Stimme schwoll zu einem Zetern an.

»Wo warst du die ganze Zeit? Du hast deine Pflichten, Beatrice. Irgendwann sollen dein zukünftiger Mann und du hier alles übernehmen, dann kannst du dich auch nicht nach Belieben herumtreiben!«

»Mama, Corinna ist allein auf dem See, in einem Boot!«

Nichts geschah. Beatrice hatte vieles erwartet, nicht jedoch, dass ihre Mutter sie nur stumm ansehen würde. »Mama, hörst du? Corinna …«

»Zieh dich an.« Von einem Moment auf den anderen hatte Edith ihre Wut gezügelt, so plötzlich, dass es unheimlich wirkte. »Zieh dich an«, wiederholte sie noch einmal sehr leise, »und kein Wort mehr. In spätestens zehn Minuten bist du bei Vater und mir im Büro.«

»Mama, Corinna …«, setzte Beatrice erneut an, was ihr umgehend eine Ohrfeige einbrachte.

»Solltest du dich nicht beeilen, wenn dir etwas an deiner Freundin liegt?«, sagte Edith nur und verließ ohne ein weiteres Wort das Zimmer. Beatrice sah ihrer Mutter stumm hinterher, bis die Tür ins Schloss fiel.

Sobald sie allein war, eilte das Mädchen zum Fenster. Von hier oben hatte man einen guten Blick auf den See. Vorne, auf der Hotelseite, war der Sandstrand, den die Gäste nutzen konnten, und der große Bootssteg. Ein Kiesweg führte von dort links und rechts um den See herum. In einiger Entfernung vom Hotel und vom See begann ein lichter Wald aus hohen Kiefern. Rechter Hand fiel die große Trauerweide auf, eine solche befand sich auch auf der anderen Seite des Sees bei der Bucht, wo sie alle so gern spielten.

Vielleicht ist das Boot dorthin getrieben? Vom Fenster aus kann ich es jedenfalls nicht mehr sehen. Vielleicht, überlegte Beatrice weiter, war es Corinna gelungen, dort, auf der anderen Seite, an Land zu kommen?

Aber sie wusste es nicht, und deshalb musste sie sich beeilen und schnellstmöglich mit Papa sprechen. Papachen würde ihr zuhören. Er würde etwas tun.

Beatrice stürzte zum Schrank hinüber, holte sich das erstbeste Kleid heraus, zog auch frische, trockene Unterwäsche an, bürstete ihr Haar, flocht es zu einem Zopf. Mit einem kurzen Blick in den Spiegel versicherte sie sich, dass die Spuren der Ohrfeige nicht mehr zu sehen waren, und war kaum fünf Minuten später auf dem Weg nach unten.

Dort wartete Papa. Es war immer leichter, mit Papa zu reden.

Als sie seine in wütende Falten gelegte Stirn sah, fühlte sich Beatrice allerdings verunsichert.

»Ich wollte es dir doch gleich sagen, aber Mama …«

Hermann hob die Hand. Beatrice verstummte umgehend. Papas Worte trafen sie wie Stiche in ihr Herz. »Du wusstest, dass ein Gewitter droht, Beatrice!«

»Aber wir waren doch schon oft auf dem See, Papa, wir .. Wir dachten ja auch, das Boot wäre angebunden.«

Papa schüttelte nur den Kopf. »Sei still.«

Beatrices Blick huschte unsicher zu ihrer Mutter hinüber, deren Ausdruck jetzt wieder maskenhaft, aber irgendwie zufrieden wirkte.

Warum hatte Edith eigentlich nicht sofort etwas unternommen, als Beatrice ihr von Corinnas Not erzählt hatte? Hasste Mama die Freundin so sehr? Weil Corinnas Freundschaft Beatrice herabsetzte? Konnte denn ein Mensch einen anderen wirklich herabsetzen? Papas tiefes Einatmen riss Beatrice aus den Gedanken. Es war noch nicht viel Zeit vergangen, seit sie hier zusammengekommen waren.

»Wir müssen sie suchen«, sagte Hermann mit mehr Ruhe, als sein Gesichtsausdruck verhieß. »Lasst uns hoffen, dass ihr nichts passiert ist.«

Beatrice senkte unwillkürlich den Kopf und schaute auf ihre nackten, dreckigen Füße. Sie hatte es versäumt, Schuhe anzuziehen. Mama bemerkte es im gleichen Augenblick und schüttelte missbilligend den Kopf.

Wenig später waren sie draußen, und Beatrice kämpfte darum, mit ihrem Vater Schritt zu halten. Edith folgte Vater und Tochter sichtbar unwillig.

»Wo war Corinna genau, als du sie verlassen hast?«, fragte Hermann, als sie das Ufer erreichten.

Beatrice kniff die Augen zusammen, sah zum Steg hinüber und schätzte den Abstand ab. »Dort etwa«, gab sie stockend zurück und wünschte sich gleichzeitig, ihre

Stimme möge fester klingen. Edith schnaubte. Hermann drehte sich zu seiner Tochter hin.

»Könnte es ihr vielleicht gelungen sein, an Land zu rudern? Trotz des Windes, meine ich?«

»Sie hatte keine Ruder«, antwortete Beatrice so leise, dass Papa es offenbar erst mit Verzögerung verstand.

»Auf dem See? Ohne Ruder? Du hast Corinna dort ohne Ruder alleine gelassen?«, fragte er ungläubig, spähte dann gleich mit zusammengekniffenen Augen über die Wasserfläche hinweg und begann einem Atemzug später unruhig auf und ab zu laufen. »Herrgott, ich kann das Boot nirgendwo sehen … Was tun wir jetzt …?« Erneut wandte sich Hermann seiner Tochter zu. Sein Blick hatte noch nichts von dieser ungewohnten Strenge verloren. »Warum hast du nicht sofort die Wahrheit gesagt?«

»Ich wollte sie doch nicht alleine lassen. Corinna wollte nicht mitkommen.«

»Sie kann nicht schwimmen, Beatrice.«

»An der Stelle kann man stehen.« Beatrice schob trotzig die Unterlippe vor. Sie hasste es, sich schuldig zu fühlen. Noch mehr hasste sie es, wenn ihr geliebter Papa sie so anschaute. Es machte sie wütend, und diese Wut suchte jetzt nach einem Ausweg.

»Himmel, wahrscheinlich ist dieses Mädchen auch längst an Land, und wir dürfen uns morgen um das Boot und die Ruder kümmern, die sicherlich noch irgendwo auf dem See treiben. Wann lernt dieses Kind endlich, dass man nicht an den Besitz anderer Leute geht?«, fuhr Mama empört dazwischen.

»Edith!« Hermann sah seine Frau kopfschüttelnd an. »Es ist nicht gesagt, dass Corinna sich überhaupt retten konnte. Vielleicht ist sie noch dort draußen. Ich bin mir im Übrigen sehr sicher, dass es unsere Tochter war, die die Idee zu alldem hatte.«

Hermann sah zu Beatrice hin. Die wich seinem Blick aus. Natürlich hatte Papa recht. Es war ihre Schuld, dass Corinna dort draußen auf dem See war. Mama dagegen fand das Aufhebens, das um *diese Person* gemacht wurde – das uneheliche Kind einer Hilfsköchin, du meine Güte –, deutlich übertrieben.

»Ich wollte sie doch nicht alleine lassen, Papa.«

Hermann zögerte, dann trat er auf seine Tochter zu und streichelte ihr kurz über den Kopf. Für einen flüchtigen Moment entspannten sich seine Gesichtszüge, doch sie sah es. Beatrice kannte ihren Vater bis in sein Innerstes. Sie spürte, wie ihr Brustkorb ein wenig weiter wurde.

»Ich wollte doch, dass sie mitkommt, aber dann hat sie sich geweigert, und da dachte ich, ich wate einfach schnell an Land und hole Hilfe. Sie ist doch meine Freundin, Papa. Wirklich, ich wollte das nicht.« Es war die Angst, die Beatrice immer weitersprechen ließ. »Das Boot ist sicher auf die andere Seite getrieben. Bitte, lass uns rasch dort nachschauen, Papa, bitte!«

Jetzt tätschelte der Vater ihr sogar flüchtig die Wangen. Seine Hände fühlten sich kühl auf ihrer erhitzten Gesichtshaut an.

»Ja, vielleicht ist sie auf der anderen Seite«, murmelte Papa.

»Und wen schicken wir dorthin?«, mischte sich Mama ein. »Wir können um diese Zeit einfach kein Personal entbehren.«

»Ich gehe selbst.« Papa sah entschlossen aus.

»Du?« Edith schüttelte den Kopf. »Was sollen die Leute denken? Du musst um diese Zeit unbedingt ansprechbar sein.«

Hermann sah seine Frau an. »Hm, was sollten sie denn denken?«

Edith erwiderte seinen Blick zuerst sehr ernst und wich ihm dann aus. »Ach«, sie schüttelte den Kopf, »ich weiß ja, dass ihr beiden diese Dinge nicht versteht.«

»Ich komme mit, Papa«, platzte Beatrice heraus.

»Du gehst auf dein Zimmer«, erwiderte Edith scharf.

»Tu, was deine Mutter sagt.« Hermann lächelte seine Tochter aufmunternd an. »Allerdings habe ich nachher noch ein Wörtchen mit dir zu reden.«

»Ja, Papa.«

»Du bist die Ältere, du trägst die Verantwortung. Irgendwann wirst du das Hotel führen müssen, und dann …«

Der Blitz, der in diesem Moment niederfuhr, ließ sie alle zusammenzucken.

Vielleicht ist Corinna jetzt tot, dachte Beatrice und erkannte am Blick des Vaters, dass er das Gleiche dachte. Sie waren sich immer sehr nahe gewesen. Die Gedanken des einen waren für den anderen kein Geheimnis. Beatrice spürte, wie sich ihr Magen zusammenzog.

Corinna tot? Nein, das konnte sie sich nicht vorstellen. Das hatte sie nicht gewollt.

»Geh jetzt hinauf in dein Zimmer«, wiederholte Hermann.

»Ja, Papa, ich …«

»Geh, Beatrice, wir sprechen nachher weiter.«

Mit gesenktem Kopf ging Beatrice los. Dann drehte sie sich doch noch einmal um. »Es geht ihr doch gut, Papachen, oder? Es ist ihr doch nichts passiert, ja?«

Johannes positionierte Corinna so in seinen Armen, wie er es gelernt hatte, und schwamm rückwärts mit kräftigen Beinschlägen auf den Strand zu. Das Gewitter, auf das er in den letzten Minuten kaum geachtet hatte, war weder stärker geworden, noch war es vorübergezogen. Ab und an blitzte es, und etwas später war grollender Donner zu hören. Feiner Nieselregen benetzte sein Gesicht. Endlich spürte er Boden unter sich, Steine und Sand. Ab hier konnte er nicht mehr schwimmen, hier wurde das Wasser zu flach. Johannes atmete erleichtert durch. Er hatte es geschafft.

»Ludwig«, krächzte er. Der Rückweg war anstrengend gewesen. Hinter ihm knirschten Schritte näher. Dann war der Jüngere auch schon neben ihm, vom Regen vollständig durchnässt. Gemeinsam zogen sie Corinna aus dem Wasser. Das Mädchen hielt die Augen geschlossen, war blass und rührte sich nicht. Johannes kniete neben ihr nieder und strich ihr das feuchte Haar aus dem Gesicht.

»Sie atmet«, rief er kurz darauf erleichtert aus.

»Was ist mit ihr?« Ludwig schaute auf die anderen beiden herunter.

»Wahrscheinlich hat sie einfach Wasser geschluckt.« Johannes beugte sich tiefer. »Und sie wird erschöpft sein, aber sie atmet. Das ist das Wichtigste.« Er schlug ihr leicht ins Gesicht. »Corinna!«

Das Mädchen regte sich nicht, öffnete auch die Augen nicht. Johannes fühlte ihren Puls.

»Vielleicht hat sie ja zu viel Wasser geschluckt?«, fragte Ludwig unsicher.

Johannes zuckte die Achseln. Er berührte Corinnas Hände – sie waren eiskalt – wie auch ihr ganzer Körper. Vielleicht lag es daran. Entschlossen begann er, ihre Arme und Hände zu reiben. Die Haut rötete sich, doch das Mädchen rührte sich immer noch nicht. Ihre Wangen blieben blass, ihre Lippen bläulich verfärbt.

»Corinna!« Johannes klopfte ihr wieder gegen die Wangen, fester dieses Mal, legte ihr dann die Arme um den Körper und zog sie zu sich hoch, um sie mit seinem Körper zu wärmen. Es wurde nicht viel besser. Endlich richtete er sich auf.

»Ich glaube, sie ist viel zu kalt, Ludwig, wir müssen sie schnell ins Haus bringen. Sie muss einfach wieder warm werden.«

»Aber sie kann nicht laufen«, stellte der Jüngere fest.

»Ja«, leichter Unwillen schlich sich in Johannes' Stimme, »dann werden wir sie eben tragen.«

»Wie du meinst.«

Johannes hörte den Seufzer, den sein Bruder ausstieß, und entschied sich, diesen nicht zu kommentieren. Stattdessen nahm er Corinna bei den Armen, lagerte ihren Kopf an seinem Bauch, während Ludwig die nackten Beine des

Mädchens nahm. Ihr Unterkleid klebte an ihrem Körper, ihre Haut schimmerte durch den nassen Stoff hindurch, und für einen Moment starrten beide Jungen darauf, dann rissen sie sich wieder von dem Anblick los. Langsam ging es um den See herum zurück zum Haus. Immer wieder mussten sie absetzen, um neue Kraft zu schöpfen. Corinna mochte klein und zart sein, trotzdem fühlte sich ihr schlaffer Körper äußerst schwer an. Als sie sie das letzte Mal ablegten, schon in Sichtweite des Hauses, hustete sie mit einem Mal und spuckte einen Schwall Wasser ins Gras an ihrer Seite. Dann setzte sie sich auf, drehte den Kopf und starrte Johannes an.

»Johannes«, flüsterte sie, und etwas später, »Ludwig …«

Johannes lächelte. »Was machst du denn für Sachen? Was wolltest du allein im Wasser?«

Corinna drehte den Kopf zum See hin und sah für einen Moment abwesend aus.

»Wir wollten uns doch nur verstecken«, flüsterte sie endlich. »Ich war nicht alleine.«

»Papa, du musst Corinna zu unserem Arzt bringen. Du musst. Bitte. Wenn er nicht kommen will, dann musst du Corinna zu ihm bringen! Vielleicht ist sie krank!«, drängelte Beatrice, während sie sich an den Arm ihres Vaters hängte und flehend zu ihm aufsah.

»Aber Hermann, du denkst doch nicht etwa daran …«, mischte sich Edith aus dem hinteren Teil des Zimmers ein, wo sie von Zeit zu Zeit einen missbilligenden Blick in Richtung der Chaiselongue warf, auf der sich Corinna von den Schrecken des Nachmittags erholte.

Hermann stand neben der Chaiselongue und sah auf Corinna herunter. Sie war immer noch sehr blass. Er schüttelte den Kopf.

»Himmel, sie ist doch bloß …«, fing Edith wieder an.

»Ich weiß, wer sie ist«, erwiderte Hermann scharf. »Aber was tut das zur Sache?«

»Ich wollte nur sagen, dass sie bloß etwas länger im Wasser war«, erwiderte Edith, fügte dann aber, mit deutlich mehr Schärfe in der Stimme, hinzu: »Aber jetzt, wo du es ansprichst, Hermann, in der Tat ist sie das Kind unserer Hilfsköchin.«

»Ja …«

»Wie sieht das denn aus? Wollen wir jetzt jeden unserer Bediensteten persönlich zum Arzt fahren?«

Hermann schaute seine Frau für einen Moment verloren an, dann setzte er sich an Corinnas Seite. Groß und dunkel richteten sich Corinnas Augen auf ihn. Obgleich er sie nur mit einem Teil seines Oberschenkels berührte, spürte er, wie schmal und knochig ihr Körper war. Nein, er wusste es, obwohl sie in Beatrices Nachthemd steckte und sich zusätzlich in eine Decke gewickelt hatte. Hermann streckte eine Hand nach dem Mädchen aus, um ihr über das noch feuchte Haar zu streichen. Die beiden sahen einander an, dann stand er entschlossen auf.

»Ich bringe sie zu Dr. Feldkamp. Besser, wir riskieren nichts. Zudem hatte unsere Tochter ja durchaus ihren Anteil an Corinnas Zustand, da ist es nur angemessen, wenn wir uns von ihrem Wohlergehen überzeugen.«

Ediths Lippen wurden schmal; mehr an Gefühl zu zeigen erlaubte sie sich nicht.

»Und wie willst du das um diese Zeit und bei diesem Wetter anstellen?«, bemerkte sie und wies auf das Fenster, gegen das in diesem Augenblick heftig der Regen prasselte. »Wir haben kein Auto.«

Hermann strich Corinna erneut über das Haar. Feuchte Strähnen klebten an seinen Fingern. Immerhin fühlte sie sich langsam etwas wärmer an. Er zog seine Hand zurück.

»Ich werde Herrn von Thalheim fragen.«

Edith schnaubte. »Du willst unsere Gäste belästigen? Wegen dieses Mädchens da? Das ist nicht dein Ernst!«

»Ja, das will ich.« Hermann begegnete dem Blick seiner Frau mit mehr Entschlossenheit als gewöhnlich. Dieses Mal wich er ihr nicht aus. »Johannes hat das im Übrigen schon übernommen. Ich könnte mir niemals verzeihen, wenn Corinna etwas geschieht. Sie ist Irene Mayers einziges Kind.«

»Himmelherrgott, was soll ihr denn geschehen? Sie hat sich etwas verkühlt. Sie ist robust. Sie wird das schaffen.«

»Es kann so schnell vorbei sein. Gerade du weißt das«, erwiderte Hermann scharf. »Gerade du!«

Edith presste die Lippen zusammen. Ja, sie wusste, wovon er sprach. Ihr eigener kleiner Bruder war damals an Diphtherie gestorben. Es war schrecklich gewesen, nichts tun zu können, und ihre eigene Mutter war daran fast zerbrochen. Trotzdem holte sie noch einmal tief Luft, um ihrem Mann etwas entgegenzusetzen.

»Lass uns wenigstens diese Nacht abwarten. Morgen sieht die Welt schon anders aus. Wenn sie morgen ...«

Hermann wandte sich wieder Corinna zu, an deren Seite mittlerweile Beatrice saß. »Kannst du aufstehen?«, fragte er freundlich.

Edith schnaubte, sagte nun aber nichts mehr. Corinna nickte stumm. Beatrice sprang trotzdem auf, um ihr behilflich zu sein. Seit Johannes und Ludwig mit der blassen Corinna zwischen sich in der Empfangshalle des Hotels aufgetaucht waren, quälte sie ihr schlechtes Gewissen unablässig.

Wie hatte sie Corinna nur so allein lassen können? Sie hätte darauf bestehen sollen, sofort wieder hinaus zum See zu gehen, um der Freundin zu helfen, aber sie hatte sich nicht gleich getraut, hatte vielleicht auch ein wenig an sich gedacht, an die Folgen, die das alles für sie haben würde. Sie schämte sich.

Als Corinna sich aus der Decke schälte, fiel Hermanns Blick auf ihre nackten Füße. »Wo sind denn deine Schuhe?«

Corinna senkte den Blick. Ihre Stimme klang belegt. Sie war den Tränen nahe. »Im Boot.« Sie schluckte. »Ich wollte doch nicht, dass sie nass werden.«

Beatrice legte der Freundin den Arm um die Schultern, was ihre Mutter zu einem neuerlichen Unmutslaut veranlasste.

»Keine Angst, Rinna, wir holen deine Schuhe wieder. Wir werden das Boot schon an Land bringen, und dann werden wir sie hier am Kamin trocknen. Es wird nichts passieren – du wirst schon sehen. So lange nimmst du einfach meine Pantoffeln.« Beatrice lächelte Corinna an, während sie rasch aus ihren Hausschuhen schlüpfte und der Freundin dann auch noch ihre Strickjacke um die schmalen Schultern legte. »Das wird schon«, fügte sie hinzu.

Corinna nickte schniefend. Dann führte Hermann sie hinaus in die Halle, wo sie warten sollte, während er sich auf den Weg machte, um Cornelius von Thalheim Bescheid zu geben. Die beiden Männer waren schneller zurück als erwartet, Hermann trug ein solch joviales Lächeln auf dem Gesicht, dass Edith nur mit Mühe ein Schaudern unterdrückte. Wusste er denn nicht, in welchem Licht er die Familie stehen ließ? Einen Gast wie Herrn von Thalheim zu bitten, diese Corinna zum Arzt zu fahren! Nichtsdestotrotz beherrschte sie sich. Es tat nichts zur Sache, was sie dachte. Sollte es von außen nur so aussehen, als würde sie sich den Wünschen ihres Mannes beugen. Spätestens heute Nacht, wenn sie endlich ins Bett kamen, würde sie ein sehr ernstes Wort mit ihm reden.

Als Beatrice in ihr Zimmer zurückkehrte, hatte Ludwig gerade eine von ihren Puppen in die Hand genommen und drehte sie, wohl ohne das recht zu bemerken, hin und her. Johannes stand am Giebelfenster und sah auf den See hinaus. Von hier oben war eine dunkle, ruhige Wasserfläche zu sehen. Irgendwo dahinten trieb noch das Boot, das morgen, wenn es hell war, an Land gebracht werden sollte.

Johannes dachte kurz an Corinnas vom Regen durchweichten Schuhe, über die das Mädchen sehr geweint hatte. Spontan hatte er sie in den Arm genommen und ihren bebenden Körper an seinem gespürt. Er versuchte, sich vorzustellen, wie es war, über Schuhe weinen zu müssen. Dann drehte er sich um und musterte die anderen beiden. Die plötzliche Helligkeit im Inneren des Raums ließ ihn die Augen zusammenkneifen. Johannes' Blick wanderte zu Beatrice, die an ihrem Schreibtisch saß.

Irgendwie sah sie verändert aus. Er überlegte, was es war, kam aber zu keinem Schluss. Er wusste nur, dass es nicht das Ereignis auf dem See gewesen war …

Nein, sie hat sich für mich verändert.

In diesem Moment erwiderte sie seinen Blick. Johannes spürte, wie sich in seinem Nacken die Haare aufrichteten. Wie seltsam, dachte er, wie seltsam.

Durch die Tür war draußen im Flur kurz Edith Kahlenbergs Stimme zu hören, doch zu ihrer aller Erleichterung kam Beatrices Mutter nicht noch einmal zu ihnen herein.

Johannes musterte Beatrice erneut. Letztes Jahr erst war ihm bewusst geworden, dass die Beziehung zwischen Beatrice und ihrer Mutter nicht die leichteste war. Damals hatte er erstmals die Anspannung zwischen ihnen wahrgenommen, die eigentlich immer bestand. Ihren Vater, den gutmütigen Hotelbesitzer, den Mann mit dem großen Herzen für Mensch und Tier, liebte Beatrice dagegen heiß und innig. Natürlich musste Beatrice ihnen alles berichten, als ihre Mutter endlich gegangen war.

»Ich wollte ja Hilfe holen«, beharrte sie jetzt wieder und entgegnete seinem Blick mit dem ihr eigenen Trotz, »aber dann bin ich Mama in die Arme gelaufen. Und sie hat mich einfach sofort aufs Zimmer geschickt, bevor ich etwas sagen konnte.«

Johannes verschränkte die Arme vor der Brust.

»Aber du hättest trotzdem gleich sagen müssen, was wirklich los ist.«

Beatrice schob die Unterlippe vor. »Ja, hätte ich, aber dann dachte ich, gleich rede ich mit Papa … Papa hört mir zu …«

»Unser Vater fährt sie ja jetzt zum Arzt«, mischte Ludwig sich ein.

Beatrice schaute den jüngeren der Thalheim-Brüder dankbar an.

»Ja, Papa hat sich durchgesetzt. Mama war dagegen, aber er wollte sich einfach davon überzeugen, dass alles in Ordnung ist.« Sie holte tief Luft. »Er hat Corinna schon immer gemocht. Er hatte nie etwas dagegen, dass sie meine Freundin ist«, fügte sie dann nachdenklich dazu.

Johannes kam die paar Schritte vom Fenster zum Bett und ließ sich darauf niederfallen. »Es ist schön, wieder hier zu sein«, stellte er fest. »Ich freue mich jedes Jahr darauf. Nächstes Jahr …«

Beatrice, den Ellenbogen auf die Stuhllehne gelegt und das Kinn darauf gestützt, schaute ihn fragend an.

»Was ist mit nächstem Jahr?«

»Johannes beginnt wahrscheinlich endlich seinen Militärdienst«, antwortete Ludwig für den Bruder. »Und ich kann es auch kaum erwarten.«

Johannes rollte mit den Augen.

»Gute Güte, diese Ungeduld! Du könntest meinen Platz haben, wenn das irgendwie möglich wäre.«

Ludwig schüttelte den Kopf. »Jeder aus unserer Familie erfüllt seine Pflicht, und ich hoffe sehr, dass ich eines Tages mein Land verteidigen …«

Johannes hörte ihm nicht zu. Es ist mir gleich, dachte er, ich will nichts anderes, nichts anderes als hier sein. Wenn ich könnte, würde ich diese Sommerwochen hier auf immer bewahren.

Als er jünger gewesen war, hatte er sich einfach keine Gedanken um die Erwartungen seiner Familie gemacht. Das hatte sich in den letzten zwei Jahren geändert. Plötzlich war ihm bewusst geworden, dass seine Zukunft längst vorgezeichnet vor ihm lag, und dass es keinen Deut gab, der daran zu ändern war. Er war der Älteste. Er musste die Thalheim'schen Traditionen erfüllen. Er holte tief Luft.

»Freut ihr euch auch so auf den Sommer?«, fragte er dann.

Beatrice schaute ihn dankbar an.

»Ja«, sagte sie, »und morgen geht es Corinna wieder gut, und wir werden den ganzen Tag zusammen sein.« Sie zögerte. »Wie die Musketiere.«

Johannes lächelte.

»Einer für alle und alle für einen.«

»Aber es sind nur drei Musketiere«, wandte Ludwig ein.

»Und d'Artagnan«, gab Johannes zurück.

»Und d'Artagnan«, wiederholte Ludwig sehr langsam.

4

»Ist dieser Sommer nicht einfach wunderbar?« Gemeinsam mit ihrer fünfzehnjährigen Stieftochter Neyla saß Mia Belman auf dem Balkon der großzügigen Eigentumswohnung der Familie Belman im Frankfurter Nordend und blickte versonnen in Richtung Stadtzentrum. Dunstige, schwüle Luft stand flimmernd über den Häusern. In der Ferne zog ein Flugzeug einen silberweißen Streifen über den Himmel. Mia legte die Beine auf die Balkonumrandung und wackelte mit ihren leuchtend rot lackierten Zehennägeln. Kurz nach dem Mittagessen war Neyla die Idee gekommen, und wenig später hatten sie sich beide gegenseitig unter heftigem Gekicher die Fußnägel lackiert. Fünfzehn Jahre lagen altersmäßig zwischen ihnen, und doch gab es Tage, da kam sich Mia eher wie eine ältere Schwester denn wie eine Mutter vor.

Sie schaute auf Neylas Füße. Das Mädchen hatte ein intensives Pink gewählt, das gut zu seinem immer leicht getönten Hautton passte. Neylas Mutter, Florians Exfrau, hatte dunkle Haut, die sie, ebenso wie ihre tiefschwarzen Haare, an ihre Tochter weitergegeben hatte. Vom Aussehen her musste Yasemin das genaue Gegenteil der blonden Mia gewesen sein. Nur einmal hatte Mia ein Foto in Florians Schreibtisch entdeckt. Als sie ein zweites Mal in

47

der Schublade nachgeschaut hatte, war es verschwunden. Auf ihren Hinweis hin, dass Neyla ein Bild ihrer Mutter brauche, hatte Florian entgegnet, die Tochter besitze doch ein ganzes Fotoalbum.

Ob ich sie einmal danach frage, überlegte Mia.

Nicht, weil sie die Ex ihres Mannes sehen wollte, einfach, weil es sie interessierte, wie Neyla neben ihrer Mutter aussah.

Mia lehnte sich zur Seite und zog den alkoholfreien Cocktail zu sich hin, den Neyla und sie gemeinsam kreiert hatten: Grapefruitsaft gemischt mit Grenadine, Sodawasser und Ginger Ale. Das Ganze wurde über sehr viel Eis gegossen und mit einem bunten Strohhalm sowie einem Schirmchen versehen. Sie saugte vorsichtig. Es schmeckte köstlich. Nachdem sie das Glas wieder abgestellt hatte, legte Mia den Kopf gegen die Lehne der Sonnenliege und schob die Gucci-Sonnenbrille zurück auf ihre Nase, um sich vor dem grellen Licht zu schützen.

»Sommer und Ferien – als ich noch zur Schule ging, war das immer das Tollste«, bemerkte sie nach einer kurzen Pause.

Sie drehte den Kopf zu Neyla, die an ihrem Cocktail nippte und zur gleichen Zeit ihre Zehen wackeln ließ. Zu einem knappen, lindgrünen T-Shirt, das den Blick auf ihren flachen, gebräunten Bauch freigab, trug sie selbstgemachte Shorts aus ihrer alten Jeans und Flipflops passend zu ihrer Nagellackfarbe. Ihre langen, dunklen Haare hatte sie zu einem lockeren Knoten gedreht. Offen fielen sie Neyla bis weit über die Schultern herab, fast bis zur Taille. Neyla liebte ihre Haare und kümmerte sich intensiv um sie. Jeder Millimeter, der brüchiger Spitzen wegen verloren ging, wurde betrauert, und die Batterie an Shampoos und Haarspitzenfluids im Bad hatte sich in den letzten Jahren stark erhöht.

Mia seufzte genüsslich.

»Ach was, der Sommer ist immer noch eine tolle Zeit. Warmer Asphalt, nackte Füße, schmelzendes Eis, Schwimmbadgeruch. Im Schwimmbad schmecken Pommes einfach am besten, oder?«

»So, so, nackte Füße …« Neyla grinste, während sie einen Blick auf die ordentlich pedikürten Füße ihrer Stiefmutter warf.

Mia lachte. Ja, es stimmte, sie war tatsächlich schon seit Jahren nicht mehr für längere Zeit barfuß gelaufen.

»Keks?«, bot sie Neyla im nächsten Moment mit ebenfalls breitem Grinsen an.

Die schüttelte den Kopf und schaute Mia gespielt vorwurfsvoll an. Es war Sommer, und Neyla war natürlich wieder einmal auf Bikini-Diät. Völlig unnötig, wie Mia fand. Gott sei Dank verstanden sie sich beide so gut, dass Mia solche Scherze leichthin machen konnte. Und den Cocktail hatte Neyla ja dann doch genossen.

Eine Weile saßen sie wieder schweigend in ihren Liegestühlen. Schließlich nahm Neyla das Buch zur Hand, in dem sie gerade las, klappte es jedoch nicht auf. Mia fuhr fort, träge ihre Umgebung zu beobachten. Sie liebte es, die Sonne auf ihrer Haut zu spüren. Vielleicht würde sie Florian überreden können, in diesem Winter in den Süden zu fliegen. Wenig später dämmerte sie für einen Moment weg. Sie konnte nicht sagen, wie viel Zeit vergangen war, als sie Neylas Stimme hörte: »Eigentlich fehlt nur noch das Meeresrauschen. Findest du nicht auch?«

Mia wusste sofort, worauf das junge Mädchen anspielte. Die Familie Belman besaß ein Ferienhaus in der Nähe von Bordeaux, das sie bis vor zwei Jahren häufig genutzt hatten. Danach hatte Florian plötzlich länger und härter arbeiten müssen, auch wenn nicht wirklich mehr Geld hereingekommen war.

Der Markt, hatte er einmal auf ihre Nachfrage hin gesagt, ist enger geworden.

Mia hatte sich nicht weiter darum gekümmert. Die Finanzen, das war Florians Ding. Für einen Teil des Jahres und natürlich im Sommer hatte Florian das Haus mittlerweile sogar vermietet. Auch in diesem Jahr wieder, sonst wären Neyla und ich jetzt da unten, fuhr es Mia durch den Kopf.

Sie beide hatten die Ferien im Süden immer sehr genossen: lange Tage am Strand, Shoppen und manchmal etwas Kultur in der Stadt. Sie beide liebten den *jardin public* von Bordeaux mit seinen exotischen Bäumen, die Fußgängerzone und die kleinen Restaurants, in denen man für wenig Geld schmackhafte Menüs bekam. Mia setzte sich auf, trank den Rest ihres Cocktails aus und stand dann auf, um sich einen neuen zuzubereiten.

»Willst du auch noch einen?«, fragte sie Neyla.

»Lieber stilles Wasser.« Neyla trug jetzt ebenfalls ihre Sonnenbrille. Die riesigen Gläser ließen sie wie einen Filmstar aussehen. »Meinst du, wir fahren wenigstens nächstes Jahr wieder hin?«, fragte sie dann.

Mia nickte entschlossen. »Keine Sorge, bestimmt fahren wir nächsten Sommer wieder an den Atlantik. Dein Vater hat dieses Jahr einfach zu viel zu tun.«

Neyla straffte den Rücken. »Aber er hat das Haus vermietet, oder? Was, wenn er es nächstes Jahr wieder vermietet? Außerdem«, sie schob die Unterlippe vor, »ist es wirklich noch verdammt lange bis dahin.«

Mia lehnte sich rücklings gegen die Balkonumrandung und musterte ihre Stieftochter. Jetzt kam wieder einmal die ungeduldige Jugendliche hervor, für die alles sofort geschehen musste. Mia überlegte, was sie zu Florians Verteidigung sagen könnte, doch ihr fiel nichts Rechtes ein. Auch sie musste zugeben, dass Florian sie in letzter Zeit beide häufiger enttäuscht hatte. Neyla schob die Sonnenbrille auf ihren Kopf hoch.

»Und was ist überhaupt, wenn Papa wieder die ganze Zeit arbeiten muss?«

Mia hob die Schultern und hörte sich selbst zu, während sie ihren Mann jetzt doch verteidigte. Sie mochte das eigentlich nicht. Sie wollte ihn nicht verteidigen müssen, aber natürlich war er auch ihr Mann, und in ihrer Familie, hatte sie entschieden, sollten alle zueinanderstehen. Das war Mia äußerst wichtig, seit dem Tag, an dem sie entdeckt hatte, dass ihre Eltern sie adoptiert hatten. Sie hatte ihre Adoptiveltern immer geliebt, sich immer geborgen gefühlt, aber in diesem Moment war ihr der Gedanke gekommen, dass ihre eigentlichen Eltern nicht zu ihr gestanden hatten. Aus welchen Gründen auch immer. Und diese Vorstellung hatte wirklich geschmerzt.

»Florian muss nach der Auftragslage gehen, Neyla. So ist das eben bei Selbstständigen. Dann kommt Geld rein, und dann können wir uns auch ein Ferienhaus und die Urlaube dort leisten.«

»Ja, ich weiß«, sagte Neyla und sah nachdenklich drein. »Ich hätte allein fahren können.«

»Du bist fünfzehn.«

»Fast sechzehn«, parierte das Mädchen.

Mia entschied, sich jetzt endlich einen neuen Cocktail zu holen, und stand kurz darauf wieder an Neylas Seite. Für ihre Stieftochter hatte sie das gewünschte Wasser mitgebracht.

Dann drehte sie sich um und schaute nachdenklich in die Ferne. Sie hatte Florian vor fünf Jahren auf einer Messe für Schulzubehör kennengelernt. Für beide war es Liebe auf den ersten Blick gewesen. Dass Florian eine kleine, äußerst erfolgreiche Firma für Büroorganisation führte, hatte sie da noch nicht gewusst. Zudem entstammte er einer gut situierten Unternehmerfamilie, die es ihr zuerst nicht ganz leicht gemacht hatte, Mia dann aber mit der ihr eigenen Herzlichkeit in ihre Kreise aufgenommen hatte.

Auch sie gehörte nun also einer gut situierten, glücklichen und vor allem großen Familie an – eine Vorstellung, die die in einer Kleinfamilie aufgewachsene Mia zuweilen immer noch amüsierte.

Sehr bald, nachdem sie einander kennengelernt hatten, war Mia bei Florian eingezogen und damit quasi über Nacht zur Mutter einer damals Zehnjährigen geworden. Doch auch Neyla hatte ihr die Sache leicht gemacht. Ein

Jahr danach hatte Mia ihren nie geliebten Beruf als Lehrerin aufgegeben, um sich anfänglich ausschließlich um Haushalt und Kind zu kümmern. Wieder etwas später hatte sie damit begonnen, Florian als Sekretärin auszuhelfen, eine Tätigkeit, mit der sie sich bereits das Studium finanziert hatte.

Florian war darüber erstaunt gewesen. Eine Welt, in der man das Studium nicht von den Eltern finanziert bekam, war ihm deutlich fremd. Mias Eltern dagegen hatten ihr zwar alles gegeben, was ihnen möglich war, aber ein komplettes Studium zu unterstützen, dafür hatte das Geld nicht gereicht.

»Aber warum haben deine Eltern dir denn nicht geholfen?«

»Sie haben mir geholfen, aber das Geld hat eben nicht für alles gereicht. Du weißt doch, Papa war Frührentner.«

Um die ihr so wichtige eigene Wohnung bezahlen zu können, hatte Mia arbeiten müssen.

Florian ihre kleine Welt näherzubringen blieb schwierig. Noch während ihres Studiums waren beide Eltern viel zu früh, kurz hintereinander verstorben. Mia glaubte, dass einer nicht ohne den anderen hatte leben wollen. Verbliebene Schulden konnten durch den Verkauf des elterlichen Häuschens abgetragen werden, und Mia hatte danach sogar das Glück gehabt, einen Betrag von knapp zehntausend Euro für sich und schlechte Zeiten übrig zu behalten. In den verbliebenen Unterlagen hatte Mia schließlich die Hinweise auf ihre Adoption gefunden, doch es war niemand mehr da gewesen, den sie hätte fragen können.

Ihr erstes Gefühl war unendliche Wut gewesen. Sie hatte lange gebraucht, um darüber hinwegzukommen.

Nein, ihr war es wirklich lieber, wenn ihr früheres Leben hinter ihr lag. Sie wollte sich nur noch auf die Gegenwart konzentrieren, und so wie es jetzt war, war das Leben perfekt. Schließlich hatte es Zeiten gegeben – auf Mias Lippen malte sich ein Lächeln –, da hätte sie von einer Gucci-Sonnenbrille oder einer Louis-Vuitton-Tasche kaum zu träumen gewagt. Heute besaß sie beides.

»Mama hat sich wieder einmal gemeldet«, sagte Neyla unvermittelt.

Mia nahm spontan die Brille ab und musterte ihre Stieftochter eindringlich. Neylas Mutter hatte Florian verlassen, kurz bevor sie ihn kennengelernt hatte, und zuweilen fürchtete Mia immer noch, dass Yasemin das Gefüge ihres neuen Lebens zum Einsturz brachte, um sie aus diesem seltsamen Traum von absoluter Perfektion zurück in die Realität zu reißen.

Seit Neyla vierzehn geworden war, meldete Yasemin sich wieder häufiger. Einmal hatte sie Neyla sogar zu Hause besucht. Mia hatte sich zufällig in der Gästetoilette befunden und sich, aus Gründen, die sie sich selbst nicht recht erklären konnte, vollkommen still verhalten, als sie die Stimmen im Flur gehört hatte. Sie konnte sich dabei noch nicht einmal daran erinnern, was die beiden besprochen hatten, so hart hatte anfangs ihr Herz geklopft, nur daran, dass Neyla ihre Mutter zum Schluss gefragt hatte, warum sie denn damals gegangen sei. Leider war Yasemins Antwort zu leise ausgefallen, als dass Mia sie hätte verstehen können.

Neyla hatte den Kontakt danach abbrechen wollen, was Mia sehr zupass gekommen wäre, doch es war offenbar wieder anders gekommen. Mia unterdrückte einen Seufzer.

»Was wollte sie?«

Neyla zuckte die Achseln. Für einen kurzen Moment erschien es Mia, als verdüstere eine Wolke den schönen Sommerhimmel, dann schüttelte sie den Gedanken entschlossen ab.

Nein, von dieser Nachricht würde sie sich gewiss nicht den Tag verderben lassen.

Am nächsten Morgen erwachte Mia früh, doch Florian war schon im Büro, wie er ihr mittels eines Post-its neben ihrem Frühstücksteller mitteilte. Noch im Morgenmantel trat sie auf den Balkon und lauschte dem Morgengesang der Vögel. Als sie wieder zurück in die Wohnung trat, war es immer noch still. Neyla schlief noch. Sie war am Vortag aus gewesen – Privileg der Ferienzeit – und würde sicherlich erst gegen Mittag aufstehen. Mia stellte sich auf einen ruhigen Morgen ein, machte sich einen starken, schwarzen Kaffee und setzte sich mit den Unterlagen, die sie bearbeiten wollte, an den Küchentisch.

Während ihres Studiums hatte sie in ihrer kleinen Wohnung am Küchentisch arbeiten müssen, weil es keinen anderen Platz gegeben hatte, und auch heute war dies ihr bevorzugter Platz. Ab halb neun widmete sich Rosanna, ihre Zugehfrau, der Reinigung der Wohnung. Um zwölf Uhr brachte sie Mia die Post, bereitete einen kleinen Imbiss zu und räumte dann als Letztes die Küche auf.

»Ich gehe jetzt, Frau Belman«, sagte sie endlich.

»Danke, Rosanna, bis morgen.«

Rosanna zögerte. »Frau Belman, ich ...«

Offenbar hatte sie irgendetwas auf dem Herzen. Mia lächelte sie aufmunternd an. »Ja?«

Rosanna zögerte, dann schüttelte sie den Kopf.

»Ach, nichts, das hat noch Zeit.«

»Wenn ich Ihnen irgendwie helfen kann?«

Mia erinnerte sich daran, dass Rosanna einmal vor zwei Jahren einen Vorschuss für die Kommunion ihres Enkelkindes gebraucht hatte. Sie schaute sich um, fand ihre hellbraune, handschuhweiche Wildledertasche über einem Stuhl hängend und suchte darin nach ihrer Geldbörse.

»Nein, nein, Frau Belman.« Rosanna hob abwehrend die Hände. »Ich gehe dann jetzt besser.«

Mia schaute ihr nachdenklich hinterher, dann arbeitete sie noch eine Weile weiter, bevor sie einen Blick auf die Briefe warf, die Rosanna an den Rand des Tisches gelegt hatte. Drei Rechnungen, die sie nachher auf Florians Schreibtisch legen würde – es war eine unausgesprochene Regel, dass er sich um deren Bearbeitung kümmerte, und Mia war froh, damit nichts am Hut zu haben –, ein Werbebrief eines Optikers und ein weiterer Brief, der so offiziell aussah, dass Mia ihn beinahe ebenfalls auf Florians Stapel gelegt hätte. Dann stockte sie.

Mia Schwenn. Da stand ja tatsächlich ihr Mädchenname.

Etwas ließ sie zögern, dann stand sie auf und ging um die Kücheninsel herum zur Besteckschublade. Sie, die ihre Briefe sonst mit dem Finger aufzureißen pflegte, nahm ein dünnes, langes Fleischmesser heraus, schnitt damit den Brief sorgsam auf und entnahm ihm einen Bogen Papier und mehrere Kopien. Das Papier war schwer und wirkte hochwertig, der Briefkopf war etwas altmodisch gestaltet: Rechtsanwälte Trechting und Lux.

Rechtsanwälte? Mit dem Brief und den Kopien in der Hand ging Mia zurück zu ihrem Platz. Sie setzte sich, entfaltete den Briefbogen und begann zu lesen. Sehr geehrte Frau Schwenn …

Kurze Zeit später atmete sie tief durch: Corinna Mayer, ihre Großmutter, hatte ihr ihre Wohnung und ein Ausflugslokal vererbt.

Der Brief flatterte aus Mias Händen zu Boden. Sie hob ihn mechanisch wieder auf. Corinna Mayer …

Mia hatte diese Frau Mayer einmal aufgesucht, nachdem es einem von ihr beauftragten Detektiv wider Erwarten gelungen war, sie als letzte lebende leibliche Verwandte ausfindig zu machen. Voller Hoffnungen hatte sie sich auf den Weg gemacht und dann einer verbitterten Frau gegenübergestanden, die kein gutes Wort für Mia und ihre Mutter Lore, ihr einziges Kind, gefunden hatte, deren Namen Mia an jenem Tag zum ersten Mal gehört hatte.

»Sie hatte keinen Mann.« Corinna hatte verächtlich den Kopf geschüttelt. »Sie wollte dich allein aufziehen, aber sie hat es nicht geschafft. Sie dachte, sie kann sich gegen alle stellen, aber jeder in dieser Welt hat seinen Platz, den er nicht verlassen sollte.«

Mia hatte das seltsame Gefühl gehabt, dass das Scheitern ihrer Tochter Corinna glücklich machte.

Als Mia drei Jahre alt gewesen war, hatte sie auf Nachfrage von Corinna erfahren, war Lore tödlich mit dem Auto verunglückt.

Corinna hatte völlig ungerührt geklungen, und Mia hatte alle Kraft zusammennehmen müssen, um ihre nächste Frage zu stellen.

»Wer hat mich zur Adoption freigegeben?«

»Ich.« Corinna hatte Mias Aufregung nicht berührt. »Ich war ja auch viel zu alt, das Sorgerecht zu beantragen. Und ich bin nie eine gute Mutter gewesen.«

Corinna hatte fast stolz geklungen. Mia hatte sich bemüht, den Schmerz, den ihr diese Antworten verursachten, nicht zuzulassen.

Ich habe drei Jahre lang ein anderes Leben geführt, war ihr durch den Kopf gefahren. Drei Jahre lang war meine Welt eine andere. Dann folgte das Kinderheim und sehr bald eine neue Familie, das Ehepaar Schwenn, glücklich, sich in letzter Sekunde doch noch den Traum von einem Kind zu erfüllen. Waren da nicht auch immer diese Erinnerungen an das andere Leben gewesen, Szenen und Menschen, die sie nicht einordnen konnte?

Ich werde dieses verdammte Erbe ablehnen, entschied Mia. Ich will weder diese Wohnung noch dieses Lokal, von dem ich noch nie etwas gehört habe ... Ihre Unterlippe zitterte. Im nächsten Moment musste sie die Tränen herunterwürgen. Überhaupt, warum lässt mich diese verdammte Vergangenheit nicht los? Sie hatte doch geglaubt, dass das alles hinter ihr lag. Sie hatte mit ihrer leiblichen ebenso wie mit ihrer Adoptivfamilie abgeschlossen. Warum stand sie dann also hier und kämpfte mit den

Tränen? Sie hatte doch jetzt ihre eigene Familie, einen Ort, an dem es keine Geheimnisse gab. Konnte nicht alles so bleiben, verdammt?

Mia war froh, als sie wenig später oben endlich Geräusche hörte. Neyla stand auf, und Mia atmete tief durch bei dem Gedanken, gleich jemanden bei sich zu haben, der sie von ihren düsteren Gedanken ablenkte.

Zwei Stunden später machte Neyla sich auf den Weg zu einer Freundin. Mia fühlte sich schon deutlich besser. Sie winkte Neyla vom Fenster aus hinterher, machte sich einen neuen Kaffee, arbeitete noch eine Zeit lang weiter und beschloss dann, zum türkischen Gemüsehändler zu gehen. Mit einem Korb voller Auberginen, Zucchini und Tomaten kehrte sie zurück. Sie hatte sich während des Einkaufs spontan für ein Ofenratatouille entschieden. Solange sie denken konnte, hatte sie gern gekocht. Zu kochen oder zu backen ließ sie ruhig werden und half gegen die Nervosität, die sie heute immer wieder zu überwältigen drohte. Während sie langsam und sorgfältig das Gemüse schnippelte, hörte sie einer Radiosendung zu. Bei einem alten Hit aus ihrer Jugendzeit summte sie sogar leise mit. Eine halbe Stunde später stand das Ratatouille im Ofen. Kurz bevor es fertig war, rief Florian an: »Hallo, Mia, tut mir leid, dass ich mich erst jetzt melde, aber hier geht es drunter und drüber. Es wird nichts mit dem gemeinsamen Abendessen.«

Mia kämpfte das ungute Gefühl der Enttäuschung herunter. Eigentlich gehörte das gemeinsame Essen in den

Ferien zu ihren Ritualen, von denen nicht abgerückt wurde, was auch immer geschah. Aber in letzter Zeit war einiges anders gewesen, und wenn Florian nach Hause kam, wirkte er oft angestrengt. Aber sie wollte jetzt nicht zickig sein.

»Kommst du heute Abend sehr viel später?«

Mia hörte Florian atmen, dann sagte er: »Ja, das wollte ich dir eben sagen. Danke für dein Verständnis.«

Sie hatte nichts von Verständnis gesagt, rang sich aber ein »Okay, dann bis später. Ich lasse das Essen für dich im Ofen« ab.

»So spät wird es schon nicht.«

»Na, dann.« Sie kämpfte immer noch mit der Enttäuschung und kam sich zugleich vor wie ein Kleinkind, da hatte er schon wieder aufgehängt.

Mia erwachte von Florians Kuss. Vor ihr flackerte eine Late-Light-Show über den Bildschirm. Mia konnte sich erinnern, dass sie, nach einigem Hinundherzappen, begonnen hatte, einen Film zu schauen, wusste aber nicht mehr, um welchen es sich gehandelt hatte. Florian strich ihr über das Haar und küsste sie dann noch einmal äußerst zärtlich.

»Entschuldige, es hat doch länger gedauert.«

»Nach was riechst du denn?«, fragte Mia, immer noch schläfrig. Ihr Körper war steif, und sie spürte überdeutlich die Verspannung in Nacken und Schultern.

»Nach Kaffee, möchte ich meinen.« Florian lachte. »Ich musste mich ja wach halten, sonst machen doch alle nur Blödsinn.«

Mia richtete sich auf und begann mit einer Hand ihren Nacken zu massieren. Gott sei Dank gab sich das unangenehme Gefühl schnell wieder.

»Nee, da ist so ein Duft an dir …«

»Ach so.« Florian grinste. »Carlotta hat heute ein neues Parfüm ausprobiert. Wirklich, ich dachte, ich müsste ohnmächtig werden.«

Er lachte. Mia stimmte ein. Sie mochte Florians Humor. Wo sie dazu tendierte, die Dinge zu schwer zu nehmen, begegnete er der Welt mit einer unvergleichlichen Leichtigkeit.

»Besser ein Optimist, der manchmal falschliegt, als ein Pessimist, der immer recht hat«, pflegte er zu sagen. Ihr gefiel das.

»Wie geht's ihr?«, fragte sie, während sie einen Schluck von ihrer mittlerweile warmen Cola nahm. Carlotta war mit ihren siebenundzwanzig Jahren etwas jünger als Mia und hatte im letzten Jahr eine zweite Ausbildung in Florians Firma begonnen. Florian hatte ihr einmal erzählt, dass sie sich beide von früher kannten – »Aus dem Sandkasten, stell dir vor!« –, weshalb er ihr einfach eine Chance geben musste. Die erwachsene Carlotta hatte ein Faible für Kosmetika und teure Kleidung und einen untrüglichen Sinn für den Umgang mit Kunden, wenngleich sie für die Bearbeitung der Ablage deutlich zu chaotisch veranlagt war. Florian runzelte kurz die Stirn, als müsse er über Mias Frage nachdenken.

»Gut«, sagte er dann. »Sie ist immer noch etwas unstrukturiert, aber sie macht sich.«

Mia nahm einen weiteren Schluck Cola und stellte das Glas dann mit einem angewiderten Gesichtsausdruck ab. Warme Cola mit wenig Kohlensäure schmeckte wirklich furchtbar.

»Bestell ihr einen schönen Gruß von mir.«

»Mach ich.« Florian schaute sie an. »Du kannst natürlich auch mal wieder in die Firma kommen.«

»Ich arbeite besser zu Hause.«

Für einen Moment schwiegen sie. Dann drehte Florian den Kopf in Richtung der offenen Küche und schnupperte.

»Hast du etwa Ratatouille gekocht? Ist noch was da?«

»Denkst du, ich habe alles aufgegessen?«

Mia schüttelte gespielt beleidigt den Kopf. Er streckte die Hand grinsend nach ihrem flachen Bauch unter dem T-Shirt aus. Sie schlug ihm auf die Finger und drückte sich dann an ihm vorbei in die Küche. Schweigend holte sie einen Teller aus dem Schrank, füllte ihn mit Ratatouille und stellte das Ganze zum Aufwärmen in die Mikrowelle. Der Fernseher in ihrem Rücken verstummte.

»Ist doch okay, ja?«, hörte sie Florian rufen.

»Ja, klar, ich habe ohnehin nicht mehr geguckt.«

Ich weiß ja noch nicht einmal, was ich geguckt habe, fuhr es ihr durch den Kopf, während sie dem surrenden Geräusch der Mikrowelle lauschte. Der Teller drehte sich, drehte sich und drehte sich. Sie hatte sich vorhin kaum auf die Sendung konzentrieren können, sondern immer wieder den Brief des Rechtsanwalts in die Hand genommen.

Ich habe ein Lokal geerbt, hatte sie sich jedes Mal von Neuem gesagt, ein Ausflugslokal. Und eine Wohnung.

Aber warum hatte Corinna, die sie doch zur Adoption freigegeben hatte, ausgerechnet sie als Erbin gewählt? Was wollte sie plötzlich von ihrer Enkelin? Gar nichts, fuhr es Mia durch den Kopf, sie will gar nichts mehr von dir. Sie ist tot. Sie ist tot und mischt sich dennoch in dein Leben ein.

»Mia?«

»Ja?« Sie schreckte aus ihren Gedanken hoch.

»Warum bist du denn heute so schweigsam?«

»Bin ich das?« Mit einem Pling ging die Mikrowelle aus. Es war kaum mehr als eine Minute vergangen. Mia holte den Teller mit einem Topflappen heraus. »Komm, setz dich doch.«

Florian tat, wie ihm geheißen. Mia setzte sich zu ihm. Mit der Zunge fuhr sie sich über die trockenen Lippen. Irgendwie fiel es ihr schwer, diese im Grunde so klare Sache auszusprechen. Sie war ja nicht die Erste, die Post vom Rechtsanwalt bekam, nicht die Erste, die etwas erbte. Sie räusperte sich.

»Ich habe Post vom Rechtsanwalt bekommen.«

»Oha«, neckte Florian sie, ohne den Blick von seinem Teller zu heben, »hast du wieder ein Bußgeld vergessen?«

»Nein«, sie versetzte ihm einen Knuff in die Seite, »jetzt sei doch mal ernst.« Im letzten Jahr hatte sie mehrfach im Parkverbot gestanden, was in zwei Fällen Folgen gehabt hatte. Dann entschied sie sich, den Umschlag vom Wohnzimmertisch zu holen. Sie lehnte ihn vor Florian an die Weinflasche, die er für sich geöffnet hatte. Er putzte sich die Finger ab.

»Oha, Trechting & Lux, die kenne ich. Eine alteingesessene Sozietät. Was ist denn passiert?«

Mia räusperte sich noch einmal.

»Corinna Mayer hat mir ein Ausflugslokal vererbt.«

»Corinna wer?« Er schaute sie fragend an.

»Meine Großmutter.« Mia staunte. Jetzt, wo es heraus war, war es so einfach. Sie nahm Florians Weinglas und trank daraus.

»Deine Großmutter? Ich dachte, du hast keine?«

»Na ja, jeder hat eine, oder?«

»Wusstest du von ihr?«

»Ich habe sie einmal während des Studiums aufgesucht. Nach dem Tod meiner Eltern.«

»Und?« Florian beugte sich zu ihr vor, die gefüllte Gabel verharrte in der Luft.

»Sagen wir, es war eher unerfreulich.«

»Sie wollte dich nicht sehen?«

Mia schluckte schwer. »Sie hatte mich zur Adoption freigegeben. Ihr Verhalten war also womöglich gar nicht so verwunderlich. Wahrscheinlich wollte sie mich nie wiedersehen. Jedenfalls hat sie mir das ziemlich deutlich gezeigt …« Für einen Moment verlor sich Mias Blick in der Holzmaserung des Tisches. Nochmals schluckte sie. »Ich denke, ich werde das Erbe wohl besser ablehnen.«

»Was?« Florian, der aufgehört hatte zu essen, legte jetzt sein Besteck zur Seite. Als er sprach, klang seine Stimme rau. »Es ablehnen? Himmel, Mia! Du sagst mir hier einfach nebenbei, dass du ein Lokal und eine Wohnung geerbt hast und dass du das ablehnen willst? Willst du dir das alles nicht wenigstens mal ansehen?«

Mia blickte ihn verwirrt an.

»Aber ich … Ich hatte keine Beziehung zu dieser Frau …«

»Na und. Vielleicht hat sie auf ihre alten Tage verstanden, dass sie dir etwas schuldig ist?«

»Sie war mir nichts schuldig – sie gewiss nicht.«

Mia bemerkte, wie Florian nun ihre Hände festhielt und ihr tief in die Augen sah.

»Es ist dein Lokal. Dein Erbe. Du solltest nicht davor davonlaufen. Was früher geschehen ist, ist geschehen. Es kommt darauf an, was jetzt ist.«

»Aber ich will nichts mit dieser Vergangenheit zu tun haben.«

»Du weißt doch gar nicht, worum es geht.«

»N…e…i…n.« Mia überlief ein Frösteln. Das wusste sie tatsächlich nicht. Sie wusste gar nichts über die Vergangenheit.

»Na also, und wovor willst du dann davonlaufen? Oder wusstest du von dem Lokal?«

»Gewiss nicht.«

Mia spürte immer noch ein leichtes Zittern und hielt sich am Tisch fest. Florian, der es bemerkte, nahm sie fest in die Arme.

Deshalb liebe ich ihn, dachte sie, deshalb liebe ich ihn, weil er immer weiß, was ich brauche.

»Lauf nicht davon, das ist nicht gut.«

»Nein, aber …« Mia löste sich aus Florians Umarmung.

»Deine schlechten Erinnerungen an diese Frau haben nichts mit dem anderen zu tun. Sie hat dir etwas vererbt. Schau dir erst einmal an, um was es sich handelt, und entscheide dann.« Florian machte eine kurze Pause. »Darf ich den Brief sehen?«

Mia nickte, hörte kurz darauf Papier rascheln.

»Die Wohnung liegt im Westend, wie ich sehe«, murmelte er. »Sehr gute Lage.«

»Ich weiß nicht«, sagte Mia unsicher: »Ich glaube, ich will das alles doch nicht.«

Inzwischen kam sie sich ein wenig wie ein Kleinkind vor. Florian schüttelte den Kopf.

»Du solltest wirklich darüber schlafen. Und dann schaust du dir die Sache an. Sie kann dich jetzt nicht mehr verletzen. Das ist unmöglich.«

Mia zog die Schultern hoch.

»Schlaf drüber, Liebes«, war wieder Florians Stimme zu hören, »morgen sieht gewiss alles anders aus.«

»Vielleicht.« Mia küsste ihren Mann auf den Mund. »Gut, ich schlafe drüber.«

»Gute Idee, Schatz, das wird das Beste sein.« Er küsste sie lange und zärtlich.

Mia schmiegte sich an ihn, für einen flüchtigen Moment irritierte sie wieder das fremde Parfüm. Dann holte sie tief Luft.

»Ich bin so froh, dass ich dich habe«, flüsterte sie.

5

Beziehungen, *Sommer 1913*

Es war schrecklich heiß. Beatrice hatte sich auf dem Bootsanleger, der der Hotelterrasse am nächsten gelegen war, ausgestreckt, ein Bein im kühlen Wasser des Sees. Je nachdem, wie sie sich drehte, drang der Geruch von trockenem oder feuchtem Holz in ihre Nase.

Mittag … Die Sonne stand längst hoch am Himmel, fast nirgendwo gab es noch Schatten. Kurz zog Beatrice träge in Erwägung aufzustehen, doch sicherlich würde ihre Mutter sie ohnehin bald vehement dazu auffordern, ins Haus zu kommen und ihren Teint zu schützen – Edith Kahlenberg konnte gebräunte Haut nicht ausstehen –, und diesen Auftritt ihrer sonst so kühlen Mutter wollte Beatrice sich eigentlich nicht entgehen lassen.

»Kind, willst du denn aussehen wie die Hottentotten?«, pflegte Edith jedes Mal mit einem schrillen Unterton in der Stimme zu sagen. Ein Wunder, dass sie ihre Tochter dort unten auf dem Bootssteg noch nicht bemerkt hatte, denn Beatrice trug noch dazu einen dieser neumodischen kurzen, einteiligen Badeanzüge, in dem sie schon mehrmals für Aufsehen gesorgt hatte. Natürlich hatte Papa ihn ihr gekauft. Sie hatte wirklich nur ein bisschen betteln müssen.

Beatrice hob die Hand gegen die Augen und spähte durch die gespreizten Finger in den tiefblauen, wolkenlosen Himmel hinauf. Dann drehte sie sich zur Seite und betrachtete den goldenen Schimmer, den ihr gebleichtes Sommerhaar auf der zart gebräunten Haut hervorrief. Zufrieden stellte sie fest, dass es offenbar bereits zu spät für vornehme Blässe war. Beatrice grämte sich gewiss nicht deswegen. Sie mochte es, wenn sich ihre Haut im Laufe des Sommers goldbraun verfärbte. Es kam ihr nur natürlich vor, gesund, frei, wie diese Wandervögel, die Mama so verabscheute und die sie Gesindel nannte, das keinen Sinn für Ordnung und Benimm hatte.

Beatrice ließ sich wieder zurück auf das warme Holz sinken, doch schon im nächsten Augenblick vernahm sie Stimmengewirr und richtete sich erneut auf. Von der Hotelterrasse her näherten sich die Thalheim-Brüder, an ihrer Seite Corinna, die sich sichtlich bemühte, mit dem älteren Johannes Schritt zu halten.

Aber Johannes ist jetzt ein Mann, dachte Beatrice, und Corinna mit ihren sechzehn Jahren doch immer noch ein kleines Mädchen.

Beatrice lächelte unwillkürlich, während sie fortfuhr, die beiden zu beobachten. Nein, sie meinte das nicht böse. Bestimmt nicht. Corinna war schließlich ihre beste Freundin. Sie war diejenige, mit der sie Geheimnisse und Zukunftspläne teilte, aber es war einfach amüsant zu sehen, wie sie Johannes von Thalheim anhimmelte.

Die Thalheims waren gestern erst sehr spät am Abend eingetroffen und heute bereits früh am Morgen nach Bad Homburg aufgebrochen, wo es Verwandte zu treffen galt.

Die nahe gelegene Stadt mit ihren Bädern, dem Heilwasser und dem Kasino, die im letzten Winter den Status »Bad« offiziell zuerkannt bekommen hatte, war ein beliebtes Ziel der höheren Gesellschaft. Sogar der Kaiser und seine Familie verbrachten seit 1897 jeden Sommer dort. Beatrice fieberte bereits seit Stunden dem ersten richtigen Zusammentreffen mit den Brüdern entgegen. Johannes hatte sie auf dem Bootsanleger entdeckt, er hob lässig eine Hand und winkte ihr zu. Einen Atemzug später tat es ihm sein Bruder Ludwig gleich, der wie stets ein paar Schritte hinterdreinlief.

Der achtzehnjährige Johannes, stellte Beatrice fest, war im letzten Jahr ordentlich in die Höhe geschossen, während Ludwig zwar kräftiger und gedrungener wirkte als der Bruder, aber immer noch einen halben Kopf kleiner war. Seine vormals längeren Locken waren in diesem Jahr einem strengen Kurzhaarschnitt gewichen, der ihn allerdings nicht älter aussehen ließ.

Eine leichte Brise vom See her ließ Beatrice frösteln. Im letzten Jahr, erinnerte sie sich, ist Corinna durch meine Schuld fast ertrunken. Johannes hat sie gerettet … Papa und Herr von Thalheim sind mit ihr zum Arzt gefahren, und trotz Mamas Befürchtungen wegen dieser Aufdringlichkeit verbringen die Thalheims ihre Sommerferien auch dieses Jahr wieder bei uns.

Alles war also wie immer, und hatte Cornelius von Thalheim bei der Begrüßung nicht verlauten lassen, dass man die Vorgaben des Alltags nirgendwo so gut hinter sich lassen konnte wie in Kahlenbergs Waldschlösschen? Wenn einem der Klatsch irgendwann fehlte, fuhr man eben nach Bad Homburg, und mischte sich unter die gute Gesellschaft. Gesine von Thalheim war deutlich reservierter geblieben und hatte dabei jene Kultiviertheit ausgestrahlt, die Mama so nachhaltig faszinierte und die sie, mit wenig Erfolg, wie ihre Tochter Beatrice fand, nachzuahmen versuchte.

Beatrice stand auf und genoss den Blick der beiden jungen Männer, die sie bemüht unauffällig in ihrem Badeanzug begutachteten, hob dann ihr weißes Handtuch auf, um es elegant über den Arm zu drapieren. Wirklich, nichts hat sich geändert. Alle Befürchtungen der letzten Zeit waren unnötig gewesen.

Was wir heute wohl unternehmen werden?, überlegte sie. So nah wie ich, schoss es ihr gleich darauf durch den Kopf, wird Mama keinem der Thalheims je kommen. Dabei schmückte Mama sich so gern mit der vermeintlichen Bekanntschaft mit Frau von Thalheim, obgleich die kaum mehr als ein unnötiges Wort mit ihr wechselte.

Beatrice jedenfalls konnte über die Einbildungskraft ihrer Mutter nur lächeln. Die Sechzehnjährige hatte mittlerweile einen sehr genauen Blick für die Beziehungen, die sich zwischen den Erwachsenen auftaten, und sie wusste genau, dass Frau von Thalheim unter anderen Umständen Mama noch nicht einmal gegrüßt hätte. Nur in den Ferien war für kurze Zeit alles anders, nur der Sommer erlaubte es, Grenzen zu übertreten, und brachte Menschen zusammen, die sich sonst nie kennengelernt hätten. Je älter sie wurde, desto besser verstand Beatrice dies.

Aber zwischen Corinna, mir und den Jungs wird immer alles gleich bleiben, dessen bin ich mir sicher. Wir sind die Musketiere.

Beatrice verengte die Augen, während sie Corinna und die beiden Jungen beobachtete. Was dachte sie da überhaupt? Das waren doch keine Jungen mehr, das waren junge Männer …

Johannes sah erneut zu ihr herüber. Beatrice zögerte, dann lächelte sie ihm zu. Plötzlich war ihr der Gedanke unangenehm, ihn und seine Familie heute Abend im Restaurant zu bedienen. Aber vielleicht konnte sie Mama ja davon überzeugen, einmal auszusetzen?

Papa, der fand, dass seine Tochter alles lernen müsse, was mit der Arbeit und der Führung eines Hotels zu tun hatte, würde es wahrscheinlich nicht erlauben … *Aber Mama wird mich verstehen. Ich muss nur die richtigen Worte finden.*

Edith Kahlenberg reckte sich, um ihrem mehr als einen Kopf größeren Mann die Fliege zu richten. Sie befanden sich beide in der Hotelküche; gleich würde das Abendessen serviert werden. Es gab cremige Ochsenschwanzsuppe, dann eine Kalbspastete, gefolgt von Grillhähnchen, wahlweise mit Bratkartoffeln oder Kartoffelbrei und Kohlrabigemüse. Zum Nachtisch würde es dann Vanillepudding mit echter Bourbonvanille geben, danach eine Auswahl von Käse und schließlich Kaffee. Überall in der Küche roch es bereits sehr verlockend, konzentriert wurde jedes Gericht vorbereitet. Durch die Tür hindurch konnte man einen Teil des Essraums erkennen. Goldgelbe Kerzen in silbernen Leuchtern verbreiteten ein warmes, ruhiges Licht. Auf den Tischen lagen champagnerfarbene Damastdecken, von denen sich die schneeweißen Servietten, die weißen Teller und das Silberbesteck absetzten. Edith registrierte den Anblick zufrieden. Die Mädchen, die eingedeckt hatten, hatten ihr Bestes gegeben. Es hatte lange gedauert, bis sie diesen Bauerntrampeln aus der Gegend das richtige Eindecken beigebracht hatte, doch jetzt fand nicht einmal sie mehr etwas daran auszusetzen. Die Fliege ruckte plötzlich aus ihren Fingern. Hermann versuchte wieder einmal, sich umzusehen. Edith bemerkte, wie er die Stirn runzelte.

»Wo bleibt denn Beatrice? Ich kann sie nirgends entdecken.« Zwischen Hermanns Augenbrauen bildete sich eine steile Falte. »Die Gäste werden gleich kommen. Sie müsste hier längst bereitstehen!«

An den Oberarmen zog Edith ihren Mann wieder zu sich hin, sodass er sie ansehen musste, zupfte dann erneut an seiner Fliege herum. Sie hatte ihn in diesen neuen Anzug gezwungen, obgleich sie wusste, dass er selbst am liebsten wieder in seinen alten, gewohnten geschlüpft wäre. Sie beide wechselten einen Blick. Edith dachte an den Moment, in dem sie ihm den Anzug mit einem auffordernden Lächeln hingehalten und er hilflos die Hände gehoben hatte.

»Aber dieser Anzug sieht nach mehr aus«, hatte sie ihm zu erklären versucht.

»Nach mehr?«

Hermann hatte verständnislos, aber liebevoll gelächelt, doch Edith war fest überzeugt, dass so ein Anzug den

Unterschied zwischen einem guten und einem erfolgreichen Etablissement ausmachte, und es gab nur eines, was sich Edith Kahlenberg schon als junges Mädchen aus vollem Herzen gewünscht hatte: Erfolg. Beziehungen. Den Aufstieg, der ihr das zurückbrachte, was sie zu Anfang ihres Lebens gewohnt gewesen war, damals, bevor ihr Vater alles verspielt hatte. Ihr war nur die gute Erziehung geblieben, aber zumindest die hatte sie zu nutzen gewusst.

Beatrices Leben, dafür würde sie mit aller Kraft sorgen, würde nie von den Sorgen überschattet sein, die ihre, Ediths, Kindheit und Jugend geprägt hatten. Nachdem ihr Vater seiner Spielsucht vollkommen erlegen und als Kaufmann bankrott gegangen war, war Ediths Aufwachsen voller Entbehrungen gewesen. Lügen, Angst, Scham und Trauer hatten ihr Leben in jenen Jahren beherrscht. Ihr Vater hatte sich sein Scheitern nie eingestehen wollen, aber Edith hatte die Blicke der anderen nur zu gut gespürt, hatte beobachtet, wer sie mied und wer ihrer Familie die Freundschaft kündigte, als wären sie Aussätzige.

Es hatte Ewigkeiten gebraucht, bis sie sich aus dem Sog des Untergangs befreien konnte, der ihre Eltern nie wieder losgelassen hatte. Als die beiden schließlich bei einem Bootsausflug ertrunken waren – Edith war sich sicher, dass sie in Wirklichkeit selbst den Tod gewählt hatten, auch wenn sie immer darüber schweigen würde –, hatte sie sich pflichtschuldig einige Tränen abgerungen. Innerlich war sie nur erleichtert gewesen, erleichtert, dass es ihr nun offenstand, ihren Weg zu wählen, ohne den Ballast, als den sie ihre Familie zuletzt empfunden hatte.

Wenig später hatte sie als Bedienung im *Goldenen Schwan* angefangen, dort, wo niemand sie kannte, wo keiner wusste, wie glanzvoll ihr Leben einmal ausgesehen hatte.

Damals war der *Goldene Schwan* noch ein einfaches Hotel gewesen, mit einem recht bekannten Kuchenangebot, jedoch nur wenigen Sommergästen. Edith war es gewesen, die vorgeschlagen hatte, es mit Werbung zu versuchen. Ihre Idee hatte die Aufmerksamkeit des jungen, alleinstehenden Hoteldirektors geweckt. Sicherlich war es von Vorteil gewesen, dass auch seine Eltern nicht mehr lebten. So war die Ehe letztendlich nur ihre eigene Entscheidung gewesen, und keiner von ihnen beiden hatte es je bereut.

Sie führten eine gute Ehe. Sie führten ein gutes Hotel mit einer angesehenen Küche und treuen Sommergästen. Edith trat einen Schritt von ihrem Mann weg und tat so, als ob sie endlich zufrieden sei.

»Beatrice hat mich gebeten, heute oben bleiben zu dürfen«, sagte sie, trat dann doch erneut vor und entfernte ein imaginäres Stäubchen von Hermanns Brust. Sie hörte sein Schnauben, noch bevor er etwas sagte. Darüber, wann und wie viel Beatrice mithelfen musste, waren sie sich in letzter Zeit selten einig gewesen. Edith hatte ihre eigenen Pläne, in die sie ihren Mann jedoch vorerst nicht einzuweihen gedachte.

»Ist sich das Fräulein wieder zu fein für ehrliche Arbeit?«, polterte er los, doch Edith wusste bereits, dass sie gewonnen hatte.

Seine Worte klangen härter, als es sein sanfter Ausdruck verhieß. Beatrice war seine Prinzessin. Außerdem überließ er viele Sachen seiner Frau, seit Beatrice älter geworden war. Mit einer Beatrice, die zur Frau wurde, war er unsicher geworden. Wusste er denn, was ein junges Mädchen benötigte? Vielleicht schon, aber Edith ließ ihn gern in dem Glauben, dass Beatrice jetzt vor allem ihre Mutter brauche. Sie sah ihn aufmunternd an, bemerkte das Lächeln, das sich sofort in seine Mundwinkel grub.

»Lass sie, sie ist ein gutes Mädchen.« Edith überlegte kurz, dann räusperte sie sich. »Lass uns noch einmal kurz ins Büro gehen.«

Hermann runzelte zwar die Stirn, aber er sagte nichts. Als sie im Büro ankamen, verschloss Edith sorgfältig die Tür hinter ihnen und drehte sich zu ihrem Mann um.

»Es ist wegen der Thalheims. Beatrice möchte nicht die Jungen bedienen müssen, mit denen sie am Tag ihre Freizeit verbringt«, sagte sie dann ohne Umschweife. Hermann zögerte einen Moment, dann schüttelte er den Kopf.

»Aber es wird auch später Menschen geben, die sie nicht bedienen möchte. Das Wichtigste ist, dass das niemand mitbekommt. Das ist Professionalität.«

Edith nickte zustimmend und streichelte ihrem Mann den Arm.

»Das weiß ich doch, aber sie ist auch noch jung. Lass ihr etwas Zeit, dränge sie nicht.«

Nach kurzem Zögern griff Hermann nach der Hand seiner Frau, führte sie an die Lippen und küsste sie. »Du hast sicher recht«, sagte er. »Du verstehst sie einfach besser als ich.«

»Ach.« Edith ruckte noch einmal an Hermanns dunkler Anzugjacke. »Sie vertraut auch dir, unterschätze das nicht.«

Hermann lächelte seine Frau dankbar an. »Aber du findest die besseren Worte.«

Einen Moment lang gab Edith keine Antwort, dann lehnte sie sich mit einem Mal versonnen an ihren Mann. »Weißt du, wovon ich manchmal träume?«, fragte sie ihn und kam sich, noch während sie es aussprach, seltsam dabei vor. »Ich stelle mir manchmal vor, unsere Beatrice heiratet einen der Thalheim-Jungen.«

Hermann umfasste den schmalen Körper seiner Frau mit seinem linken Arm und lachte dunkel.

»Gute Güte, Edith, haben wir jetzt Märchenstunde?«

Edith hielt inne, machte sich von ihm los und tat so, als ob sie ein letztes Mal den Sitz der Fliege zu überprüfen habe.

»Nun lass mich doch ein wenig träumen«, beharrte sie leise. Sie schluckte. Es überraschte sie selbst, wie sehr sie sich beleidigt fühlte. Nie wieder würde sie ihm von ihren Träumen erzählen; für derlei war er einfach zu grob. Dergleichen konnte er nicht einschätzen, aber sie konnte es, da war sie sich sicher. Sie würde alles im Blick behalten und, wenn nötig, handeln. Sie lächelte ihn zaghaft an, schob dabei schmollend ihre Unterlippe vor. Er mochte das an ihr und reagierte auch sogleich.

»Ach, meine süße Edith, das darfst du doch. Träume so viel du willst – wer sollte das meiner kleinen Frau verbieten?« Dann umfing er seine Frau mit beiden Armen. Sie ließ es zu, obwohl sie befürchtete, seine und auch ihre Kleidung unnötig zu zerknittern.

Plötzlich fragte sie sich, ob Cornelius und Gesine von Thalheim so etwas auch taten. Auf eine gewisse Art und

Weise kam es ihr tierisch vor, sich derart nahe zu kommen. In jedem Fall zeugte es von wenig Noblesse. Vorsichtig, sodass er ihren Widerwillen nicht bemerkte, machte sie sich von Hermann los.

Nein, sie konnte sich wirklich nicht vorstellen, dass die von Thalheims so miteinander umgingen. Sie hatte die beiden beobachtet: Ihr Umgang war von gegenseitigem Respekt, aber auch von Zurückhaltung gekennzeichnet. In der Öffentlichkeit berührten sie sich nicht. Was in ihren vier Wänden vor sich ging, konnte und wollte sich Edith nicht ausmalen.

Man kann eigentlich kaum glauben, dass sie zwei Söhne haben, fuhr es ihr durch den Kopf. Gleich darauf errötete sie beschämt. Hermann schien ihre Unruhe zu bemerken, konnte sich aber keinen Reim darauf machen.

Er tat sich meist schwer, in anderen Menschen zu lesen. Darin war sie ihm meilenweit überlegen. Jetzt lächelte er sie an. »Ach, ich will einfach nicht, dass du enttäuscht wirst, Edith«, sagte er.

Sie streichelte ihm beruhigend über den Arm.

»Das werde ich gewiss nicht, Hermann.«

»Wir sind spät!«, bemerkte Cornelius von Thalheim nach einem wiederholten Blick auf seine Taschenuhr.

»Ach Gott, wir sind im Urlaub!« Gesine von Thalheim hielt sich eine Perlenkette an. »Die Leute hier haben ohnehin keinen Sinn für Etikette«, fuhr sie fort. »Hier lebt man frei in den Tag hinein, wie es unsereins gar nicht gewohnt ist. Wir haben schließlich Pflichten. Eine Minute früher oder später ist gewiss kein Weltuntergang bei diesen Leuten.«

Cornelius schwieg einen Augenblick, dann räusperte er sich.

»Mir gefällt's.«

»Was?« Gesine von Thalheim schaute sich nicht um, während sie die Perlenkette vorsichtig zurück in ihr Schmuckkästchen legte und stattdessen eine lange Silberkette mit einem tropfenförmigen Anhänger wählte, ein Erbstück ihrer Mutter.

»Dieses Leben in den Tag hinein«, antwortete Cornelius. »Ich finde es entspannend. Schade, dass wir das nicht auch zu Hause ab und an machen.«

»Was sollen die Leute denn von uns denken, Cornelius? Wir sind ihnen Vorbild!«

Gesine zog die Stirn kraus. Nie würde sie so etwas zulassen. Ihr Vater hatte nichts auf Etikette gegeben, und sie spürte die abfälligen Blicke von Cornelius' Verwandtschaft noch heute wie Nadelstiche auf ihrer Haut. Dass sie sich »hoch« geheiratet habe, wegen ihres hübschen Gesichtes und des schlanken, biegsamen Körpers, war anfangs noch eine der freundlicheren Bemerkungen gewesen. Gesine achtete jedenfalls peinlich darauf, dass nichts an ihre angeblich niedere Herkunft erinnerte.

»Ich dachte ja nur«, brummte Cornelius.

Er stand nun neben seiner Frau und überprüfte den eigenen Anblick. Stattlich sah er aus in seinem dunklen Anzug mit der Fliege und dem akkurat geschnittenen blonden Haar, in dem einige graue Strähnen zu sehen waren. Flüchtig berührte er die kleine Narbe auf seiner Wange, die ihm bei der Mensur beigebracht worden war. Gesine seufzte.

»Mir kommt es immer ein bisschen tierisch vor, dieses Leben …«

»Wie du meinst.« Cornelius ging ein paar Schritte vom Spiegel weg und ließ sich in einen Sessel sinken. Gesine drehte sich zu ihrem Mann um – sie wusste genau, wann sie zu weit gegangen war – und schenkte ihm ein nachsichtiges Lächeln.

»Sorge dich nicht, ich weiß doch, warum du jedes Jahr hierherkommen willst … Um einmal von diesen Zwängen befreit zu sein, nicht wahr, mein kleiner Bär? Und das ist gut so. Wir werden immer wieder hierherfahren, so lange du das möchtest.«

Ja, sie würde ihn in dem Glauben lassen. Letztendlich konnte er ihr ohnehin nichts abschlagen, und sie hatte es längst entschieden: Ihre Tage hier waren gezählt.

Cornelius stand mit einem Ruck auf. Kurz sah es so aus, als wolle er seine Frau in die Arme schließen, dann unterließ er es. Stattdessen starrte er wieder in den Spiegel. »Warum muss ich eigentlich eine Fliege tragen?« Er ruckte an dem Gebinde an seinem Hals. »Im Urlaub!«

Gesine schüttelte den Kopf.

»Weil wir uns eben doch nicht vollkommen gehen lassen«, erwiderte sie knapp, dann fragte sie: »Wo sind eigentlich unsere Söhne?«

Sie hatten beide nicht auf ihre Umgebung geachtet und erschraken nun, als sie fast gegeneinanderstießen.

»Beatrice.«

»Johannes.«

Sie schaute ihn an, und es wollte ihr einfach nichts einfallen, was sie hätte sagen können. Nachdem sie Corinnas kurze Pause gemeinsam verbracht hatten, war jeder seiner Wege gegangen. Die Thalheims hatten einen Ausflug machen wollen und auf der Anwesenheit ihrer Söhne bestanden. Beatrice hatte noch ein wenig bei Corinna in der Küche gesessen und war danach spazieren gegangen. Inzwischen war es Abend geworden.

Beatrice musste den Kopf leicht zurücklegen, um Johannes anzusehen. Seltsam, aber sie hatte sich in seiner Gegenwart noch nie zuvor so befangen gefühlt. Die Abendsonne ließ Johannes' blondes Haar glänzen. Er war schlank, sehnig und, wie sie jetzt feststellte, schon leicht gebräunt. Der plötzliche Gedanke, seinen Körper nackt ins Wasser gleiten zu sehen, ließ sie erröten.

»Ich habe es dir noch nicht gesagt«, sagte sie und registrierte zugleich erleichtert, dass ihre Stimme nicht zitterte, »aber es ist schön, dass ihr wieder da seid.«

Johannes lächelte schief, was seinem so männlichen Aussehen wieder etwas Jungenhaftes verlieh. »Wie jedes Jahr«, gab er zurück, und sie konnte eine leise, ihr bislang unbekannte Unbeholfenheit in seiner Stimme hören. Unwillkürlich lösten sie beide den Blick voneinander und fanden sich doch gleich wieder.

Auch mein Haar ist blond, dachte Beatrice. Und unsere Augen sind blau. Als sie noch jünger gewesen waren, hatte Mama einmal gesagt: »Wenn man euch so spielen sieht, könnte man meinen, ihr seid Geschwister.«

Johannes drehte den Kopf zur Seite und schaute aufs Wasser.

An dieser Stelle hat er Corinna damals an Land gebracht.

Vielleicht würde das ja das letzte große Abenteuer sein, das sie gemeinsam erlebten, das Erlebnis, das sie vier trotz aller Veränderungen auf immer zusammenschweißte.

Seit Ende des letzten Sommers musste Corinna in der Küche arbeiten. Nur abends kamen sie zuweilen noch hier zusammen, oder wenn Papa der Freundin gegen Mamas Willen freigab. Von ihrer Rettung hatte Corinna nur wenig erzählt.

Verbirgt sie etwas vor mir?, fuhr es Beatrice durch den Kopf. *Aber das ist ja lachhaft. Was sollte Corinna vor mir verbergen?*

»Denkst du noch daran?«, fragte sie Johannes jetzt.

Der sah weiter auf den See hinaus.

»Manchmal.«

Offenbar hatte er sofort verstanden, worauf sie anspielte. Beatrice zögerte. »Corinna schien mir jedenfalls sehr beeindruckt von deinem Heldenmut«, tastete sie sich schließlich weiter vor.

»Es war beeindruckend – also nicht ich.« Johannes riss sich vom Anblick des Sees los und grinste Beatrice an. »Alles andere. Der See, der Wind, das Gewitter … Das leere Boot … Unheimlich …«

»Ja«, erwiderte Beatrice knapp und schwieg dann, weil ihr auf einmal nichts mehr einfiel.

Es fühlte sich irgendwie seltsam an, hier allein mit Johannes zu stehen. Alles in diesem Sommer fühlte sich seltsam an.

Als bewegte ich mich auf unbekanntem Terrain.

Beatrice schaute auf ihre nackten Füße. Ohne es zu bemerken hatte sie mit den Zehen Linien in die trockene Erde gemalt. Ein leichter Abendwind kam auf. Leises Wellengeräusch war zu hören.

»Komisch«, sagte sie, ohne den Kopf zu heben. »Irgendwie scheint alles so viel länger her zu sein.«

»Gerade ein Jahr«, erwiderte Johannes.

»Ja, ich weiß«, entgegnete sie, »aber es hat sich so viel geändert. Corinna muss arbeiten. Wir haben kaum mehr Zeit zusammen.«

»Wie gefällt es ihr dort in der Küche?«, fragte Johannes. Er klang ehrlich interessiert. Das mochte sie an ihm. Er war den Menschen, mit denen er sich auseinandersetzte, immer nah.

Beatrice zuckte die Achseln. »Ich weiß nicht. Ich glaube, sie wollte nie dort arbeiten.«

Und jetzt wird sie es für den Rest ihres Lebens tun, fügte sie stumm hinzu.

Der Wind wurde mit einem Mal heftiger, blies ihr das Haar ins Gesicht. Sie strich es zurück. Laut fuhr sie fort: »Obgleich sie natürlich immer wusste, dass sie irgendwann damit anfangen würde. Wie ihre Mutter, weißt du. Irgendwann würde es so weit sein.«

Johannes nickte. Ein Gefühl, vorher noch vage, fand Worte in Beatrices Kopf: Er sieht gut aus. Sie versuchte, sich an den Jungen zu erinnern, mit dem sie in jedem Sommer der letzten Jahre gespielt hatte. Ihre Gedanken verwirrten sie, aber es stimmte tatsächlich, er sah einfach gut aus: das blonde, vom Wind zerzauste Haar, das männliche Gesicht, die blauen Augen, die, wie ihr jetzt auffiel, etwas grauer waren als ihre.

Aber er ist doch mein Freund, durchfuhr es sie im nächsten Moment. *Er ist mein Freund.*

Als Johannes ihren Arm berührte, zuckte sie zusammen. Ein kurzer Schauder überlief sie, dann fühlten sich seine Finger auf ihrem nackten Arm auf einmal so wunderbar warm an, dass sie am liebsten ewig so stehen geblieben wäre. Sie schauten einander in die Augen. Wortlos.

»Ist nicht längst Zeit für das Abendessen?«, unterbrach Johannes den Zauber endlich.

Beatrice sah zum Hotel hinüber. Für den Sommer hatte sie sich einen bestimmten Sonnenstand gemerkt, um die Zeit abschätzen zu können. Johannes hatte recht.

»Mutter hat mir heute freigegeben«, erklärte sie. »Mir … Mir geht es nicht so gut. Aber deine Eltern warten sicherlich schon.«

Sie schaute ihn an, ohne die Miene zu verziehen.

»Schade, dann sehe ich dich heute also gar nicht im Speisesaal?«, fuhr er in ihre Gedanken. Sie schüttelte den Kopf.

»Wir sehen … Wir sehen uns morgen. Wir könnten …« Sie überlegte fieberhaft. War das überhaupt angemessen, waren sie mit ihren achtzehn und sechzehn Jahren nicht fast Erwachsene? »Wir könnten schwimmen gehen«, schlug sie dann doch vor.

»Hier?«, gab Johannes mit einem Lächeln zurück.

»Hier«, antwortete sie.

Er musterte sie. »Das wäre schön«, sagte er.

Corinna hielt abrupt inne, als sie die beiden sah. Frau Kahlenberg hatte sie auf Gesine von Thalheims Wunsch hin ausgeschickt, nach ihrem älteren Sohn, Johannes, zu suchen. Der war seit dem gemeinsamen Nachmittag verschwunden, wurde aber nun dringend zum Abendessen erwartet.

Und jetzt habe ich ihn gefunden.

Vielmehr hatte sie beide gefunden – Beatrice und Johannes. Corinnas erster Impuls war gewesen zu rufen, so wie sie früher nach ihren Freunden gerufen hatte, doch dann hatte sie lediglich den Mund geöffnet und ihn kurz darauf unverrichteter Dinge wieder geschlossen. Einige Atemzüge lang hatte sie reglos dagestanden und versucht, das unbekannte Gefühl zu erfassen, das sich da plötzlich wie eine eiserne Faust um ihren Magen legte. Sie hatte doch gewusst, dass in diesem Jahr alles anders sein würde.

Sie dachte an den ersten Tag dieses Sommers zurück, als ihre Mutter sie wieder einmal aus dem Bett gescheucht hatte, was Irene scheinbar genoss. An keinem Tag in den vergangenen Monaten war ihr mehr bewusst gewesen, wie sich ihr Leben seit dem letzten Jahr geändert hatte. Und als ob ihre Mutter etwas von ihrer Stimmung bemerkt hatte, hatte sie es sich nicht nehmen lassen, Corinna daran zu erinnern, dass sie in diesem Sommer eben nicht mehr auf der faulen Haut liegen durfte.

Corinnas Leben hatte sich schmerzhaft verändert. Sie schlief nun fast immer in dem kleinen, geduckten Häuschen, das ihre Mutter am Rande des Hotelgeländes bewohnte, dort, wo eine hohe Mauer die Anlage schützte.

Früher hatte Hermann Kahlenberg ihr häufig erlaubt, bei Beatrice zu übernachten. Heute fand Frau Kahlenberg das nicht mehr angemessen. Corinna sollte nicht mehr die Freundin ihrer Tochter sein. Corinna war lediglich die Tochter einer Angestellten, der man ebenfalls erlaubte, hier zu arbeiten. Wenn sie sich früher der Familie zugehörig gefühlt hatte, dann sollte Corinna jetzt verstehen, dass das nie so gewesen war. *Ich war immer die Außenseiterin, und ich werde es immer sein.*

Corinna schluckte. Und deshalb ärgere ich mich so, fuhr es ihr durch den Kopf. Heute Morgen, als Johannes und seine Familie zum Frühstück kamen, da hatte ich für einen kurzen Moment den Eindruck, nichts habe sich geändert, doch ich habe mich getäuscht.

Und deshalb stand Beatrice jetzt dort allein mit Johannes, und sie gehörte nicht mehr dazu. Deshalb war sie jetzt nur noch das Küchenmädchen, und manchmal tat Edith Kahlenberg sogar so, als könne sie sich nicht einmal mehr an ihren Namen erinnern.

Ich möchte jetzt auch dort mit ihnen stehen und nicht erst dazukommen. Wenn man hinzukommt, läuft man immer Gefahr, sich unpassend zu fühlen.

Aber Himmel, sie konnte den beiden natürlich keinen Vorwurf machen. Sie waren einander wohl zufällig begegnet.

Trotzdem fiel es Corinna schwer weiterzugehen.

Das ist die Bucht, in der er mich an Land gezogen hat. Hier hat er mein Leben gerettet. Später habe ich die Augen geöffnet und in seine geblickt, die mich besorgt anschauten.

Sie konnte und würde diesen Blick nie vergessen. Es war ihr Geheimnis, ihre Besonderheit, das, was sie beide teilten. Es war das, was auf immer unvergesslich für sie sein würde.

Ob er auch noch daran dachte? Eigentlich zweifelte sie nicht daran. Er konnte das nicht vergessen haben. Sie hatte es in diesen ersten kurzen Momenten in seinen Augen gesehen. Und in seinem Herzen. Das Herz vergaß nicht.

Im Näherkommen musste sie ein Geräusch gemacht haben, denn zuerst schaute Johannes und einen Bruchteil danach Beatrice auf.

»Corinna«, rief der junge Mann aus – wie groß er geworden war, warum war ihr das vorhin nicht aufgefallen? Aber da hatte sie nur auf sein Gesicht geachtet –, »wie schön, dich heute noch einmal zu sehen.«

Corinna nickte langsam und konnte den Blick dabei nicht von seinem Gesicht nehmen. Wie er ihren Namen ausgesprochen hatte! So weich, als würde hinter dem Namen noch etwas klingen. Sie schaute ihn an. In diesem Moment war es, als sei Beatrice gar nicht da. Die Freundin war nur ein diffuser Farbfleck am Rand ihrer Wahrnehmung.

»Hier war es«, hörte sie Johannes sagen. »Weißt du noch?«

Corinna nickte. Natürlich, wie hätte sie das vergessen können? Hier hatten sie beide dem Tod ins Auge geblickt. Es berührte sie, dass er auch noch daran dachte. Aber wie hatte sie daran zweifeln können? Natürlich hatte er es nicht vergessen.

»Ja«, flüsterte sie heiser.

Johannes streckte ihr die rechte Hand entgegen.

»Es tut mir leid. Für dich sind die Erinnerungen sicherlich bedrückend.« Er lächelte sie warm an.

»Nein«, antwortete sie zögernd.

Sie sagte nicht: *Weil du mich gerettet hast,* obgleich es ihr auf den Lippen brannte. Beatrice tauchte wieder aus dem Nebel auf.

»Für mich ist es etwas Besonderes. Wer weiß, wann ich wieder einmal jemandem das Leben rette«, sagte Johannes nun.

Corinna gab sich einen Ruck.

»Du wirst zum Abendessen erwartet, Johannes.«

Sie versuchte, Beatrice wieder auszublenden. Sie mochte die Vorstellung, hier mit Johannes allein zu stehen.

»Na, dann muss ich wohl kommen.« Er wandte sich zu Beatrice um. »Kommst du mit?«

Die grinste.

»Nö, sonst darf ich noch bedienen. Dabei«, sie legte theatralisch die Hand an die Stirn, »geht es mir wirklich gar nicht gut. Ich bleibe besser hier.« Sie schaute Corinna an. »Du auch? Komm, lass uns spazieren gehen.«

Corinna zögerte. Dann straffte sie entschlossen die Schultern.

»Ich muss arbeiten, Beatrice. Tut mir leid.«

»Johannes, da bist du ja endlich!«

Gesine von Thalheim schenkte ihrem Älteren ein kleines Lächeln und hielt ihm ihre wie immer kühle Wange hin, die er zur Begrüßung küsste. Er konnte sich nicht daran erinnern, dass Mamas Wange jemals warm gewesen wäre.

»Vater!« Johannes machte eine halbe Verbeugung und setzte sich dann auf den freien Platz an der Seite seines Bruders.

»Wo warst du nur?«, ließ sich Gesine erneut, aber mit gesenkter Stimme, hören. »Wir warten nun seit einer halben Stunde auf dich.«

Johannes schaute seine Mutter an. Natürlich erwarteten sie eine Entschuldigung. Er legte das Besteck wieder ab.

»Es sind Ferien, Mama«, entschied er sich zu antworten. »Wirklich, ich habe einfach die Zeit vergessen.«

Gesines Augenbrauen hoben sich in einem winzigen Ausdruck des Vorwurfs. Mehr an Gefühl ließ sie nicht zu.

Manchmal, dachte Johannes, würde ich mir mehr Gefühl von ihr wünschen.

»Ja, es sind Ferien, mein lieber Johannes«, fuhr Gesines präzise Stimme in seine Gedanken, »aber das heißt nicht, dass wir uns vollkommen gehen lassen.«

Johannes war überrascht, von dem plötzlichen Bedürfnis aufzubrausen, doch er beherrschte sich. Er wusste, dass er mit einem Gefühlsausbruch ohnehin nicht weit kam.

»Lass den Jungen doch«, meldete sich nun Cornelius gutmütig zu Wort.

»Die Erziehung unserer Söhne wirst du wohl noch mir überlassen«, entgegnete Gesine sofort, immer noch sehr leise, aber umso spitzer. »Du hättest dir nun aber wirklich noch etwas Ordentliches anziehen können«, zischte sie dann über den Tisch ihrem Älteren zu. »Eine Wanderhose und ein offenes Hemd gehören sich nicht für unser gemeinsames Abendessen. Was hast du dir nur dabei gedacht?«

»Ich dachte, euch läge daran, dass ich möglichst schnell hier auftauche«, gab Johannes etwas lauter zurück.

»Johannes!«, rügte Gesine ihren ersten Sohn.

Aufmerksam ließ der jüngere Ludwig den Blick zwischen Johannes und der Mutter hin und her wandern. Gesines Gesichtsausdruck änderte sich nicht, doch ihre Stimme nahm noch an Schärfe zu.

»Das Essen kommt jetzt ohnehin erst in zehn Minuten. Vater und ich wären dir also sehr verbunden, wenn du dich vorher noch angemessen kleidest. Wenn das nicht zu viel verlangt ist.«

Johannes schob seinen Stuhl zurück und stand auf.

»Wie du wünschst, Mama.«

Auf dem Zimmer wühlte er wenig später in seinem bislang noch unausgepackten Koffer. Die Anzughosen und Hemden waren etwas zerknittert, aber es würde gehen, etwas anderes stand ihm nun einmal nicht zur Verfügung. Ludwig, der angegeben hatte, er müsse sich noch einmal erleichtern, hatte sich auf sein Bett geflätzt und schaute dem älteren Bruder bei der Auswahl zu.

»Der Sommer fängt an, wie jedes Jahr. Freust du dich?«

»Hm«, brummte Johannes.

Seit er den See verlassen hatte, war er in Gedanken. Beatrice hatte sich verändert im letzten Jahr, sie war zur Frau geworden, und er musste zugeben, dass ihn das tatsächlich überraschte. Er hatte nie daran gedacht, dass auch seine Kindheitsfreundin älter wurde. Irgendwie hatte er sich vorgestellt, sie würde auf ewig jung bleiben. Ja, natürlich war sie noch jung, aber sie wurde langsam erwachsen, und das war ihm in diesem Jahr erstmals bewusst geworden.

Ich weiß nicht, ob mir diese Vorstellung behagt, fuhr es ihm im nächsten Moment durch den Kopf. Die Sommerferien im *Hotel zum Goldenen Schwan* waren immer wie eine Zeitkapsel für ihn gewesen, ein Ort und eine Zeit, die stets wiederkehrten, ohne sich je zu verändern. Leicht zögernd zog er eine neue Hose und ein frisches Hemd aus dem Koffer hervor. In jedem Fall freute er sich darauf, am nächsten Tag mit ihr schwimmen zu gehen. Hoffentlich blieb das Wetter gut, aber er konnte sich eigentlich nicht daran erinnern, dass es hier je schlechtes Wetter gegeben hatte. Er schlüpfte in eine hellgraue Hose und das dazu passende Hemd. »Hilfst du mir mit der Fliege?«, wandte er sich dann an seinen Bruder.

Der nickte und sprang vom Bett auf. Ludwig war geschickt und schnell. Kurz darauf überprüfte er nochmals den Sitz seiner eigenen Fliege. »Gehen wir?«

Johannes nickte, blieb aber dann nachdenklich stehen.

»Findest du, dass sie sich verändert hat?«

Ludwig, der schon fast die Tür erreicht hatte, drehte sich zu ihm um. »Wer? Beatrice?«

»Natürlich – Corinna ist ja noch ein Kind.«

»Sie liegen, glaube ich, nur ein paar Monate auseinander.«

»Wirklich?« Johannes schüttelte den Kopf. »Nein, das hätte ich nicht gedacht. Aber ja, ich meine Beatrice.«

Er ging auf seinen Bruder zu und schaute ihn fragend an. Der hob die Schultern.

»Irgendwie schon«, meinte er dann langsam. »Dieser Badeanzug heute, das war …« Ludwig errötete, drängte sich im nächsten Moment an dem Älteren vorbei und lief dann eilig die Treppe hinunter. Verblüfft sah Johannes ihm hinterher.

Wie auch in früheren Sommern hatten Beatrice und die Brüder den ganzen Tag am See verbracht. Sie waren geschwommen, hatten sich gegenseitig nass gespritzt. Sie hatten darüber geredet, was im vergangenen Jahr passiert war, und gerätselt, wo ihr Weg sie wohl zukünftig hinführen mochte. Während ihrer Pause stieß Corinna zu ihnen. Johannes sprach mit ihr, während Beatrice und Ludwig auf die Trauerweide kletterten und vom Seil aus immer und immer wieder ins Wasser sprangen. Dann musste Corinna auch schon wieder arbeiten, und es dauerte eine Weile, bis der Sommer wieder so endlos wirkte wie in den Jahren zuvor.

Solche Sommer, dachte Johannes, wird es in Zukunft selten geben. Für Erwachsene gibt es keine endlosen Sommer mehr. Die Eltern sprachen in letzter Zeit immer häufiger von seiner Zukunft beim Militär. Einige Wochen hatte er auch schon bei Onkel Falkenstein verbracht. Nun erwarteten Cornelius und Gesine von Thalheim, dass ihr Älterer sich freiwillig meldete.

Schließlich brach Johannes zu einem Spaziergang auf, während Beatrice und Ludwig es vorzogen, am See zu bleiben. Sein einsamer Weg führte Johannes ohne Ziel weiter und weiter durch den Wald und die umliegenden Felder. Als er endlich zurückkehrte, ging es schon deutlich auf den Abend zu. Zu seiner Überraschung, denn er hatte sich im Wald auf der anderen Seite gewähnt, näherte er sich dem Hotel von der Rückseite. Durch den Diensteingang hatten sie sich als Kinder so manches Mal geschlichen, und Johannes wählte ihn auch dieses Mal wieder.

Der lange, schmale Gang, das erinnerte er, führte an Vorratskammern und der Küche vorbei zur Eingangshalle. Auf Höhe der Küche blieb er stehen und warf einen Blick hinein. Mehr als einmal hatte man sie hier versorgt, wenn sie eigentlich ohne Essen ins Bett geschickt worden waren.

Es war kurz vor dem Abendessen, und es herrschte Hochbetrieb. Stimmen, Rufe, sogar Lachen mischte sich mit Geschirrklappern, Zischen, Brutzeln und schnellen Schritten. Johannes hielt nach Corinna Ausschau, konnte sie aber nirgends entdecken. Dann trat er einen Schritt weiter in die Küche hinein und noch einen und noch einen. Aus dampfenden Schwaden tauchten die Gesichter des Kochs, der Küchenhelfer und Küchenhelferinnen auf wie Geister aus einer Fabelwelt. Der Anblick erschien Johannes bizarr, aber er gefiel ihm. Auch die Gerüche waren angenehm. Und die Art, wie alle ihrer Arbeit nachkamen wie ein präzise laufendes Uhrwerk, in dem ein Rädchen ins andere griff, beeindruckte ihn.

Johannes lauschte, hörte das blitzschnelle, klopfende Geräusch, mit dem ein geübter Küchenhelfer das Gemüse klein hackte, das leise Zischen, wenn Heißes auf Kaltes traf. Eier wurden geschickt mit einer Hand aufgeschlagen und schaumig gerührt. Er sah dem Koch zu, der von

Arbeitsplatz zu Arbeitsplatz lief, hier einen Ratschlag gab und dort probierte. Ein Bild war mit einem Mal in seinem Kopf, schemenhaft noch, aber sicherlich bald greifbar.

Ohne ein Wort drehte er sich um und ging davon.

Erst einige Tage später tauchte Johannes wieder in der Küche auf. Dieses Mal nahm er sich Zeit, sich genauer umzuschauen. Die vage Idee nahm erste Formen an. Abends traf er Beatrice bei einem Spaziergang um den See. Er war froh, sie zu sehen. Er sagte es ihr. Sie lachte.

Corinna war an diesem Tag noch einmal an den See gegangen, um sich, mit den Füßen im Wasser, etwas abzukühlen, und stand nun auf dem zweiten, etwas abseits gelegenen Bootsanlegesteg, der hauptsächlich von der Familie Kahlenberg selbst genutzt wurde. Den ganzen Tag über hatte sie arbeiten müssen und keine Gelegenheit dazu gefunden, einmal durchzuatmen. Sie mochte noch jung aussehen, wie ihr allenthalben bestätigt wurde, ihr Leben war aber schon seit einem Jahr nicht mehr das eines Kindes. Für einen Moment verlor sich ihr Blick im Westen, wo eine erste leichte orangerosa Färbung den Sonnenuntergang ankündigte, als sie rechts von sich eine Bewegung wahrnahm. Sie blickte in die Richtung und bemerkte Beatrice und Johannes, genau wie vor einigen Tagen schon einmal in ein Gespräch vertieft. Corinna spürte, wie ihr Herz für einen Moment stolperte, bevor es kräftig weiterschlug.

Schon wieder … Was hatten die beiden wohl dieses Mal zu besprechen?

Mit ihr selbst hatte Johannes, abgesehen von einigen Sätzen in den kurzen Pausen, bislang kaum ein Wort gewechselt. Vielleicht lag das daran, dass sie weniger Gelegenheit dazu hatte. Sicher tat es das.

Aber war nicht etwas Besonderes zwischen ihnen, seit jenem Ereignis auf dem See damals? Sie hatten doch beide dem Tod ins Auge geblickt – oder hatte sie sich geirrt? Nein, gewiss hatte sie sich nicht geirrt. Seite an Seite hatten sie dem Tod ins Antlitz geblickt. So etwas ließ sich nicht aus der Welt schaffen. Auch er konnte das nicht vergessen haben. Und deshalb musste sie sich keine Gedanken machen, wenn Beatrice mit ihm sprach, denn das, was sie beide – Corinna und Johannes – hatten, konnte ihnen keiner nehmen.

Gesine hatte es immer vermieden, sich von der Hotelterrasse fortzubewegen. Stets hatte sie sich dort oder in ihren Zimmern aufgehalten, wenn sie Hermann nicht überzeugen konnte, einen Ausflug nach Bad Homburg zu machen, um Wasser zu trinken, Verwandte zu treffen oder Bekanntschaften aufzufrischen. In diesem Jahr jedoch hatte sie die enge Freundschaft zwischen ihren Söhnen und diesen Wirtshausmädchen erstmals unruhig gestimmt. Sie war immer davon ausgegangen, dass sich diese Freundschaft irgendwann zwangsläufig von selbst auflösen würde. Man wurde älter. Man spielte nicht mehr miteinander. Doch sie hatte sich geirrt. Die Freundschaft hatte sich vielleicht verändert, doch sie war geblieben.

Gesine runzelte die Stirn und konnte den Blick nicht von der Richtung nehmen, in der zuerst Beatrice und

Johannes, später Corinna verschwunden waren. Hinter ihr knirschten mit einem Mal Schritte. Leichte Schritte waren es. Kein Mann trat so auf.

»Frau von Thalheim?«

Frau Kahlenberg … Gesine spürte, wie sich ihr Kiefer unwillkürlich verhärtete. Sie hatte die Frau des Hotelbesitzers nie ausstehen können. Sie hatte sie immer als Gefahr empfunden. Jemand, der nach oben strebte und seinen Platz nicht kannte. Gesine hasste es besonders, dass diese Frau sie an sich selbst erinnerte. Sie drehte den Kopf kaum merklich zur Seite.

»Ja?«

»Wir sind wohl in derselben Situation«, sagte Edith Kahlenberg mit einer Stimme, die vor bemühter Leichtigkeit bebte. »Unsere Kinder gehen jetzt ihre eigenen Wege.«

Gesine zögerte keine Sekunde, den Kopf zu schütteln.

»Wir werden wohl niemals in derselben Situation sein, Frau Kahlenberg. Ich verbitte mir solche Äußerungen«, erwiderte sie scharf.

»Ich …« Edith Kahlenberg errötete. »Ich wollte Sie gewiss nicht verärgern«, sagte sie dann stockend. Gesine genoss ihre Unsicherheit. Endlich war die Zeit gekommen, diesen schwelenden Ärger in sich loszuwerden, endlich …

»Ich dachte immer«, entgegnete sie, »Ihr Etablissement, Frau Kahlenberg, ist eines, in der unsereins verkehren kann, ohne sich herabzusetzen, aber …«

»Frau von Thalheim …« Frau Kahlenberg suchte sichtbar nach Worten, dann schien sie etwas zu bemerken. »Wie meinen Sie das, herabsetzen …?«

»Genauso, wie ich es gesagt habe.«

»Unser Hotel hat einen sehr guten Ruf.«

»Für Ihresgleichen. In unseren Kreisen hat es jedenfalls keinen Namen.«

Mit Genugtuung registrierte Gesine das leichte Zittern, das Frau Kahlenberg in diesem Augenblick überlief.

»Es tut mir leid, wenn Sie dergleichen über mich denken«, brachte sie mit großer Mühe hervor.

»Über *Sie*«, sagte Gesine von Thalheim, »denke ich überhaupt nicht nach. Ich dachte, ich hätte Ihnen das endlich deutlich gemacht.«

»Sehr deutlich«, sagte Frau Kahlenberg, deren Gesicht seine Blässe nun nicht mehr verlor. »Ich werde Sie gewiss nicht mehr belästigen.«

Steif drehte sie sich um und ging davon. Gesine von Thalheim überlief ein warmes Gefühl äußerster Genugtuung.

»Wir kommen auch im nächsten Jahr wieder, da bin ich mir sicher.«

Johannes schenkte Beatrice ein Lächeln.

»Meinst du wirklich?« Sie schüttelte den Kopf. »Irgendwie scheint mir, als wären unsere gemeinsamen Sommer mit diesem Jahr zu Ende gegangen. Deiner Mutter …« Sie schluckte. »Deiner Mutter gefällt es dieses Mal jedenfalls gar nicht gut.«

»Es hat ihr hier noch nie gefallen. Sie kommt nur meinem Vater zuliebe.«

»Wirklich?« Kurz war Beatrice hin- und hergerissen zwischen Empörung und Ärger. Mochte es ihr auch manchmal zu viel sein, die Gäste zu bedienen, so war sie doch auch stolz auf das Hotel und seinen Ruf. Zudem hatte Gesine von Thalheim nie den Anschein gemacht, als gefiele es ihr nicht.

»Nein, Mutter findet es zu provinziell. Noch dazu verkehrt hier das falsche Publikum. Es war mein Vater, der jedes Jahr hierherwollte, eben genau aus den Gründen, die Mutter bemängelt.«

»Hm.«

Beatrice runzelte grimmig die Stirn. Johannes schaute betroffen drein. »Entschuldige. So wollte ich das eigentlich nicht sagen, und mir gefällt es ja hier. Weißt du, vor ein paar Tagen war ich zum Beispiel in der Küche, und zum ersten Mal ...«

Beatrice hörte nicht hin. Sie nahm Johannes' Stimme nur noch irgendwo am Rand ihres Bewusstseins wahr, während sie ihre nackten Füße ansah. Sie war barfuß am See entlanggegangen, weil sie es liebte, den warmen Sand unter ihren Füßen zu spüren. Nachdenklich wühlte sie die Zehen in den lockeren Untergrund.

Was Mama wohl über das sagen würde, was ihre geliebte und bewunderte Frau von Thalheim über das alles hier dachte?

»Ach, Beatrice, wirklich, es tut mir leid«, war jetzt wieder Johannes zu hören. »Ich denke so etwas nicht. Für uns wird es jedes Jahr einen Sommer geben, glaub mir.«

Beatrice riss sich selbst aus den Gedanken. Sie hätte ihm gern geglaubt, aber sie wusste nicht, ob er recht hatte. Nein, sie wusste es wirklich nicht.

Cornelius und Gesine hatten auch diesen letzten Tag des Urlaubs in Bad Homburg zugebracht, hatten dann zu Abend gegessen und standen jetzt in der Suite, die Hermann Kahlenberg zum einfachen Preis für sie reservierte, weil sie dieses Mädchen im vergangenen Jahr zum Arzt gefahren hatten.

Nicht, dass wir das nötig hätten, fuhr es Gesine wieder einmal durch den Kopf, aber ihr Mann bestand darauf, diesen Leuten doch ihr kleines, lächerliches Vergnügen zu lassen.

Nun, zumindest habe ich dieser aufdringlichen Frau Kahlenberg endlich zeigen können, wo ihr Platz ist und dass wir nichts gemein haben, rein gar nichts …

Während Cornelius sich die Fliege vom Hals zog, öffnete er mit der anderen Hand bereits das Hemd. Gesine stand vor dem Spiegel und löste mit geschickten Fingern die Anstecknadel von ihrem Oberteil. Der Kronleuchter warf Lichtreflexe auf ihr glänzendes, dunkles Haar. »Ist dir etwas an Johannes aufgefallen?«, fragte sie nun, ohne sich umzudrehen.

Cornelius warf einen Blick in den Spiegel, traf den seiner Frau, glitt weiter und hielt inne.

Blass sehe ich aus, dachte er, angestrengt. Er hasste diese Besuche in Bad Homburg. Diese Momente, in denen er wieder der wohlgeborene Herr von Thalheim zu sein hatte, der er ohnehin an elf Monaten im Jahr sein musste. Aber Gesine bestand darauf. Es gab keine bessere Gelegenheit, Kontakte zu knüpfen, sagte sie.

»Nein, wieso?«

»Mir ist nur aufgefallen, dass er in letzter Zeit häufig in der Küche war.«

»Dir ist das aufgefallen?«

»Mir wurde es zugetragen.«

Was Gesine ihm da erzählte, schien Cornelius so wunderlich, dass er einen Moment lang zögerte. »In der Küche?«, echote er dann. »Zum Essen?«

Ja, warum sollte er auch sonst da sein? In Johannes' Alter hatte man immer Hunger, das war ihm früher auch so gegangen. Er bemerkte, dass Gesine sehr nachdenklich war.

»Und dann hat er gestern zu Ludwig gesagt, dass er erst jetzt erkannt habe, wie anspruchsvoll der Beruf des Kochs sei, und dass er tausendmal lieber etwas erschaffen als etwas zerstören würde.«

Cornelius und seine Frau starrten sich für einen Zeitraum wortlos an.

»Nach diesem Sommer muss er sich melden«, sagte Cornelius schließlich.

Gesine nickte langsam. Im letzten Jahr hatte es nicht nur eine Auseinandersetzung um den Militärdienst gegeben. Langsam empfand sie Johannes' hartnäckige Verweigerung als bedrohlich.

Die Brüder saßen sich auf ihren Betten gegenüber und schwiegen. Ludwig war schon im Pyjama, während Johannes noch mit nacktem Oberkörper dasaß und irgendeinen Brief schrieb. Langsam glitt der Blick des Jüngeren über den sportlichen Körper seines Bruders. Anfangs war er, zu früh geboren, immer kleiner und schwächer gewesen als der Ältere, aber das hatte sich im Laufe der Zeit schließlich mit viel Ehrgeiz und Sport ausgleichen lassen. Trotzdem würde Ludwig die schlanke, muskulöse Statur seines Bruders dem eigenen, gedrungenen Körper immer vorziehen. Und eigentlich war es ja ohnehin so, dass die Eltern mit dem ersten Sohn offenbar den einen Jungen bekommen hatten, den sie sich immer gewünscht hatten.

Ich habe mich noch nie willkommen gefühlt, und ich weiß einfach nicht, wieso …

»Was ist denn?«, fuhr Johannes jetzt in seine Gedanken. Offenbar hatte er bemerkt, dass er beobachtet wurde.

»Nichts.« Ludwig schlüpfte eilig unter die Decke und drehte dem Älteren den Rücken zu. »Ich bin müde, ich werde jetzt einfach schlafen.«

Irgendwann, mitten in der Nacht, stand Gesine auf und trat ans Fenster, um auf den vom hellen Mondlicht beschienenen See hinauszublicken. Morgen ging es endlich, endlich wieder nach Hause, und wie jedes Jahr hoffte sie, nie wieder hierherzukommen. Cornelius schlief schon seit Stunden tief und fest und erwachte auch nicht, als sie das Bett verließ. Gesine aber fand in dieser Nacht keine Ruhe. Die vielen kleinen Beobachtungen, die sie über den Tag hinweg getan hatte, machten ihr das einfach unmöglich. Bislang hatte sie die Schachfiguren des Spiels, welches man Leben nannte, immer nach ihrem Gutdünken bewegen können, doch jetzt hatte sich das Spiel verändert. Johannes' Freundschaft mit dieser Hotelierstochter beunruhigte sie zunehmend. Ludwig war da anders, um ihn brauchte sie sich keine Sorgen zu machen, denn er hatte Sinn dafür, was statthaft war, aber ihr Johannes – ausgerechnet *ihr* Johannes – entzog sich ihr. So wenig sie in ihrem Leben bedauerte, so bedauerte es Gesine von

Thalheim doch manchmal durchaus, dass sich die Beziehung zu ihrem jüngeren Sohn niemals so entwickelt hatte wie die zu ihrem älteren.

Ludwig wäre der bessere Sohn, wenn ich nur … Für einen Moment überlief Gesine ein Frösteln, während sie fortfuhr, die Welt draußen zu beobachten. Alles war still, alles war friedlich. Sie dachte an den Streit mit Frau Kahlenberg, die sie seitdem mied, und war sich sicher, dass sie die Einzige war, die den Schatten der Bedrohlichkeit über ihrer Familie wahrnahm, und die Einzige, die etwas dagegen tun konnte.

6

Frankfurt am Main, *1992*

Rechtsanwalt Trechting, ein weißbärtiger, schlanker Herr mit kurz geschnittenem grauem Haar, im Glencheck-Anzug, wirkte etwas jünger, als Mia nach Florians Bericht erwartet hatte. Sie schätzte ihn auf etwa sechzig Jahre; womöglich war es der Bart, der ihn älter wirken ließ. Bereits nach kurzer Zeit hatte er sie über die notwendigen Formalitäten in Kenntnis gesetzt und ihr sämtliche Unterlagen überreicht.

»Schauen Sie sich alles in Ruhe an, Frau Belman. Ich habe heute keine Termine mehr und somit alle Zeit der Welt für Sie.«

»So lange wird es hoffentlich nicht dauern«, scherzte Mia aufgeregt. Dann widmete sie sich den Unterlagen, blätterte ab und zu, nahm jedoch nicht wirklich etwas wahr. Es fiel ihr schwer, sich zu konzentrieren. Zu viele Gedanken huschten durch ihren Kopf, fanden kein Ende und wurden dann durch neue ersetzt.

Unwillkürlich brach ihr der Schweiß aus. Vielleicht hätte ich besser das Leinenkostüm anstelle des Zweiteilers aus Wollstoff wählen sollen?

»Ein schönes Lokal«, war Trechting plötzlich zu hören, und Mia fiel auf, dass sie wohl schon seit einer Weile einen Plan in der Hand hielt. »Ich bin dort als

Kind mit meinen Eltern häufig am Wochenende hingegangen.«

»Tatsächlich?« Mia zwang sich, den Grundriss anzusehen, doch ihr fehlte einfach die Vorstellungskraft. Sie konnte erkennen, dass es auf dem großzügigen Grundstück viel Wald und einen etwas größeren See gab. Und zwei Gebäude. »Ist das ein See?«

»Ja, tatsächlich.« Trechting lächelte. »Künstlich angelegt und mitten im Wald. Heutzutage soll er zum Teil wieder verlandet sein. So eine Anlage braucht eben Pflege, und das Lokal ist ja ebenfalls schon lange geschlossen.«

»Das … Das wusste ich alles nicht. Ich war noch nie da.«

»Sie haben Ihre Großmutter erst spät kennengelernt?«

Mia suchte nach Worten und nickte dann nur. War das jetzt ein Gefühl von Verlust, was sie verspürte? Sicherlich konnte sie kaum um eine Frau trauern, die sie nie wirklich kennengelernt hatte. Andererseits war Corinna Mayer die Einzige gewesen, die ihr mehr über ihre eigene Mutter hätte erzählen können. *Vielleicht spüre ich ja deshalb diese Leere in mir.*

Der Rechtsanwalt sah kurz aus dem Fenster. »Frau Mayer war eine bemerkenswerte Frau.«

»Kannten Sie sie näher?«

»Nur über das Lokal. Sie hatte etwas an sich, das meine Bewunderung hervorrief, schon ganz früh, als ich noch mit meinen Eltern dorthin ging, kurz nach dem letzten Krieg. Das war 1947 oder 1948. Ich war damals etwa dreizehn. Es war in jedem Fall sehr beeindruckend, wie sie alles ganz allein meisterte. Dabei gehörte das Anwesen ursprünglich gar nicht ihrer Familie. Mein Vater hat mir einmal erzählt, dass sie es vor dem Krieg übernommen habe, gemeinsam mit der Tochter des früheren Hotelbesitzers. Viel mehr weiß ich nicht, aber der *Goldene Schwan* hatte stets einen wirklich guten, untadeligen Ruf.«

»Der *Goldene Schwan*? Das Lokal hieß *Goldener Schwan*?«

»Das angeschlossene Hotel. Aber irgendwann konzentrierte Frau Mayer sich nur noch auf das Lokal. Sie wurde ja auch älter, und ein Hotel macht viel Arbeit. Und dann verloren wir uns aus den Augen; ich ging zum Studium nach Amerika, arbeitete einige Zeit in New York. Die Arbeit ging dann in Deutschland gleich weiter, ich fand kaum Zeit für etwas anderes.« Er blickte bedauernd drein. »Und als ich sie dann endlich wieder traf, war auch das Lokal geschlossen …«

Mia wartete ab, ob der Rechtsanwalt noch etwas sagen wollte, doch er schwieg, in Gedanken verloren.

Der *Goldene Schwan*, fuhr es Mia durch den Kopf, ein ganz schön pompöser Name für irgend so ein Waldhotel nebst Lokal. Mia kannte solche Etablissements mit Jugendherbergscharme und dem Schweißgeruch von Wanderern und Fahrradfahrern selbst von einigen Ausflügen. Sie räusperte sich.

»Sie hat das Hotel also allein geführt? Was war denn mit ihrem Mann?«

»Ich habe ihn nie kennengelernt, aber ich kann Ihnen versichern, dass es nach dem Krieg viele alleinstehende Frauen mit Kindern gab. Frau Mayers Tochter war damals schon eine junge Frau und fest im Betrieb eingebunden. Mit ihr hatte ich weniger zu tun als mit ihrer Mutter. Dabei waren wir uns vom Alter her näher …«

Mia nickte.

»Warum haben Sie sich dann eigentlich nach so vielen Jahren wiedergetroffen? Meine Großmutter und Sie, meine ich«, fragte sie einen Moment später, um die plötzlich aufgekommene Stille zu durchbrechen. Trechting löste sich vom Fenster.

»Frau Mayer tauchte eines Tages bei mir auf, um ihr Testament aufzusetzen. Damals hieß es wohl, sie habe nur noch wenige Wochen zu leben …«

»Wann war das?« Mia war mit einem Mal neugierig. Trechting nannte ein Datum, das ein halbes Jahr nach ihrem ersten und einzigen Treffen mit ihrer Großmutter lag. Mia schwieg nachdenklich.

»Wir setzten alles auf, und dann verschwand sie so unvermittelt, wie sie gekommen war«, sprach der Rechtsanwalt endlich weiter. »Irgendwie«, fügte er hinzu, »war sie immer eine Einzelgängerin, obwohl sie ein Lokal führte und stets jedem das Gefühl gab, willkommen zu sein.«

Mia nickte. Warum hatte Corinna sich dafür entschieden, sie als Erbin einzusetzen, nachdem ihr erstes Treffen doch so wenig freundlich verlaufen war? Eigentlich hatte Mia damals gedacht, sie würde nie wieder etwas von dieser Frau hören. Vielleicht war es doch gut, dass Florian sie bestärkt hatte, heute hierherzugehen? Sie beugte sich vor, schob den Papierstapel zusammen, um ihn in die Mappe zurückzulegen.

»Haben Sie noch Fragen?« Das Gefühl, das sie eben noch im Gesicht des Rechtsanwalts gelesen hatte, hatte wieder dem Ausdruck reiner Professionalität Platz gemacht. Mia schüttelte den Kopf.

Trechting nickte bekräftigend. »Gut, dann bleibt mir nur noch, Ihnen die Schlüssel zu überreichen. Sie können sich aber jederzeit an mich wenden, falls Ihnen doch noch etwas einfällt.«

»Danke schön«, sagte Mia leise. »Wissen … Wissen Sie, woran meine Großmutter gestorben ist?«

Noch während Mia die Frage stellte, schnürte ihr etwas die Kehle zu. Trechting musste ihre Aufregung bemerkt haben, denn er schaute sie mitfühlend an.

»Es war Altersschwäche. Das Herz wollte irgendwann nicht mehr.«

Mia nickte. Das Herz wollte nicht mehr … Warum er das wohl gesagt hatte? Doch sie fragte nicht.

Trechting begleitete sie zur Tür. Sie spürte ihn auf dem ganzen Weg durch den großzügigen, mit einem dicken Teppich ausgelegten Flur nah an ihrer Seite. An der Tür drehte sie sich noch einmal zu ihm. »Noch eine Frage. Wo hat meine Großmutter eigentlich zuletzt gewohnt? In ihrer Wohnung? Sie war ja schon sehr alt – hat sie das denn alles selbst bewältigen können?«

Trechting schaute sie eindringlich an. Es dauerte eine Weile, bevor er antwortete: »Ihre Großmutter war zuletzt in der Psychiatrie, Frau Belman. Wie auch einige Male vorher, das hat sie mir noch anvertraut. Am Ende ging es auch darum, ob man Sie zu ihrem Vormund bestellen sollte.«

»In der Psychiatrie? Weswegen?«

»Schwere Depressionen. Trotzdem hat sie sich noch selbst eingewiesen. Sie war immer eine starke Frau.«

Mia nickte nur. Sie wusste, dass ihr ihre Stimme ohnehin nicht gehorchen würde.

Wie in Trance ging Mia die Treppe hinunter. Sie konnte später nicht sagen, wie sie ihr Auto erreicht hatte, geschweige denn, wie es ihr überhaupt gelungen war, den Schlüssel mit zitternden Händen ins Schloss zu stecken. Sie startete den Wagen nicht sofort. Stattdessen wandte sie den Blick und starrte den Umschlag auf dem Beifahrersitz an, den ihr der Anwalt zuletzt überreicht hatte: den Schlüssel zur letzten Wohnung ihrer Großmutter sowie den Schlüssel, einen Anfahrtsplan und alle verfügbaren Unterlagen zum Lokal und was es da eben noch so gab.

Corinna war in der Psychiatrie gewesen, um sich wegen ihrer Depressionen behandeln zu lassen. Warum hatte sie daran gelitten? Gab es einen spezifischen Grund, oder war es vielleicht sogar erbliche Vorbelastung? Mia spürte, wie ihr Mund trocken wurde. Sollte sie noch einmal hochgehen und Trechting danach fragen, oder ihn vielleicht vom Handy aus anrufen?

Zum ersten Mal war sie froh, dass Florian ihr unbedingt so ein Gerät hatte kaufen wollen. Sie hatte anfangs nicht verstanden, warum sie nicht wie bisher alle Telefonate von zu Hause aus führen konnte, aber Florian hatte darauf bestanden, dass dieser unhandliche Plastik-Backstein das kommende große Ding war.

Irgendwann wird jeder so etwas haben, aber wir haben dann zu den Ersten gehört. Wir waren die Vorreiter.

Florian war gerne Erster.

Und Mia konnte jetzt immerhin erstmals den Sinn eines Handys erkennen. Kurz entschlossen kramte sie es hervor. Der Akku war leer. Nach einem kurzen Moment der Enttäuschung war sie doch fast froh darum.

»Und jetzt spinn nicht rum«, versuchte sie sich zur Räson zu rufen. »Erbliche Geisteskrankheit. So ein Blödsinn.«

Sie drehte den Schlüssel im Schloss. In zweiter Reihe wartete schon ungeduldig ein Autofahrer. Während sie ausparkte, entschied sie sich, zuerst Corinnas Wohnung aufzusuchen.

Dort hatte Corinna die letzten Jahre ihres Lebens, nur unterbrochen von den Aufenthalten in der Psychiatrie, wie sie nun ja von Rechtsanwalt Trechting erfahren hatte, verbracht.

Und einmal habe ich sie dort auch besucht.

Mia erinnerte sich an eine großzügige, kühle Wohnung, eingerichtet im Bauhaus-Stil, dem Mia in seiner Reinform wenig abgewinnen konnte. Für sie wirkte alles zu funktional. An einer roten Ampel kam ihr erneut der Gedanke, dass es jetzt zu spät war, um noch einmal mit Corinna zu sprechen und mehr über ihre Mutter Lore zu erfahren.

Das Haus im Westend beherbergte zwei Parteien, aber nur eine Klingel wies ein Namensschild auf, und dies las sich unverändert Corinna Mayer. Mia entfernte als Erstes einen Stapel Werbung aus dem Postkasten. Drei Stufen führten zur Eingangstür des gradlinigen Baus hoch. Vor der bunt verglasten Tür, hinter der man den Flur erahnen konnte, zögerte Mia. Hinter dem Glas war keine Bewegung zu erkennen. Natürlich nicht. Mia erinnerte sich daran, wie sie damals im Winter hier gestanden hatte, in ihrem alten Lammfellmantel mit den Lammfellboots vom Flohmarkt und der Norwegermütze auf dem Kopf, so nervös, dass sie, wäre sie noch ein kleines Kind gewesen, wohl von einem Bein auf das andere gesprungen wäre. Sie hatte geklingelt, Corinna hatte die Tür geöffnet, eine zierliche Frau mit einem silbernen Pagenkopf in einem dunklen Hosenanzug: »Ja, bitte?«

Mia erinnerte sich, dass sie gegen den Impuls, kehrtzumachen und die Treppe einfach wieder hinunterzulaufen, hatte ankämpfen müssen. Sie erinnerte sich auch daran, im Gesicht dieser fremden Frau nach etwas Bekanntem gesucht zu haben.

»Sie wünschen?«, hatte Corinnas Stimme die Stille zwischen ihnen zerschnitten.

Mia steckte den Schlüssel ins Schloss. Die Tür ließ sich leicht öffnen.

Ich schau mich nur kurz um, fuhr es ihr durch den Kopf, mehr nicht.

Soweit sie das erkennen konnte, hatte sich zumindest im Flur nichts geändert. Eine Neonröhre leuchtete flackernd auf, nachdem Mia den Lichtschalter betätigt hatte. An der Garderobe hing ein dunkler Wintermantel, ein Schirm in einem lila-orangefarbenen Karomuster und ein dunkler Hut. Es roch — nach nichts, stellte Mia verwundert fest.

Sie zögerte, ging dann aber doch weiter.

Ich schaue mich nur rasch um. Ich bleibe nicht lange.

In diesem Augenblick war sie wieder die Studentin, die nur hier wegwollte. Sie ging am Wohnzimmer vorbei, in dem Corinna sie damals empfangen hatte. Auch dort hatte sich nichts verändert. Funktionalität, Ecken und Kanten, Chrom, Leder und Plastik. Kaum Farbe. Das Bad war vollkommen in Weiß gehalten. Mia öffnete mechanisch den Badschrank – und fand erste Spuren der vormaligen Besitzerin: eine Batterie an Pillen, Kapseln und Tropfen. Vielleicht war das normal für eine alte Frau. Sie ging weiter, kam ins Schlafzimmer. Ein schmales Bett, ordentlich gemacht. Der Blick aus dem Fenster fiel auf einen Walnussbaum. Mia ging auf das Bett zu und setzte sich darauf. Diesen Baum hatte Corinna also gesehen, wenn sie hier abends schlafen ging, und morgens, wenn sie aufwachte. War sie immer allein hier gewesen? Das Bett sah jedenfalls sehr schmal aus, zu schmal für eine weitere Person. Corinna hatte bei ihrer einzigen Begegnung auch nicht gewirkt, als gäbe es da jemanden in ihrem Leben, und der Rechtsanwalt hatte sie als Einzelgängerin beschrieben.

Aber irgendwann musste es jemanden gegeben haben, sonst wäre meine Mutter nicht geboren worden.

Mia betätigte auch hier den Lichtschalter. Nichts tat sich. Die Lampe aus gelb schimmerndem Glas blieb dunkel. Als Mia um das Bett herumging, bemerkte sie die allererste Spur von Unordnung. Vor dem Bett stapelten sich Unmengen an Büchern. Romane waren darunter, aber auch Sach- und sogar Fachbücher.

Sie ging weiter bis zum Fenster. Der Garten war hübsch angelegt, wenn auch genauso gradlinig wie die ganze Wohnung. Bevor sie wieder ins Nachdenken versinken konnte, wandte sie sich abrupt ab.

Es reicht jetzt. Ich will hier weg. Hier erfahre ich ohnehin nichts über Corinna oder meine Mutter. Lore ist einfach ein Phantom für mich. Angesichts dieser Wohnung schmerzte diese Erkenntnis noch mehr als sonst. Ja, sie musste sich eingestehen, dass sie erwartet hatte, hier auch irgendetwas über ihre Mutter zu erfahren, doch hier war nichts, rein gar nichts … Mia musste sich unwillkürlich die Augen reiben. Über etwas zu weinen, das man nie gekannt hatte, war albern. Sie atmete tief durch.

Heute Abend schaue ich nach einer Entrümpelungsfirma, und dann setzen wir die Wohnung auf den Immobilienmarkt. Ich will nichts hiermit zu tun haben.

Mia kehrte zurück in den Flur, öffnete drei weitere Türen: eine Gästetoilette, ein Salon mit Flügel und ein Arbeitszimmer. Sie fuhr erschreckt zusammen, als sie die Puppe bemerkte, die, in einem Kleid, das Anfang des letzten Jahrhunderts modern gewesen war, mitten auf dem Tisch thronte. Es war wie mit den Büchern im Schlafzimmer. Die Puppe war wie ein winziger Riss im Gesamtbild. Mia trat näher an den Tisch heran. War das Corinnas Puppe gewesen, ihr Spielzeug, als sie noch ein Kind gewesen war? Die Puppe starrte sie aus blassblauen Augen an. Hatte Lore mit ihr gespielt? Mia streckte die Hand nach ihr aus.

Aber ich habe mich doch für nichts hier interessieren wollen, ich …

Sie packte die Puppe und ließ sie in ihrer Tasche verschwinden. Danach verließ sie fluchtartig die Wohnung. Sie hatte das Gefühl, erst wieder durchatmen zu können, als sie ihr Auto aufschloss. Eine Weile saß sie nur da und tat nichts.

Vielleicht sollte ich doch noch zu dem Lokal fahren, überlegte sie. Es stand heute nichts an. Sie konnte also alles auf einmal erledigen, und Florian und sie wollten ja ohnehin schnellstmöglich verkaufen. Sie hatten heute Morgen noch einmal darüber gesprochen, und Florian hatte sie sehr in ihrer Entscheidung bestärkt: »Was immer du willst, mein Schatz.«

»Wenn du recht hast, werde ich eine reiche Frau sein«, hatte Mia gescherzt.

»Für mich bist du jetzt schon reich genug«, hatte Florian ihr ins Ohr geflüstert und sie dann zärtlich geküsst.

Mia bemerkte, dass sie mit dem Zeigefinger selbstvergessen über ihre Lippen streifte. Sie ließ die Hand sinken.

»Ach, verdammt«, murmelte sie. Eigentlich hatte sie sich doch längst entschieden, und ihre Neugier tat ein Übriges.

Sie beugte sich noch einmal zu ihrer Tasche hinüber und studierte Adresse und Wegerklärung. Einige Zeit später fand sie sich auf der A 5, die Frankfurt in Richtung Norden verließ. In der Höhe von Bad Homburg-Nord sprang die Tankanzeige auf Rot. Mia hielt Ausschau nach einer Tankstelle, entdeckte erleichtert schon wenig später eine – sie hasste es, mit leuchtender Tankanzeige zu fahren – und tankte voll.

Ein junger, pickliger Typ saß an der Kasse. Vielleicht der Sohn des Tankwarts, oder ein Schüler, der sich während der Ferien Geld verdiente. Mia reichte ihm die EC-Karte über die Ladentheke und studierte die Auslagen. Eine Weile geschah nichts.

»Die is' leider nich' gültig«, schob der Junge endlich Kaugummi kauend hervor.

Mia war so irritiert, dass sie zuerst meinte, er habe mit jemand anderem gesprochen.

»Eh, Frau, eh – die is' nich' gültig«, wiederholte er etwas lauter.

Mia wandte sich perplex von den Auslagen ab, legte die *Elle* wieder zurück und kam zur Kasse.

»Entschuldigen Sie, aber das kann nicht sein …«

»Doch, kann sein.« Der junge Mann schob seinen Kaugummi mit der Zunge hin und her. Ein Klingeln zeigte an, dass ein neuer Kunde in den Verkaufsraum getreten war. Mia spürte, wie sie unter dem gelangweilt düsteren Blick des Jugendlichen errötete.

»Ich, äh …«, stotterte sie, nahm die Kreditkarte zurück und suchte in ihrem Portemonnaie nach Geld. Gott sei Dank hatte sie am Vortag welches abgehoben. Sie musste allerdings unbedingt wegen der Karte bei der Bank anrufen.

Etwa dreißig Minuten danach hatte Mia ihr Ziel erreicht. Sie musste aussteigen, um das schiefe Holztor zu öffnen. Danach ging es auf einem asphaltierten, jedoch lange nicht mehr instand gesetzten Weg mit tiefen Schlaglöchern weiter. Für eine Weile führte die Straße durch ein Waldstück – gehörte das tatsächlich zum Gelände dazu? –, vollführte dann eine lange Rechtskurve und gab endlich den Blick auf eine verfallene Mauer frei. Hier hatte es ein weiteres Tor gegeben, das jedoch nicht geschlossen war, sodass Mia einfach weiterfahren konnte. Auch hinter der Mauer wurde die Straße nicht besser, führte aber jetzt zwischen ausgedehnten Rasenflächen, die sich mit Abschnitten von einem lichten Kiefernwald abwechselten, weiter. Endlich tauchte direkt vor Mia eine Schilflandschaft auf, hinter der sich wohl der See verbarg. Sie stoppte den Wagen, machte den Motor aus und zog die Handbremse an. Erst als sie ausstieg und sich umdrehte, sah sie das Lokal. Es war ein lang gezogener, flacher Bau mit vielen, teils kaputten Glasfenstern und einem Glasdach. Dahinter aber, stellte Mia verblüfft fest, erhob sich noch ein dreistöckiges Gebäude, einst wohl weiß gestrichen, dessen goldfarbene Lettern es als *Hotel zum Goldenen Schwan* bezeichneten.

Ein Gründerzeitbau, wenn Mia das richtig schätzte, mit Jugendstilelementen. Sie kannte sich mit Architektur nicht hundertprozentig aus. In jedem Fall war dies kein einfaches Hotel, und es stand eindeutig schon sehr viel länger hier als das Ausflugslokal, ein flacher Zweckbau aus den Sechzigern, der an das ältere Gebäude angeschlossen worden war.

Mia ging auf das Haus zu. Je näher sie den Gebäuden kam, desto deutlicher war zu erkennen, wie verfallen alles war. Wann war das Lokal wohl zum letzten Mal genutzt worden? Wenn sie die Möbel betrachtete, musste das in den Siebziger-, spätestens Achtzigerjahren gewesen sein. Neugierig schaute sie wieder zu dem größeren Haus hin. Der abblätternde Putz gab den Blick auf rote Backsteine frei, alles wirkte verfallen, und doch gaben die goldenen Lettern eine Ahnung früheren Glanzes. Mia stellte fest, dass sie keinen Schlüssel für dieses Haus hatte. Aber vielleicht stand die Tür ja offen. Mittlerweile war sie richtig neugierig. Entschlossen stieg sie die Treppe zum Haupteingang hoch.

Die Tür war einmal nachtblau gewesen. Mia stieß vorsichtig dagegen. Sie schwang quietschend auf, und Mia klemmte sie mit einem Stück Holz fest. Ein schwaches Licht fiel durch das fast blinde Oberlicht über ihr. Mia trat in eine schwarz-weiß gekachelte Halle, an deren gegenüberliegendem Ende sich die Empfangstheke des Hotels befand. Eine staubige Klingel wartete auf der dunklen Holzoberfläche auf Gäste. Mia bediente sie. Der scheppernde Klang ließ sie zusammenzucken, irgendwo im Haus flog gurrend eine Taube auf. Es dauerte einen Moment, bevor sich Mias heftig klopfendes Herz wieder beruhigte.

Hinter der Theke ließ sich ein kleiner Raum erahnen, mit Regalen, einem Schlüsselbrett und einem Schreibtisch. Etwas weiter links davon befand sich ein etwas größerer Raum, vielleicht ein Büro.

Mia schaute zu der geschwungenen Steintreppe hin, die in die höheren Stockwerke hinaufführte. Noch zögerte sie, dann ging sie nach oben. Im ersten Stock angekommen blieb sie stehen und drehte sich um. In einem weiten Bogen führte die Treppe in die Halle hinab. Für einen Moment fühlte sich Mia wie in einem Film. *Vom Winde verweht* vielleicht. Es fehlte nur noch Clark Gable, der am Ende der Treppe auf sie wartete. Schade, dass Florian sie nicht hatte begleiten können, aber er hatte natürlich zu arbeiten. Die großzügige Eigentumswohnung im Nordend – im Grunde genommen waren es sogar zwei Wohnungen, die durch eine eigens eingebaute Wendeltreppe miteinander verbunden wurden – musste abbezahlt werden. Florian fuhr außerdem einen BMW, Mia hatte er einen Mercedes gekauft. Und er versagte ihr auch sonst keinen Wunsch.

Mia entschied sich, ihren Weg fortzusetzen. Seltsamerweise schien das Haus noch möbliert zu sein. In jedem Fall lag ein ausgetretener Teppich in dem Flurteil, den sie nun betrat. Die acht Zimmer, jeweils rechts und links des Ganges gelegen, erwiesen sich als Hotelzimmer. In zwei davon stand noch ein Bett, allerdings ohne Bettwäsche, worüber Mia insgeheim froh war – wer wusste schon, wer sonst darinnen gehaust hätte. In jedem der acht Zimmer hing noch Streifentapete an den Wänden, in einem befand sich ein kleiner Sekretär, der, so stellte es Mia sich vor, ganz passabel aussehen würde, wenn man ihn abschliff und neu lackierte. Sie ging weiter durch das Stockwerk, in dem sich links des Treppenaufgangs noch acht weitere Hotelzimmer fanden, und stieg dann weiter hinauf in den zweiten Stock. Die Treppe, die dorthin führte, befand sich am Ende eines schmalen Ganges, war steil, aus lackiertem Holz und diente offenkundig nicht zur Repräsentation. Eine hellgrüne Tapete mit Jugendstilmuster schmückte hier die Flurwände. In diesem Stockwerk verstärkte sich der Eindruck, man habe lediglich die Zeit angehalten, und gleich würden die Bewohner von damals zurückkommen. Ein Teppich bedeckte die schweren Dielen. Am Ende des Ganges hing eine Fotografie zweier Mädchen. Mia blieb davor stehen. Eines der Mädchen mochte Corinna sein, obgleich sie sich dessen nicht ganz sicher war. Und das andere? Mia fand, dass die Mädchen einander ähnlich sahen, soweit man das bei einer so alten Fotografie sagen konnte … War das die Tochter des Hotelbesitzers? Vielleicht waren Corinna und sie Freundinnen gewesen; schließlich hatte man sie zusammen fotografiert. Womöglich waren sie gemeinsam in die Schule gegangen, und später hatten sie dann gemeinsam das Hotel geführt. Das hörte sich nach einer schönen Geschichte an, der Geschichte von zwei Freundinnen. Sie zögerte, bevor sie das Bild von der Wand nahm.

»1909«, war auf der Rückseite mit Tinte vermerkt worden, »Beatrice und Corinna am See.«

Beatrice und Corinna … Mia hängte das Bild zurück an die Wand und betrat dann das erste Zimmer auf diesem Stockwerk. Verblüfft hielt sie gleich darauf inne. Es war nicht nur die Sonne, die eben durch das Zimmerfenster fiel und alles freundlicher aussehen ließ. Hier war der Eindruck noch viel stärker, der frühere Bewohner – wohl eine junge Frau – sei nur kurz weggegangen. Nur der muffige Geruch bewies, dass dem nicht so sein konnte. Auf dem Bett lag eine von Motten zerfressene Decke. Die Türen eines alten Kleiderschranks standen offen und gaben den Blick auf einige längst aus der Mode gekommene Kleidungsstücke frei. Mia schluckte.

Auch hier gab es einige Möbelstücke, die nach etwas Aufarbeitung ganz passabel aussehen konnten. Auffällig war, dass diese Möbel eindeutig alle vom Anfang des Jahrhunderts stammten, während sich in den anderen Räumen hier und da auch modernere Stücke gefunden hatten. Wem hatte dieses Zimmer wohl ursprünglich gehört? Dieser Beatrice?

Mia trat zum Giebelfenster, von dem aus man einen herrlichen Blick auf den See hatte. Hatte der Rechtsanwalt nicht gesagt, dass der See einmal größer gewesen war? Zwischen wucherndem Schilf meinte Mia einen alten Bootssteg zu erkennen. Sie öffnete das Fenster. Ob Corinna als junges Mädchen im See gebadet hatte? Zum ersten Mal stellte sie sich ihre Großmutter als Kind vor, als Jugendliche, als Frau … Warum hatte sie sich später die Wohnung in Frankfurt zugelegt – das Hotel hatte doch genügend Platz geboten?

Mia verließ das Zimmer, sah sich auch die anderen Räume an – zwei weitere vollkommen leere Zimmer, die durch ein Bad miteinander verbunden waren, ein Salon, ein Nähzimmer, in dem ebenfalls ein Bett stand, von dem allerdings nur noch ein Gestell übrig geblieben war, ein weiteres Badezimmer und ein Elternschlafzimmer, Letzteres auch noch möbliert – und stand endlich wieder im Flur. Es war nicht nur das erste Zimmer gewesen, das in einem Zustand von vor dem Ersten Weltkrieg verharrte; dieses ganze Stockwerk hatte offenbar über einen sehr langen Zeitraum nur wenige Veränderungen erfahren. Im Elternschlafzimmer fand sich lediglich eine Decke, deren Farben und Muster sie in den Siebzigerjahren verorteten. Im Nähzimmer stand neben dem Bettgestell ein Nierentisch aus den Fünfzigern und eine Batterie giftgrüner Plastikkugelschreiber mit Werbeaufdruck, doch abgesehen davon … Einen Moment zögerte sie noch, dann nahm sie die Fotografie der beiden jungen Mädchen von der Wand und verstaute sie ebenfalls in ihrer Tasche. Puppe und Bild – sie würde beides mit nach Hause nehmen.

7

*B*eatrice war geduckt vom See zum Haus gelaufen, hatte sich dann an der Hausmauer entlanggeschlichen und war durch den schmalen Personaleingang geschlüpft. Seit sie sechzehn Jahre alt geworden war, wollte Mama es ihr verbieten herumzulungern, wie sie es nannte. Das Baden im See hatte sie bereits im letzten Sommer, weil nicht schicklich, ebenfalls nicht mehr erlauben wollen.

»Was sollen die Gäste denken?«, hatte sie immer wieder betont und Beatrice dabei streng angesehen.

Beatrice hatte sich trotzdem über den Sommer hinweg und bis in den Frühherbst hinein, wann immer möglich, an den See geschlichen, wobei die Bucht auf der gegenüberliegenden Seite weiterhin ihr liebstes Ziel darstellte. Manchmal, wenn es ihr die Arbeit möglich machte, oder Papa ihr freigab, gesellte sich auch Corinna hinzu. Die konnte zwar immer noch nicht schwimmen, sich aber an heißen Tagen zumindest die Füße im Wasser abkühlen, oder im Schatten unter einem zu einem Sonnenschirm umfunktionierten Regenschirm sitzen und in den Modejournalen blättern, die Beatrice ihr mitbrachte. In dem mageren, dunkelhaarigen Kind ließ sich inzwischen die Frau erahnen, deren Rundungen irgendwann nicht mehr zu übersehen sein würden. Das deutliche Missfallen, mit dem Mama das Heranwachsen des Mädchens begleitete, nahm nun deutlich zu,

Einmal, Mama hatte sich wohl im Büro allein gewähnt, hatte Beatrice sie am Fenster stehend beobachtet. Corinna hatte draußen gerade die Terrasse für die Gäste bereit gemacht. Edith hatte ihr dabei zugesehen und gemurmelt: »Das Gör sieht aus wie seine Mutter. Das nimmt kein gutes Ende.«

Bis heute konnte sich Beatrice keinen Reim darauf machen, was Edith damit gemeint hatte. Kurz blieb sie stehen und warf noch einmal einen Blick auf den See, der im frühen Herbstabendsonnenlicht rot und golden funkelte. Dann, mit einem Mal schaudernd, zog sie den Mantel enger um sich. Es war deutlich kühler geworden in den letzten Tagen. Man spürte, dass der Winter nahte.

Vor der Tür streifte sie sorgfältig ihre Füße ab. Bisher war sie unentdeckt geblieben. Jetzt galt es noch, ihr Zimmer zu erreichen, ohne erwischt zu werden. Dann würde sie sich für den Abend ankleiden, wie es ihre Mutter erwartete, und die wohlerzogene Tochter geben. Beatrice seufzte. Sie wollte ja gern gehorsam sein. Sie brauchte eben nur ihre kleinen Freiräume. Wer brauchte die denn nicht?

Sie erreichte die Eingangshalle. Der Platz hinter der Rezeption war leer. Aus dem kleinen Zimmer dahinter drang Licht. Beatrice zögerte, nahm dann allen Mut zusammen, sauste auf die Treppe zu und eilte leise die Stufen hinauf. Sie tat dies nicht zum ersten Mal. Sie war geübt. Trotzdem atmete sie auf, als sie die Tür zu ihrem Zimmer hinter sich geschlossen hatte.

Hier oben warf die tief stehende Sonne ihren goldenen Abendschein über das übliche Durcheinander. Die Kleidung vom Vorabend lag auf dem Stuhl vor ihrem Schreibtisch. Auf dem Tisch selbst lagen Schulsachen, die sie bis nach den Weihnachtsferien nicht mehr anzurühren gedachte. Der Kleiderschrank stand offen. Ein paar Kleider waren von den Bügeln gerutscht. Schuhe lagen im Raum verteilt und brachten den, der nicht aufpasste zum Stolpern. Nur eines hatte sich geändert: Als sie gegangen war, war das Zimmer leer gewesen. Jetzt saß Corinna auf dem Bett, in ihrer Personalkleidung – schwarzes Kleid und weiße Schürze, seit sie nicht mehr die niedersten Arbeiten verrichten musste –, und wartete ganz offensichtlich auf die Freundin.

»Na, hast du wieder einmal ein Verbot übertreten?«, sagte sie ruhig anstelle einer Begrüßung.

Grinsend schüttelte Beatrice ihr vom Wind zerzaustes Haar.

»Ach, Rinna, ich bin eine eigenständige Person, keine Sklavin, die sich alles sagen lassen muss, oder?«

»Meinst du?« Corinna lächelte spöttisch, was sie älter und ernsthafter aussehen ließ.

Beatrice zuckte die Achseln. »Was machst du hier?«, fragte sie die Freundin dann.

»Du wirst es nicht glauben, aber deine Mutter war der Ansicht, mir könnte es gelingen, dich ordentlich gekleidet und frisiert zur rechten Zeit nach unten zu bringen.«

Corinna schaute Beatrice prüfend an. Die legte den Kopf schief.

»Und wenn ich nun nicht zum rechten Moment hier gewesen wäre?«

»Bist du aber.« Corinna lächelte. »Du bist nämlich durchaus berechenbarer, als du dir vorstellst. Du würdest zum Beispiel nie etwas wirklich Schlimmes tun und absolut nichts, was dich gefährdet.«

Beatrice fiel darauf nichts ein. Corinna nutzte die Gelegenheit, sie auf den Stuhl vor ihrem Schreibtisch zu drücken.

»Ich werde dir helfen müssen«, Beatrice spürte ihr Kopfschütteln, ohne es sehen zu können, »wenn du rechtzeitig fertig sein sollst.«

»Wieso das denn?«

»Weil ich sonst Ärger bekomme.« Corinna machte eine kaum merkliche Pause. »Ich dachte, du wüsstest das.«

Beatrice schwieg nachdenklich. Daran hatte sie nicht gedacht. Bekam Rinna tatsächlich Ärger, wenn sie, Beatrice, aus der Reihe tanzte? Sie überlegte, erinnerte dunkel Szenen, die jedoch nicht ganz klar wurden, weil ihr, Beatrices, Fokus auf etwas anderem gelegen hatte. Corinna machte sich indes daran, ihr das zerzauste Haar zu entwirren.

»Aua«, beschwerte Beatrice sich. Corinna fuhr unbeeindruckt in ihrer Arbeit fort, und Beatrice hatte flüchtig das Gefühl, dass sie Vergnügen an ihrer Grobheit empfand.

»Wenn du nicht besser achtgibst, werden wir dein schönes Haar abschneiden müssen«, schimpfte sie. »Wie kommt denn dieser Knoten hier zustande?«

Beatrice drehte sich zu Corinna um, sodass die in ihrer Arbeit innehalten musste.

»Wie wär's, wenn ich mir einfach eine Kurzhaarfrisur zulege? Im nächsten Sommer, wenn es sicher wieder schrecklich warm wird, muss das himmlisch sein.« Beatrice spielte mit ihren dicken, blonden Locken. »Ach, wie ein Mann Sonne und Wind im Nacken zu spüren … Was meinst du – würde mir das stehen?«

Corinna schüttelte entsetzt den Kopf. »Frauen tragen keine Kurzhaarfrisuren.«

»Wieso eigentlich nicht?« Beatrice schaute sie fragend an.

Corinna fiel dazu offenbar nichts ein, denn sie hielt Beatrice einfach dazu an, ihren Kopf wieder ruhig und gerade zu halten, entwirrte ihr Haar und flocht es dann zu einem Zopf, den sie fest eindrehte und im Nacken mit einigen Nadeln befestigte. Beatrice zog Luft zwischen die Zähne, als die letzte Nadel über ihren Kopf schürfte.

»Aua.«

»Was willst du anziehen?«, erkundigte sich Corinna ungerührt.

»Keine Ahnung. Am liebsten würde ich ja das ganze Jahr lang einen Badeanzug tragen.«

»Auch im Winter?«

»Na ja.« Die Erwähnung des Badeanzugs weckte eine Erinnerung in Beatrice, die sie heute schon den ganzen Tag über begleitet hatte. »Was meinst du, werden die Thalheims im nächsten Sommer kommen?«

Corinna sagte nichts. Schweigend schauten sich die beiden Freundinnen einen Moment lang im Spiegel an, eine dunkel, eine hell, dann rissen sie sich wie auf ein geheimes Wort hin beide voneinander los. Corinna räusperte sich.

»Sommer 1914 … Warum nicht? Bisher sind sie doch jedes Jahr gekommen.«

»Und wenn Johannes und Ludwig bei der Armee sind? Werden sie dann noch Zeit für uns haben?«

Corinna zuckte die Achseln. Beatrice drehte sich wieder zu ihr um.

»Ich hatte irgendwie schon in diesem Sommer das Gefühl, dass unsere gemeinsame Zeit zu Ende geht. Weißt du noch, wie Frau von Thalheim früher abreiste, angeblich, um eine schwer erkrankte Patentante zu besuchen?«

»Ja?« Corinna runzelte die Augenbrauen. »Was ist deswegen?«

»Die Thalheims hatten davor Streit.«

»Du hast sie belauscht?«

Beatrice schüttelte den Kopf.

»Gewiss nicht. Ich war zufällig da, und ich weiß außerdem, dass es Frau von Thalheim hier nie gefallen hat, und deshalb …«

Corinnas Stimme unterbrach sie. Die Freundin stand vor dem Kleiderschrank und betrachtete ein Kleid nach dem anderen prüfend.

»Wie wäre es mit dem hellblauen Kleid?«, fragte sie dann. »Das steht dir besonders gut.«

Beatrice lachte. »Du meinst, darin sehe ich brav aus. Das wird Mama gefallen, und dann hättest du womöglich morgen Ruhe vor ihr.«

Noch bevor Beatrice den Satz zu Ende gesprochen hatte, schämte sie sich. Warum sollte Corinna nicht das Beste aus ihrer Situation machen wollen? Was warf sie der Freundin überhaupt vor? Sie streckte den Arm nach ihr aus. »Rinna, es tut mir leid.«

Corinna gab keine Antwort. Mechanisch ging sie Beatrices weitere Kleidung durch. »Das Cremefarbene«, warf sie dann mit gepresster Stimme über die Schulter zurück, ohne Beatrice anzusehen.

»Darin mache ich mich immer so schnell schmutzig. Ich bin einfach ein Tollpatsch.« Beatrice stockte. »Willst du es vielleicht haben? Ich glaube, dir steht es ohnehin besser.«

Corinnas Hand verharrte auf einem roséfarbenen Kleid. Die Bewegung, die sie im nächsten Moment ausführte, war so minimal, dass man sie kaum bemerkt hätte. Immer noch zögerte sie.

»Das würde deiner Mutter nicht gefallen«, sagte sie endlich knapp.

»Na, und?« Beatrice gefiel der Gedanke selbst immer mehr. »Mir würde es gefallen, und du sähest mit deinen dunklen Haaren sicherlich himmlisch in dem Kleid aus.«

Corinnas Schultern sanken herab. Ihre Hände schoben mechanisch Kleid um Kleid weiter, bis Beatrice sich erneut zu Wort meldete. »Kannst aufhören, Rinna. Es ist schon in Ordnung, ich ziehe das Hellblaue an.« Corinna nahm das gewünschte Kleid schweigend aus dem Schrank und drehte sich endlich wieder zu Beatrice um. »Und du nimmst dir heute Abend das Cremefarbene mit«, fuhr die fort, »nicht vergessen, ja?«

»Nein«, stotterte Corinna. »Und es wäre wirklich gut, wenn du deine Mutter heute nicht verärgerst. Sie war schon heute früh schlechter Stimmung, und gerade eben hat sie noch nach dir gefragt.«

»Und, was hast du gesagt?«

»Dass du lernst.«

Corinna drückte ihr das Kleid in die Hand, nachdem sich Beatrice ihrer Kleidung entledigt hatte. Beatrice war schlank. Ihre Brüste waren kleiner und spitzer als Corinnas. Die Sonne, die durch das Fenster in ihrem Rücken fiel, ließ den feinen Flaum auf Armen und Beinen golden schimmern.

»So, so«, Beatrice grinste, »ich lerne.«

»Ja, sie war's zufrieden.«

Corinna wandte sich zum Schrank und berührte zart das cremefarbene Kleid, als freunde sie sich sehr langsam mit dem Gedanken an, dass es nun bald in ihren Besitz übergehen würde.

Im Speisesaal sprach man an diesem Abend nicht zum ersten Mal in letzter Zeit über die Wahrscheinlichkeit eines drohenden Krieges, die Auseinandersetzungen auf dem Balkan und Mannweiber, die ihren Platz nicht kennen wollten. Gegen die Gefahr eines Krieges argumentierte ein weißhaariger Herr, dass alle Länder längst wirtschaftlich zu eng miteinander verknüpft seien, als dass eine solche Auseinandersetzung nicht jedem schmerzliche Verluste einbringen würde. Die Mannweiber auf der anderen Seite müsse und wisse man wohl selbst in die Schranken zu weisen.

Einen Tisch weiter kam man nochmals auf die *Titanic* zu sprechen, die im vergangenen Jahr so unglücklich gesunken war. Und in einer Woche würde in Leipzig das Völkerschlachtdenkmal eingeweiht werden, ein Ereignis, das sich einige nicht entgehen lassen wollten.

Hin und wieder liebte Beatrice solche Abende. Bis es Zeit war ins Bett zu gehen, schritt sie dann im Schlepptau ihrer Mutter von Tisch zu Tisch, erkundigte sich nach dem Wohlbefinden der Gäste und lauschte ihren Erzählungen. Doch heute war sie abgelenkt. Immer wieder musste sie an den nächsten Sommer denken. Würde sie die Thalheims und vor allen Dingen Johannes wiedersehen?

8

Für Beatrice begann der nächste Morgen mit der üblichen Trägheit eines Wochenendes. Zwar hatte sie ihrem Vater versprochen, ihm zur Seite zu stehen, doch dann war sie nach dem langen Abend am Tag davor zu müde gewesen und einfach liegen geblieben. Als sie viel zu spät fertig angezogen ihre Zimmertür hinter sich zuzog, nagte das schlechte Gewissen an ihr. Eigentlich wollte sie ihrem Vater doch gefallen, viel mehr jedenfalls als ihrer Mutter, die stets ihren Widerspruchsgeist weckte, ohne dass Beatrice sich recht erklären konnte, warum.

Nun, sie war ein Papakind gewesen, seit sie denken konnte, und der Gedanke, ihn heute früh möglicherweise enttäuscht zu haben, behagte ihr gar nicht.

Vielleicht, fuhr es ihr durch den Kopf, hat Mama doch recht, und es ist einfach Zeit, erwachsen zu werden. In knapp zwei Jahren, im Sommer 1915, würde sie die Schule abschließen, und dann begann ein Leben voller Verantwortung, das Leben als zukünftige Hotelbesitzerin. Was, wenn Mama richtiglag und Papa sie zu sehr verwöhnte, ihr zu viel durchgehen ließ?

Beatrice beeilte sich unwillkürlich, schneller die Stufen herunterzukommen. Der Gedanke, ihr Versäumnis doch noch aufholen zu können, beflügelte sie, aber natürlich war sie viel zu spät. Das Frühstück an diesem Sonntag war längst abgetragen, der Speisesaal blitzblank aufgeräumt. Nur in einer Ecke war eins der Mädchen noch damit beschäftigt, den Boden zu reinigen. Von der Terrasse drang das Gemurmel der Gäste zu ihr herüber. Geschirr klirrte. Sicherlich nahm man bereits wieder Erfrischungen, Kaffee oder Tee zu sich. Beatrice konnte Corinnas Stimme hören.

Seit geraumer Zeit schon bediente Corinna die Gäste, und einige hatten sich – zu Ediths deutlichem Missfallen – sehr lobend über die junge Frau geäußert. Beatrice zog sich weiter in den Schatten der Tür zurück, damit das putzende Mädchen nicht auf sie aufmerksam wurde und womöglich ihre Beobachtung an Mama weitertratschte. Dann entschied sie sich, das Hotel durch den Personaleingang zu verlassen und die gewonnene Zeit für einen Spaziergang zu nutzen. Sie hatte die Tür zur Küche gerade passiert, als sie eine vertraute Stimme innehalten ließ. Beatrice erstarrte.

War das …? Sie überlegte, ob sie den Schritt zurück tun sollte. Nur zu wahrscheinlich war doch, dass sie sich das Gehörte eingebildet hatte …

Wieder die vertraute Stimme.

Beatrice kehrte auf dem Absatz um und kam zur Küchentür zurück. Nein, das konnte nicht sein. Das war ganz und gar unmöglich. Sie musste sich das einbilden.

»Johannes!«

»Beatrice!«

Tatsächlich, er war es tatsächlich. Johannes war da!

Beatrice suchte nach Worten. Aber vielleicht träumte sie ja. Wie lange würde es wohl dauern bis sich das Trugbild auflöste?

»Was … Was machst du hier?«, platzte sie trotzdem heraus. »Wo sind deine Eltern?« Sie unterbrach ihr Stottern. »Seit wann bist du hier?«

Johannes grinste. »Ja, ich freue mich auch sehr, dich zu sehen, Beatrice.«

»Ich, ach …« Beatrice war so angespannt, dass sie ihm hilflos gegen den linken Oberarm schlug. »Seit wann bist du hier?«, wiederholte sie.

»Noch nicht lange.« Er zwinkerte ihr zu. »Dein Vater war übrigens ein wenig enttäuscht, dass du heute Morgen nicht bereits zu uns gestoßen bist. Er wollte dich überraschen.«

»Er wusste, dass du da bist?«

»Natürlich.« Johannes grinste. »Ich hatte mich doch angekündigt. Wir wollten dich überraschen. Wie gesagt.«

»Wir?« Beatrice schüttelte den Kopf. »Papa und du? Aber wo sind deine Eltern?«

Er zögerte. »Es ist Winter«, sagte er dann nur. »Warum sollten sie hier sein?«

»Sie sind nicht hier?«, echote Beatrice. Sie war perplex.

»Nein, das sagte ich doch schon …« Johannes blickte plötzlich ernst drein und fügte dann leiser hinzu: »Sie wissen ja noch nicht einmal, dass *ich* hier bin.«

Hinter ihm in der Küche rief jemand etwas, der Tonfall ließ die Dringlichkeit erahnen. Johannes zog die Schultern hoch.

»Und was machst du hier?«, erkundigte sich Beatrice. In ihr waren viele Fragen; es war doch gleich, welche sie als erste stellte.

»Ich wollte Einblick in die Arbeit eines Kochs gewinnen. Mir fiel nur ein Ort ein, an dem ich das tun könnte, also bin ich hierhergekommen. Für ein paar Tage nur. Dann melden mich meine Eltern wahrscheinlich vermisst und schicken einen Suchtrupp nach mir aus.«

»Du wolltest Einblick in die Arbeit eines Kochs? Aber, wieso …?«

Johannes Kopfschütteln unterbrach Beatrices erneutes Stottern.

»Komm in einer halben Stunde hinten zum Personaleingang. Dann mache ich Pause, und wir reden.« Er schwieg kurz. »Ich habe dich übrigens vermisst«, fügte er endlich hinzu.

Beatrice spürte, wie sie errötete, nickte und wusste zugleich, dass die Wartezeit sie alle Beherrschung kosten würde. Kurz entschlossen machte sie sich auf den Weg um den See herum, eine Strecke, die sie oft ging, wenn sie nachdenken wollte. Sie war froh, dass er sie vermisst hatte. Für einige schmerzliche Momente nach seiner Abreise damals hatte sie befürchtet, ihm läge vielleicht doch nicht so viel an ihr.

Aber was wollte Johannes tatsächlich hier? War er wirklich auf eigene Faust gekommen, ohne seine Eltern davon in Kenntnis zu setzen? Sie dachte an die Postkarte, die er ihr im letzten Winter, zum 12.12.12 genauer gesagt, zugeschickt hatte: Will man schreiben wieder solche Karten, hatte darauf gestanden, muss man hundert Jahre warten.

Aber warum war er jetzt hier? Um die Arbeit eines Kochs kennenzulernen, hatte er gesagt, aber das klang so unsinnig. Was hatte ein Mann wie Johannes schon in der Küche zu schaffen? Beatrices Vorstellungen waren da ganz andere. Wenn sie an Johannes dachte, fiel ihr das gemeinsame Schwimmen ein, und ja, sie hatte sich auch schon vorgestellt, mit ihm auf einem Pferd zu reiten, so wie sie es in einem Roman gelesen hatte. Das mochte man töricht nennen, denn mit Schwimmen und Reiten konnte man sein Leben ja kaum zubringen. In jedem Fall hatte es nichts mit der Küche zu tun. Warum war er also wirklich hier? Beatrice konnte sich keinen Reim darauf machen.

Weil ihr noch Zeit blieb, verlängerte sie ihren Spaziergang mit einer kleinen Strecke durch den Wald und kam pünktlich zum Treffpunkt. Johannes lehnte an der Mauer neben der Tür, ein Bein angewinkelt, eine Zigarette im Mundwinkel. Beatrice bemerkte, dass sie ihn noch nie rauchen gesehen hatte. Das war also auch etwas Neues. Sie trat näher zu ihm hin, ließ sich die Zigarette geben und nahm unter seinem bewundernden Blick einen tiefen Zug.

»Das machst du aber nicht zum ersten Mal«, stellte er anerkennend fest.

»Nein«, Beatrice lächelte verschmitzt, »ich habe meinen Vorrat.«

»Weiß deine Mutter davon?«

»Gott bewahre.« Beatrice nahm noch einen Zug und gab ihm die Zigarette zurück. »Wirklich schmecken tut es nicht, oder? Und der Geruch …« Sie schüttelte sich. »Pfeifengeruch gefällt mir besser. Hast du schon einmal Pfeife geraucht?«

Johannes verneinte mit einem Kopfschütteln. »Sollte ich es einmal versuchen?«

»Würde dir vielleicht stehen.«

Beatrice schaute ihr Gegenüber genau an. Seine Wangen schimmerten dunkel. Er hatte es heute Morgen wohl versäumt, sich zu rasieren. An seinen Händen bemerkte sie bereits erste Schnitt- und Brandwunden. Sie strich über eine der kleineren Verletzungen. Johannes ließ ihre Finger nicht aus den Augen. Beatrice forderte ihn auf, ihr die Zigarette noch einmal zu geben, und holte dann tief Luft, während sie sie zwischen zwei Fingern hielt. »Und jetzt erzähl – was machst du wirklich hier?«

Johannes verschränkte in einer plötzlichen Bewegung die Arme vor der Brust. Beatrice hielt die Hand mit der Zigarette gesenkt, bemerkte nicht, wie sich die Glut weiterfraß und sich die Asche neben ihr auf dem Boden verteilte.

»Als Kind hätte ich wohl gesagt, ich bin ausgebüchst.« Etwas von der kindlichen Freude über den gelungenen Streich schwang in Johannes' Stimme mit.

»Ausgebüchst?« Beatrice bemerkte gerade noch, dass die Zigarette fast vollkommen heruntergebrannt war, und drückte sie an der Hauswand aus. »Weiß mein Vater davon?«

Johannes lachte auf. »Ja, ja, ich habe ihm von meinem anstehenden Wehrdienst erzählt und davon, dass ich einfach noch ein paar Tage Zeit zum Nachdenken brauche …«

»In der Küche?« Beatrice schnickte die Zigarette zu Boden. »Das soll der Ort sein, an dem du nachdenken willst? Das fiele mir ja wirklich als Letztes ein.«

Johannes zögerte, dann gab er sich einen Ruck.

»Ich spiele wirklich mit dem Gedanken, später eine Kochlehre zu machen, Bea.«

Beatrice klang unbeherrscht. »Koch? Du? Ein von Thalheim?«

»Du reagierst wie meine Mutter«, gab Johannes gelassen zurück, doch es fiel ihm sichtlich schwer, die Ruhe zu bewahren. »Kannst du dir denn nicht vorstellen, etwas anderes zu tun als das, was dir vorbestimmt ist?«

Er schaute sie bei diesen Worten sehr ernst an. Beatrice errötete. »Können wir den Wünschen unserer Eltern denn so einfach zuwiderhandeln?«, fragte sie endlich sehr leise.

»Und ich dachte immer, wenn jemand dazu in der Lage ist, dann du.« Johannes lächelte sie an. »Auf mich hast du immer gewirkt, als würdest du dir nichts gefallen lassen, Beatrice.«

»Ach.« Beatrice zuckte die Achseln. Die Anspannung zwischen ihnen verflog. »Ich weiß nicht«, sagte sie dann. »Es gehört Mut dazu, nicht wahr? Es gehört sehr viel Mut dazu, etwas anderes zu tun.« Mit einem zaghaften Lächeln und einer Fußspitze deutete sie auf den Zigarettenstummel. »Entschuldige.«

»Macht nichts.«

»Warum Koch?«

Johannes zuckte die Achseln. »Ich esse gern.«

»Ist das alles?«

»Es ist kein Nachteil, oder?« Johannes überlegte. »Ich esse gern, und ich liebe die Vorstellung, etwas mit meinen Händen zu schaffen. Das habe ich schon immer getan.« Er hob die Hände etwas höher und drehte sie so, dass die Handflächen nach oben schauten. »Ich wollte immer etwas mit meinen Händen schaffen, aber in meiner Familie tut man das nicht – verstehst du?«

Beatrice nickte, legte den Kopf etwas schief, lächelte. »Würdest du denn etwas für mich kochen?«

Johannes ließ die Hände wieder sinken. »Gern, aber ich stehe noch ganz am Anfang. Es werden vorerst nur einfache Sachen sein.«

»Ich liebe einfache Sachen.«

Beatrice lächelte immer noch. Plötzlich gefiel ihr die Vorstellung, von Johannes bekocht zu werden. Vielleicht konnte er ja eine Kleinigkeit vorbereiten für ein gemeinsames Picknick drüben in ihrer Bucht.

»Ich lasse mich von dir überraschen. Weiß wenigstens Ludwig, dass du hier bist?«

Johannes schüttelte zögerlich den Kopf. Beatrice streckte unwillkürlich wieder eine Hand aus und strich über einen langen, schmalen Kratzer, der von seinem rechten Handrücken bis zum Handgelenk hinaufführte.

»Noch nicht einmal Ludwig?«, versicherte sie sich dann.

»Nein, niemand.«

»Ich glaube, das wird ihm nicht gefallen.«

»Ich werde ihm schreiben.«

Johannes sah jetzt sehr ernst aus. Das schlechte Gewissen war ihm deutlich anzusehen. Beatrice streifte weiter über seinen Handrücken.

Wünsche, dachte sie, waren etwas Schönes und konnten einem das Leben doch so schwermachen. Sie hörte, wie sich Johannes räusperte.

»Ich habe dich wirklich vermisst, Beatrice«, sagte er dann. »Ich bin froh, dass wir endlich einmal allein reden konnten.«

Beatrice hob den Blick und sah den jungen Mann an. Plötzlich war ihr ganz warm. Ich liebe ihn, dachte sie, oh Himmel, ich liebe ihn. Von hier bis unendlich.

»Hattest du mir nicht gesagt, dass er nur eine Woche bleiben wird? Wenn es so weitergeht, feiern wir Neujahr, und er ist immer noch da. Wir müssen die von Thalheims jetzt unbedingt über seinen Aufenthaltsort informieren. Was, wenn sie ihn bereits vermisst gemeldet haben?«

Edith blieb stehen, obwohl sie am liebsten weiter unruhig auf und ab gelaufen wäre. Es war lange her, dass sie Nervosität in Bewegung hatte umsetzen müssen. Gewöhnlich konnte sie sich beherrschen, aber die Situation war zu prekär. Sie dachte an ihren Streit mit Frau von Thalheim, diesen so stillen Wortwechsel, in dem Frau von Thalheim ihr, Edith, zu verstehen gegeben hatte, dass sie nie auch nur das Geringste gemeinsam haben würden.

Sie hat mir gezeigt, wo ich hingehöre. Sie hat mir gezeigt, dass jeder von uns seinen Platz hat und dass man sich nur lächerlich macht, wenn man ihn verlassen will …

Am Schreibtisch gab Hermann immer noch vor, sich in die Bücher vertieft zu haben. »Warum sollten sie?«, fragte er dann. »Der Junge ist alt genug. Er sollte seine eigenen Entscheidungen treffen dürfen.«

Edith schüttelte den Kopf. »Ein von Thalheim wird kein Koch. Du hättest ihm diesen Floh nie ins Ohr setzen dürfen. Außerdem ist er mit seinen achtzehn Jahren mitnichten volljährig. Er gehört zu seinen Eltern.«

»Gute Güte, ich habe ihm keinen Floh ins Ohr gesetzt.« Hermann schob die Bücher von sich weg. »Es war seine eigener Wille. In dem Alter war ich übrigens schon vier Jahre lang in der Lehre. Er ist jedenfalls kein Kind mehr.«

Edith blieb direkt vor ihrem Mann stehen und schaute ihn an.

»Die von Thalheims werden uns das sehr übel nehmen. Wenn sich das herumspricht … Nicht auszudenken, was das für Folgen für uns haben kann! Denk bitte an das Hotel und seinen Ruf, Hermann. Der *Goldene Schwan* ist kein Platz für die Spinnereien eines jungen Menschen, so amüsant sie einem auf den ersten Blick erscheinen mögen. Das Leben ist kein Spiel. Es ist besser, wenn unsere Jugend das eher früher als später erfährt.«

Hermann schob abrupt den Stuhl zurück und stand auf. »Wie ich schon sagte, es war seine Entscheidung.«

Edith griff nach Hermanns rechter Hand, als könne das ihren Worten mehr Eindringlichkeit verleihen. Sie musste sich konzentrieren. Für einen Moment war es, als gäbe es nichts mehr um sie herum. »Du kannst ihn trotzdem nicht hier arbeiten lassen, Hermann, versteh das doch!«

»Er arbeitet hier nicht, meine Liebe. Dazu müsste ich ihn anstellen. Johannes will sich nur über ein paar Dinge klar werden. Er interessiert sich fürs Kochen. Das ist ein ordentlicher Beruf. Abgesehen davon macht er sich tatsächlich nicht schlecht. Er ist gewissenhafter als mancher, den ich kennengelernt habe, und er führt Buch. Er trägt alles in eine schwarze Kladde ein.«

Edith hielt die Hand ihres Mannes immer noch fest, spürte jetzt die raue Hornhaut auf seinen Handflächen, die von viel Arbeit zeugte, und die Härchen auf seinem Handrücken, die sich mit den Jahren silbergrau zu färben begannen.

»Aber so funktioniert das Leben nicht, Hermann. Wir haben alle unseren Platz. Ein von Thalheim wird kein Koch. Niemals, sosehr er sich das auch wünschen mag.« Edith machte eine sehr kurze Pause. »Und die Thalheims waren immer gute Gäste. Daran sollten wir denken.«

Hermann zog seine Hand aus der Umklammerung. »Sollen wir wirklich unser ganzes Leben danach ausrichten, was andere von uns wünschen, Edith?«

Edith schaute ihren Mann scharf an. »Vielleicht sollten wir das, wenn dir etwas an unserem Hotel liegt.«

Beatrice fing Corinna abends ab, als die sich gerade auf den Heimweg machen wollte. Es war spät, und Corinna hatte nicht mehr mit der Freundin gerechnet, sodass sie tatsächlich heftig erschrak, als Beatrice mit ihrer Laterne plötzlich aus dem Halbschatten einer schmalen Kiefer trat. Abrupt blieb sie stehen, die Hand gegen das Schlüsselbein gelegt.

»Meine Güte, jetzt hast du mich aber erschreckt!«

»Wie hat er sich heute gemacht?«

»Johannes?«

Corinna spürte, wie ihr Herz schneller schlug. Es war lange her, dass sie einen Vorteil gegenüber der Freundin gehabt hatte, aber seit Johannes in der Küche aushalf, sah sie ihn den ganzen Tag über, während Beatrice nur die kurzen Pausen blieben. Eigentlich wollte sie so etwas nicht denken, aber die Erkenntnis verschaffte ihr Genugtuung. Für einen Moment starrte sie auf Beatrices Laterne, die in der Hand der Freundin leicht zitterte. Offenbar war Beatrice aufgeregt.

»Ach Gott, ganz gut, denke ich«, antwortete sie dann. »Es scheint ihm jedenfalls immer noch Vergnügen zu bereiten.« Sie behielt die schwankende Laterne weiterhin fest im Blick. »Er muss zwar noch einiges lernen, aber ganz dumm stellt er sich nicht an.« Sie machte eine kurze Pause. »Und er beschwert sich auch nicht, ganz gleich, was zu tun ist, ob er nun Gemüse zu schneiden oder Fleisch zu zerlegen hat. Er tut es.« Nach einer kurzen Pause sprach sie weiter. »Und heute durfte er dem Koch sogar bei der Zubereitung des Hühnchens Maryland zur Seite stehen, auch wenn das eigentlich erst später drankommt.«

»Hühnchen Maryland?«

»Ein Brathuhn in Pilz-Sahne-Sauce, eins der wichtigsten Rezepte unserer Küche. Na ja, jedenfalls macht er sich gut. Das hätte ich von einem *von* Thalheim nun nicht gedacht.«

»Er kann nichts für seine Eltern«, begehrte Beatrice erregt auf.

»Für die kann keiner was«, gab Corinna ruhig zurück.
Für einen Moment lang schaute Beatrice nachdenklich an ihr vorbei.

»Ich frage mich immer noch, was sie zu seiner Entscheidung sagen werden.«

Corinna zuckte die Achseln. »Er ist nur vorübergehend hier. Vielleicht hat er Glück, und sie sagen gar nichts.«

»Und tun so, als sei nichts geschehen?«, versicherte sich Beatrice.

»Manchmal ist das das Beste.«

Die beiden Freundinnen schwiegen. »Darf ich dich nach Hause begleiten?«, fragte Beatrice endlich.

Corinna dachte an ihre Mutter, die womöglich betrunken zu Hause lag, an die Enge und den Gestank des Häuschens, in dem sie wohnte und aus dem sie irgendwann auszubrechen hoffte. Sie hatte dieses Haus immer hinter sich lassen wollen, schon als sie ein kleines Mädchen gewesen war. »Wenn du willst.«

Die beiden Freundinnen gingen ein Stück des Wegs schweigend, inmitten der abendlichen Geräusche über den weichen, von Nadeln bedeckten Waldboden. Die Luft war noch warm. Ab und an raschelte es in der Dämmerung. Die ersten Fledermäuse huschten hier und da über den bläulichen Himmel.

»Ich habe deine Mutter lange nicht gesehen oder gesprochen«, sagte Beatrice irgendwann.

»Nein.«

Corinna starrte in die Ferne, wo der Weg bereits in der Dunkelheit der Nacht verschwand. Ihre Mutter war in letzter Zeit häufiger krank gewesen. Edith Kahlenberg hatte ihr schon kündigen wollen, aber Herr Kahlenberg hielt schützend die Hand über sie. Und Corinna bemühte sich eben, die Aufgaben ihrer Mutter, so gut es ging, mitzuerfüllen. Kürzlich hatte Herr Kahlenberg ihr in Aussicht gestellt, dass sie bald auch am Abend im Saal bedienen dürfe. Die Gäste auf der Terrasse waren mit ihr zufrieden und hatten nach ihr gefragt.

An einer engen Stelle, die über ein paar Wurzeln hinwegführte, überholte sie Beatrice und ging, wie selbstverständlich, voraus. Plötzlich musste sie daran denken, wie die Wiederbegegnung zwischen Beatrice und Johannes wohl ausgefallen war. Wie hatten sie sich verstanden? Hatte es ein Gefühl der Fremdheit zwischen ihnen gegeben, wie sie es selbst, wenn auch kurz, empfunden hatte? Dabei wünschte sie sich doch nichts mehr, als dass es wieder wie damals war, als er sie aus dem See gerettet hatte und als es für diesen einen Augenblick nur sie beide gegeben hatte.

»Deine Mutter ist noch wach«, riss Beatrices Stimme sie aus den Gedanken.

Corinna sah an der Freundin vorbei auf das kleine, gedrungene Steinhaus, durch dessen Fenster ein Schimmer Licht drang, und blieb kurz stehen. Wenig später bewegte sich etwas hinter den Scheiben. Zwei Umrisse waren zu sehen, einer davon Corinnas Mutter, die man an ihrer Frisur erkannte, der andere ein breitschultriger Mann, etwa einen Kopf größer als sie. Corinna wusste nicht, warum sie das tat, aber als sie weiterlief, rief sie in der Dunkelheit laut: »Mama!«

Die beiden Gestalten im Halbdunkel hinter dem Fenster verharrten in ihren Bewegungen. Im nächsten Moment trat Irene Mayer ans Fenster, sodass man nun ihr weißes Gesicht sehen konnte. Kurz darauf standen Corinna und Beatrice in dem kleinen Häuschen. Es war unordentlich und roch nach Zigarettenqualm. Mamas Bett in der hintersten Ecke des Raumes war zerwühlt. Zwei Wassergläser nebst einer Flasche Apfelkorn standen auf dem Tisch. Aus Irenes hochgesteckten Haaren hatten sich ein paar Strähnen gelöst und umspielten ihr immer noch schönes, wenn inzwischen auch etwas verbrauchtes Gesicht. Corinna starrte auf die falsch geknöpfte Bluse, die Irenes Busen kaum zu halten vermochte. Ein Strumpf war auf ihren Knöchel heruntergerutscht. Auf dem Boden neben dem Küchentisch lag ihre Unterwäsche. Der Mann war offenbar durch die schmale Hintertür verschwunden. Corinna beobachtete Beatrice aus ihren Augenwinkeln. Die Freundin blickte überrascht drein. Natürlich, sie kannte Irene Mayer ja auch nur in der Personalkleidung, schuftend und schwitzend in der Küche. Sie kannte sie als Corinnas Mutter, nicht als die Person, die da jetzt vor ihr stand.

»Mama, Beatrice hat mich nach Hause gebracht. Ist das nicht nett.«

»Das sehe ich.« Irene musterte Beatrice eingehend. »Wirklich nett von dir, aber so macht man das auch unter Freundinnen, nicht wahr?«

Beatrice nickte, bevor Corinna etwas sagen konnte. Corinna begann mechanisch, Dinge vom Boden aufzuheben, stellte die Gläser in den Spülstein zum anderen dreckigen

Geschirr, das sie am nächsten Tag irgendwann würde spülen müssen.

Warum fiel es ihrer Mutter nur so schwer, Ordnung zu halten? In ihrem Rücken standen Beatrice und Mama voreinander und wussten offenbar nicht viel miteinander anzufangen.

»Früher warst du öfter hier«, sagte Irene jetzt. »Meine Corinna und du, ihr habt gern zusammen gespielt.« Sie wies auf das Fenster. »Da draußen, weißt du noch, zwischen den Wurzeln bei der Buche da. Ihr habt euch ganze Städte erdacht, bevölkert von kleinen Elfen.« Irene drehte sich abrupt zu ihrer Tochter um. »Damals hattest du noch Zeit, deiner armen Mutter manchmal etwas vorzulesen.«

Corinna, die sich gerade gebückt hatte, richtete sich auf.

»Damals musste ich noch nicht arbeiten.«

»Ja, ja, immer jammern …« Irene sah wieder Beatrice an. »Jammerst du auch so viel, na?«

Corinna legte die Kleidungsstücke, die sie aufgehoben hatte, auf einem Stuhl ab. »Mama, Beatrice muss jetzt gehen, sonst vermissen ihre Eltern sie noch.«

Irene grinste, wiegte dann den Kopf hin und her.

»Na, na, das wäre nicht gut. Wir wissen doch, was Frau Kahlenberg für eine hysterische Schnepfe sein kann.«

»Mama!«

»Ist schon gut«, mischte sich Beatrice ein und ließ sich dann von der Freundin nach draußen begleiten. Sie überlegte, was sie sagen sollte. Früher hatte sie darüber nie nachdenken müssen, doch heute war das anders.

Wann hatte sich das eigentlich geändert? Sie schaute Corinna an.

»Deine Mutter sollte einfach selbst lesen.«

»Sie kann nicht lesen.«

»Oh.«

»Ich glaube, es ist besser, wenn du jetzt gehst.« Corinna drückte Beatrice die Laterne in die Hand, die die beiden jungen Frauen auf der Bank vor dem Häuschen hatten stehen lassen. »Sonst ist es Nacht, du bist nicht da, und deine Eltern sorgen sich.«

Beatrice nickte. Sie war schon ein paar Schritte gegangen, als sie sich noch einmal umwandte.

»Es tut mir leid, Corinna, ich wusste nicht …«

Corinna winkte ab. Du weißt vieles nicht, dachte sie.

Sie sah ihr nach, bis Beatrice zwischen den Bäumen verschwand, dann kehrte sie ins Haus zurück. Mama war bekleidet auf dem Bett eingeschlafen und schnarchte. Corinna zog sich leise aus und kroch auf das Sofa, auf dem sie schlief, so lange sie sich erinnern konnte. Eine Weile lag sie starr auf dem Rücken, doch obwohl sie todmüde war, wollte der Schlaf einfach nicht kommen. Endlich stand sie wieder auf und holte die Kiste mit ihren wenigen Habseligkeiten unter dem Sofa hervor. Ihre alte Puppe fand sich darin, ein Geschenk von Beatrice, das Buch »Etwas von den Wurzelkindern« und die Schuhe. Längst war Corinna ihnen entwachsen, doch sie würde sie niemals wegwerfen. Mit den Fingerspitzen berührte sie das gut gepflegte weiße Leder, die Applikationen aus rosafarbenen Blüten, die silberne Schnalle. Dann hob sie sie an ihre Lippen und küsste sie. Diese Schuhe würden sie für immer an zwei Dinge erinnern: an einen Vater, der sie doch irgendwie liebte, und an Johannes.

9

»Mhm, Rührei, göttlich!«, flötete Beatrice. Johannes legte den Kopf schief und schaute sie gespielt beleidigt an.

»Das ist ein Omelett, meine Schöne, kein gewöhnliches Rührei, und das ist außerdem das erste Mal, dass mich der Koch an den Herd gelassen hat. Ich dachte schon, es würde überhaupt nicht mehr dazu kommen, bevor ich wieder abreise.«

»Musst du bald fort?«

Er nickte. »Ich will deinen Eltern wirklich kein Ungemach bereiten. Es ist schön, dass sie mir ermöglicht haben, für einige Tage hierherzukommen, aber man darf nicht zu viel fordern.«

Beatrice schluckte. »Ja … Du hast sicher recht …« Sie holte tief Luft. »Es kommt nur etwas plötzlich.«

Ihre Finger bewegten sich, als sie die vergangenen gemeinsamen Tage abzählte. An jedem Tag hatte er eine Kleinigkeit für sie zubereitet: ein turmhohes Sandwich mit Schichten von gebratenem Speck, Schinken, Käse und Gurken belegt, gefüllte Eier und einmal Pfannküchlein mit zuckerglasierter Birne. Einmal hatten sie einander gefüttert. Als er sie jetzt ansah, musste sie seinem Blick ausweichen. Johannes aber drehte ihr Gesicht am Kinn vorsichtig zu sich hin.

»Es war immer klar, dass uns nur wenig Zeit bleibt und dass ich nicht ewig bleiben kann, Bea. Wir haben alle unsere Verpflichtungen, aber ich verspreche dir, sobald ich volljährig bin …«

Beatrice legte ihm den rechten Zeigefinger auf die Lippen.

»Sprich nicht weiter. Versprechen sind manchmal schwer zu halten. Ich möchte nicht, dass so etwas zwischen uns steht.«

Johannes schwieg. Beatrice schaute auf den Teller mit dem goldgelben Omelett, den er neben sie auf den Sand gestellt hatte. Es hatte gut gerochen, als er es, wie verabredet, eilig hierher, zu ihr, gebracht hatte. Es sah immer noch appetitlich aus, auch wenn der Duft, wohl mit dem Erkalten, verflogen war, aber sie verspürte jetzt keinen Hunger mehr.

»Ich werde dich vermissen«, sagte sie und musste gegen die Tränen ankämpfen, die in ihrer Kehle hochstiegen. Es gelang ihr, wenn auch nur mit Mühe.

»Das werde ich auch.« Johannes rückte mit den letzten Worten näher zu ihr. Beatrice wich nicht zurück. Es war gut, seine warme Haut zu spüren. Sie schnupperte und nahm sich vor, seinen Geruch niemals zu vergessen. Als sein Gesicht plötzlich ganz nah war, war es nur zu natürlich, ihn zu küssen. Johannes erwiderte ihren Kuss. Dann rückte er wieder eine Winzigkeit von ihr ab. »Müsste Corinna nicht bald kommen?«

Beatrice kniff die Augen zusammen und sah an seiner Schulter vorbei über den See hinweg zum Haus, nach dem eben die ersten rotgoldenen Abendsonnenstrahlen griffen.

»Nein, ich glaube nicht. Uns bleibt noch etwas Zeit.«

Uns ... Wie das klang, ungewohnt und doch so richtig.

Sie küsste ihn wieder, hungrig, ohne an etwas zu denken, ließ es zu, dass er eine Hand gegen ihren Rücken stützte und sie an sich zog. Ihre Körper pressten sich aneinander. Ihre Lippen fanden sich von Neuem. Das war lange überfällig, dachte Beatrice – und dann: Ich war noch nie so glücklich.

An diesem Tag war Corinna zu früh gekommen und hatte sich doch, trotz des Bodens, der unter ihren Füßen schwankte, noch rechtzeitig hinter das Schilf zurückziehen können. Zuerst wollte sie nicht glauben, was sie da sah. Johannes, ihr Johannes, mit dem sie doch das Geheimnis eines fast erlittenen Todes teilte, hielt Beatrice in den Armen. Die beiden küssten einander, als sei der Rest der Welt untergegangen. Corinna war, als ramme man ein Messer in ihre Brust. Und es war dieser Moment, in dem sie erkannte, dass einen Liebe blind machen konnte. Johannes mochte ihr das Leben gerettet haben, doch dieses Leben war ihm ganz offensichtlich heute gleichgültig.

10

$\mathcal{F}$rau von Thalheim hatte den Brief ohne Absender gleichmütig von dem Tablett genommen, welches ihr das Dienstmädchen gereicht hatte, doch mit dem Gleichmut war es im nächsten Augenblick vorbei. Ihre Knie waren auf einen Schlag so weich, dass sie auf den nächsten Stuhl sank. Johannes, endlich eine Nachricht von Johannes …

»Sehr verehrte Frau von Thalheim«, stand dort in ordentlicher, runder Mädchenschrift, »sicherlich erinnern Sie sich nicht an mich … Meine Name ist Corinna Mayer, ich arbeite in der Küche des Hotels zum Goldenen Schwan und …«

O ja, Gesine von Thalheim kniff die Augen zusammen, ein Bild kristallisierte sich vor ihren Augen, ein junges, dunkelhaariges Ding mit einem viel zu ernsten Gesicht von der Art, wie Gesine sie ungern in ihrem eigenen Haus hatte. Ein Mädchen, das zu viel wusste und zu klug war für ihre Stellung und das sich letztendlich nie mit dem zufriedengeben würde, was sie hatte oder was ihr zustand … *Himmel, wie könnte ich Corinna Mayer je vergessen?*

Vor zwei Jahren hatte ihr Johannes dieses aufdringliche Mädchen doch vor dem Ertrinken gerettet, und ihr Mann hatte sie – völlig unnötig, wie sie fand – zum Arzt fahren müssen.

Damals hatte der ganze Ärger seinen Anfang genommen. Seit jenem Jahr hatte Johannes sich verändert … Gesine hob den Brief wieder höher und las weiter, erfuhr in den folgenden Zeilen, dass ihr Sohn, ihr Johannes, in der Küche des Hotels arbeitete

Gute Güte, was denkt er sich nur dabei? Gesine faltete den Brief zusammen und legte ihn neben sich auf das Beistelltischchen. Hätte ich ihn und das, was er mir erzählte, tatsächlich ernster nehmen sollen? Aber Cornelius war doch der Meinung gewesen, dass die Sache nur ein vorübergehendes Strohfeuer war, und dass Johannes wusste, dass in letzter Instanz nur die Familie zählte. Die Familie stand an erster Stelle und musste zusammenhalten.

Nun, sie würde diese Information zu nutzen wissen, und sie würde für sich behalten, von wem sie sie hatte. Jetzt war es nur eine Ahnung, aber Gesine war sich gewiss, dass ihr dieses Wissen später noch einmal nützlich werden konnte. Man musste stets auch in die Zukunft denken. Das hatte sie in ihrem Leben gelernt.

Wieder starrte sie den Brief an. Es schmerzte, dass ausgerechnet Johannes sie solchermaßen verraten hatte, ausgerechnet er, ihr Herzblut, ihr Erstgeborener.

Es kostete Gesine von Thalheim an diesem Tag einige Kraft, sich von dem Stuhl zu erheben und hinauf in ihr Zimmer zu gehen.

Es war ein ordentliches Zimmer, jedes Ding hatte seinen Platz, jeder Aspekt war auf seine Besitzerin ausgerichtet, die dort heute trotzdem keine Ruhe fand. Immer wieder schaute sie auf die kleine Damenuhr an ihrem Handgelenk, ein Geschenk ihres Mannes aus New York, aus einem Geschäft, wie hieß es noch …? *Tiffany's*. Ja, das war es.

Aber die Zeit wollte gar nicht vergehen. Warum musste Cornelius auch ausgerechnet heute die Nachbarn wegen eines neuen Deckhengstes besuchen, den er sich für seinen eigenen Stall wünschte?

Gesine klingelte nach einem Mädchen, verlangte etwas gegen Kopfschmerzen und legte sich danach auf ihr Bett. Normalerweise versagte sie sich solch ein Lotterleben, aber sie musste einfach zur Ruhe kommen. Als sie zwei Stunden später wieder aufstand, hatte sie kein Auge zugetan und fühlte sich wie gerädert.

Wenige Stunden später stand Ludwig vor seinem Koffer, stapelte mit präzisen Bewegungen, deren Ruhe im vollkommenen Gegensatz zu seinem aufgewühlten Innern stand, Hemden und Hosen hinein. Abends, als er von einem Stadtausflug nach Hause gekommen war, hatte er die erregten Stimmen seiner Eltern aus dem Salon gehört. Obgleich er für einen Moment gelauscht hatte, konnte er sich keinen Reim aus den wenigen deutlichen Worten machen und war schließlich sehr leise hinauf in sein Zimmer gegangen. Es war schon auf Mitternacht zugegangen, als man ihn noch einmal nach unten gerufen hatte. Der Vater war ihn sofort angegangen: »Wusstest du, wo dein Bruder ist?«

Ludwig schüttelte den Kopf. Nein, er wusste es nicht. Vielleicht hatte er eine Ahnung gehabt, aber nein, noch nicht einmal die, nicht die geringste Ahnung. Johannes' Abwesenheit war ihm gleichgültig gewesen. Stattdessen hatte er Mamas ungeteilte Aufmerksamkeit genossen, wenn sie abends gemeinsam im Salon saßen.

Jetzt war er im Bilde.

Ludwig verharrte, als er das letzte Hemd in den Koffer gelegt hatte. Wieder einmal brachte Johannes ihn in eine dumme Situation, wieder einmal hinterließ er einen Scherbenhaufen, den er, der Jüngere, wegräumen musste, ohne jemals ein Wort des Danks dafür erwarten zu können.

Morgen würde er also den Zug nach Bad Homburg nehmen und sich danach mit dem Taxi zum *Goldenen Schwan* fahren lassen.

Es war jetzt gut ein halbes Jahr her, dass sie zum letzten Mal ihren Urlaub dort verbracht hatten. Ludwig atmete tief durch, dann trat er an das Fenster seines Zimmers und warf einen Blick in den Hof hinunter. Vaters Auto hatte seine Spuren im Kies gelassen. An der Backsteinmauer rankte sich Efeu empor. Die Sommererinnerungen kehrten zurück. Johannes und Beatrice, die sich näherkamen, und der Schmerz, den er darüber empfand. Johannes würde sich immer sicher fühlen, würde immer seinen Ort finden. Er, Ludwig, konnte das nicht von sich sagen. Seltsamerweise ließ ihn die Erinnerung an die Bucht, an das weiche Seewasser, das auf gebräunter Sommerhaut trocknete, nicht mehr an vollkommenes Glück denken ... Ja, diese Sommer waren vollkommenes Glück gewesen, doch sie waren zu Ende gegangen. Alles ging einmal zu Ende, so war das einfach. Man wurde erwachsen.

Es klopfte. Sein Vater trat ein, ohne auf Antwort zu warten. Warum sollte er auch? Den Eltern gehörte alles hier, und sie entschieden auch alles. Cornelius trug noch die Kleidung, in der er heute weggefahren war. Nur die

Stiefel hatte er gegen Pantoffeln eingetauscht. Auf seiner Cordhose waren Schmutzspritzer zu sehen. Vorn an der Stirn wurde sein Haar dünner.

»Ich verlasse mich auf dich«, sagte er jetzt langsam.

Ludwig versuchte, nur die Worte zu hören und nicht ihren Klang. Sein Vater vertraute ihm, er würde endlich aus Johannes' Schatten treten. »Hast du dir schon überlegt, was du tun wirst?«, fuhr Papa fort.

Ludwig nickte, obwohl er sich bislang keine Gedanken gemacht hatte. Doch er würde genügend Zeit dazu haben auf der Fahrt, und wenn er ankam, wusste er sicherlich, was zu tun war.

11

Mia genoss es einfach, sich sicher zu fühlen. Es mochte banal klingen, aber das war eine der Sachen, die ihr an der Beziehung mit Florian so wichtig gewesen war: Sicherheit und eine normale Familie. Bevor sie Florian kennengelernt hatte, das hatte sie erst später verstanden, hatte sie sich nie sicher gefühlt. Obwohl sich ihre Adoptivfamilie große Mühe gegeben hatte, ein verlässliches Umfeld für ihre Tochter zu schaffen, war da etwas, das die kleine Mia offenbar von Grund auf verunsichert hatte. Was es gewesen war, hatte sie nie erfahren können. Welche Erinnerungen konnte ein dreijähriges Kind haben? Mia hätte schwören können, dass sie keine hatte, aber manchmal stieg ein Bild in ihr auf: eine Frau mit langen, dunklen Haaren, die sie auf einer Schaukel anstieß. Ein Geruch. Ein Geräusch. Ein Geschmack.

An diesem Abend saß Mia nach getaner Arbeit auf der Couch, in eine flauschige, graue Decke gewickelt, die so edel aussah wie die ganze Einrichtung ihrer Wohnung. Neyla war frisch verliebt und sprudelte beim Abendessen fast über, bevor sie sich zu einem langem Telefongespräch in ihr Zimmer zurückzog. Dass sie Frédéric nicht treffen würde, mit dem sie im letzten Sommer in Bordeaux heftig geflirtet hatte und sich immer noch schrieb, war mit einem Mal nicht mehr schlimm.

Sie hatten wieder allein gegessen. Mia hatte noch eine Weile mit dem Abendessen auf Florian gewartet, doch der kam nicht. Dieses Mal hatte er allerdings schon mittags angerufen und angekündigt, dass es spät werden könnte. Dann hatte er sie kurz nach der Erbschaftssache gefragt und sie dazu ermutigt, sich das Lokal und alles andere ganz genau anzusehen. Er selbst hatte sie bislang nicht zum Grundstück begleiten können, wusste aber zu berichten, dass das Gelände sicherlich einiges an Wert hatte. Er habe sich einmal unverbindlich mit einem befreundeten Immobilienhändler unterhalten.

Warum hat er das getan?, fragte Mia sich unwillkürlich. Ich habe doch gar nichts dazu gesagt, was ich mit dem Grundstück machen will.

Sie hörte das leise Schnarren, mit dem der große Zeiger der antiken Uhr eine Position weiterrückte. Jetzt war es schon 21 Uhr. Mia dachte an die Telefongespräche, die sie in den letzten Tagen mit verschiedenen Behörden geführt hatte. Wie sie in Erfahrung gebracht hatte, war das Ausflugslokal Anfang der Achtziger zuletzt geöffnet gewesen. Bei dem älteren Hotel handelte es sich gleichzeitig um das ehemalige Wohnhaus der Hotelbesitzerfamilie Kahlenberg. Kahlenberg, so musste Corinnas Freundin Beatrice geheißen haben. Wie wohl Corinnas Mädchenname gelautet hatte? Wieder einmal fragte sie sich, warum sich Corinna das Haus im Westend zugelegt hatte – ihr gehörte nicht nur die eine Wohnung, wie Mia inzwischen wusste –, anstatt im Hotel zu leben?

Nun, vielleicht war es ihr ja zum Schluss hin einfach zu groß gewesen, oder zu abgelegen?

In jedem Fall waren sowohl das Ausflugslokal als auch das Hotel schuldenfrei. Hinzu kam ein recht beträchtliches Grundstück in zwar nicht bester, aber doch sehr guter Lage. Natürlich würde man einiges investieren müssen, um die Gebäude wieder instand zu setzen ... Na ja, noch hatte sie einfach nicht entschieden, was sie tun wollte. Das Grundstück und die Häuser gehörten der einzigen Verwandten, die sie je kennengelernt hatte, ihrer Familie also – wollte sie das alles tatsächlich einfach verkaufen, oder doch erst einmal mehr über diese Menschen erfahren, so schmerzhaft das auch sein mochte?

In den vergangenen Tagen war Mia noch einmal beim Hotel gewesen und hatte ausgiebig fotografiert. Erst nur draußen, dann hatte sie begonnen, auch das Innere des Hauses zu dokumentieren. Sie hatte die Bilder danach sofort zum Entwickeln gebracht und ziemlich ungeduldig auf die Ergebnisse gewartet.

Heute hatte sie sie abholen können. Mia richtete sich etwas auf und angelte die Fotos vom Tisch, wo sie sie am frühen Abend, noch vor dem Essen, ausgebreitet hatte. Während sie die Bilder betrachtete, fühlte sie sich an den Besuch dort erinnert. Sie sah sich selbst auf der Terrasse, auf der großzügigen Treppe, die in den ersten Stock hinaufführte und dann auf der kleineren Holzstiege, über die man in das Stockwerk der Familie gelangte. Sie dachte an das alte Fotoalbum, das sie in einem der Schränke gefunden hatte.

Während des Durchblätterns hatte sie erstmals eine seltsame Verbundenheit mit ihrem »Erbe« gespürt. Auf einigen Bildern hatte sie eine ältere Beatrice erkannt. Von der älteren Corinna gab es keine Fotos. Noch auf dem Nachhauseweg war sie spontan in einen Waldweg abgebogen, hatte den Motor ausgeschaltet, den Rechtsanwalt angerufen und gefragt, ob ihre Großmutter vielleicht doch noch etwas mehr von dieser Beatrice erzählt habe. Trechting hatte verneint. Frau Mayer habe sie ihm gegenüber lediglich einmal erwähnt, als er ein Foto der Mädchen bei einem Rundgang durch das Hotel näher betrachtet habe. Warum sie das getan hatte, wusste er nicht – er hatte damals gar nicht nach der zweiten Person auf dem Bild gefragt –, und sie hatte danach auch nie wieder von Beatrice gesprochen. Wenn er darüber nachdenke, habe er diese Beatrice als Kind vielleicht sogar einmal gesehen, aber sicher sei er sich dessen nicht.

»Beatrice«, sagte Mia leise vor sich hin. »Beatrice …«

Wer waren diese ganzen Menschen nur, die da plötzlich in ihr Leben traten?

Sie stand abrupt auf, ließ Unterlagen und Fotos liegen und ging nach oben, um eine heiße Dusche zu nehmen.

Es war nun 23 Uhr. Aus Neylas Zimmer drang immer noch ihre Stimme. Sie telefonierte schon seit Stunden. Mia überlegte, ob sie das Mädchen daran erinnern sollte, dass Schlafenszeit war, ließ es dann aber bleiben. Sich zu verlieben war einfach eine Ausnahmesituation. Außerdem waren ohnehin Ferien.

Mit einem leisen Seufzer setzte Mia ihren Weg fort. Nach der letzten Renovierung war das Bad in Silbergrau gehalten, mit großen Spiegelflächen. Sie wählte eine Duschcreme aus und stellte sich in die Glaskabine, löste dann ihre Haare und kämmte sie notdürftig mit den Fingern durch.

Verliebt sein … Sie musste zugeben, dass das etwas war, was sie vermisste. Sie liebte Florian, ohne Frage. Sie liebte ihr Leben, ihre Familie, aber wenn sie Neyla beobachtete, dann musste sie an dieses erste Prickeln der Verliebtheit denken, das einen veranlasste, wirklich alles zu tun, denn es war einfach gleichgültig, ob man sich blamierte, solange man nicht zurückgewiesen wurde.

Mia fröstelte. Sie stellte die Wassertemperatur auf 38 °C ein, ließ ein wenig kaltes Wasser ablaufen und schloss dann die Tür zur Duschkabine hinter sich. Wenig später mischte sich der Duft nach Grapefruit mit dem warmen Wasser. Sie wusch ihre Haare mit dem neuen Shampoo von Vidal Sassoon, wickelte sich danach in ein flauschiges, weiches Handtuch ein. Nachdem sie ihre Haare geföhnt hatte, zog sie einen seidigen Sommerschlafanzug an und war um 23:30 im Bett. Florian war immer noch nicht zu Hause.

Am nächsten Morgen war Neyla erstaunlicherweise schon wach und gab ihrer Stiefmutter einen beschwingten Kuss auf die Wange, als die verschlafen aus dem Schlafzimmer tapste. Florian frühstückte gerade im Stehen, hielt eine Tasse mit dampfend heißem Kaffee in der Hand und blätterte mit der anderen in den Unterlagen, die Mia am Abend zuvor hatte liegen lassen. Als er sie bemerkte, lächelte er sie breit an. »Guten Morgen, meine Schöne! Gut geschlafen?«

»Guten Morgen.« Sie gab ihm einen Kuss. Dann konnte sie sich nicht bremsen, dabei wusste sie doch, wie sehr er solche Fragen hasste: »Wann bist du gestern gekommen? Ich habe dich gar nicht gehört.«

Für einen kaum merklichen Moment nahm sie den Unwillen wahr, der in seinen Augen aufblitzte. Sie spürte förmlich die Beherrschung, die es ihn kostete, keine bissige Antwort zu geben. Bildete sie sich das ein, oder wirkte er ungewöhnlich angespannt?

»Es war spät«, murmelte er jetzt. »Ich hoffe, ich habe dich nicht geweckt?«

»Nein, ich …«

Mia nahm die Tasse Kaffee entgegen, die er ihr reichte, und schaute sich nach dem Milchkännchen um. Florian reichte es ihr mit einem milden Lächeln.

»Ach so, du brauchst das ja.«

Mia starrte ihn perplex an. Was war das da eben für ein Unterton gewesen, oder bildete sie sich alles nur ein? Aber wahrscheinlich war sie nur noch übermüdet. Sie nahm sich vor, heute früher ins Bett zu gehen.

»Hast du mir Arbeit aus dem Büro mitgebracht?«, erkundigte sie sich.

Florian stellte die Kaffeetasse ab und schaute sie schuldbewusst an. »Sorry, schon wieder vergessen. Es ist einfach verdammt viel los.«

»Ich würde dir ja helfen, wenn du …«

»Ich weiß, Mia«, in Florians Stimme klang eine Warnung mit, »ich habe es nur vergessen. Keine Absicht, verstehst du?«

Sie nickte. Er sah gar nicht mehr zu ihr hin, sondern hatte sich jetzt wieder in ihre Unterlagen vertieft. Mia überlegte, ob sie noch etwas sagen sollte, unterließ es dann aber.

Der Kaffee war gut und stark. Die Investition in die Maschine hatte sich eindeutig gelohnt, obgleich sie ihr zuerst übertrieben vorgekommen war. Doch Florian hatte sich natürlich durchgesetzt: Mia, hatte er gesagt, von diesen Dingen hast du offenkundig keine Ahnung.

Vielleicht sollte ich heute mit ins Büro fahren und mir die Arbeit selbst holen? Dann komme ich mir auch nicht so nutzlos vor. Aus den Augenwinkeln nahm sie eine Bewegung wahr. Mia hob den Kopf. Florian wedelte mit der Hand über den Fotos.

»Das ist es also, was du geerbt hast?«

Mia nickte. Sie hatten in den letzten Tagen nur wenig Zeit gehabt, und sie hatte ihm nur das Nötigste erzählen können. Nun registrierte sie genau seinen Gesichtsausdruck.

»Ja«, entgegnete sie vorsichtig.

Er setzte sein Florian-Grinsen auf, überlegen, etwas abfällig und gleichzeitig spitzbübisch.

»Also doch nur ein Haufen alter Plunder?«

Seine flapsige Bemerkung versetzte Mia einen unerwarteten Stich. Sie bemerkte, wie sie unwillkürlich ihren Rücken straffte.

»Nein, ein Hotel nebst Grundstück. Und ein Ausflugslokal. Wie du sehr gut weißt.«

»Ach, Mia, komm, war nicht so gemeint.«

Sie gab keine Antwort. Sie hatte noch nie etwas geerbt und bemerkte, dass sie Florians Flapsigkeit in diesem Zusammenhang nur schwer ertrug. Dieses Erbe war schließlich auch ihre Familie, verhieß ihr möglicherweise einen Zugang zu Dingen, die sie hoffnungslos verschüttet geglaubt hatte. Würde ihr vielleicht erklären, wie sie zu dem Menschen geworden war, der sie war. Florian beugte sich wieder über die Bilder, sah sie langsam eins nach dem anderen an.

»Sie sind nicht so gut geworden«, mischte sich Mia unsicher ein.

»Was? Deine Plunderbilder?«, neckte er sie.

Er grinste wieder, doch Mia konnte sein Lachen nicht erwidern. Sie fühlte sich verletzt.

12

Sommerhitze, *1914*

»Wie geht es ihnen?«, fragte Johannes.

Ludwig blickte auf. »Vater und Mutter, meinst du?«

Der Ältere nickte. Nicht zum ersten Mal in diesen frühen Sommertagen saßen sich die Brüder im Frankfurter *Café am Liebfrauenberg* gegenüber. Ludwig war vom Hauptbahnhof gekommen, wo der Zug aus Richtung Heimat gehalten hatte, Johannes aus dem *Hotel zum Goldenen Schwan*, wo er ein paar Urlaubstage verbracht hatte. Seit Ludwig ihn im letzten Herbst aus dem Hotel nach Hause geholt hatte, war die Distanz zwischen den Brüdern deutlich spürbar. Der Ältere rührte schon seit geraumer Zeit in seiner Kaffeetasse, ohne jedoch etwas zu trinken, während sich Ludwig nun in seinem Sessel zurücklehnte und die schlanken Beine in den feinen grauen Hosen übereinanderschlug. Heute war Ludwigs letzter Urlaubstag, erinnerte sich Johannes, und irgendwie war es ungewohnt, ihn in Zivil zu sehen. Morgen kehrte er zu seiner Truppe zurück. Er konnte es kaum erwarten, während Johannes nur froh darüber war, seinen – verkürzten – einjährigen Wehrdienst in wenigen Monaten abgeleistet zu haben. Im Herbst würde es endgültig vorbei sein: kein Soldatentum mehr. Natürlich war Vater über die Entscheidung seines Ältesten nicht glücklich gewesen, aber Mama hatte ihm zur Seite gestanden. Das tat sie immer, ganz gleich, was geschah.

Ludwig räusperte sich. »Es geht ihnen gut, denke ich.« Er stellte die Füße wieder nebeneinander und beugte sich vor, sodass seine Handgelenke auf der Tischkante lagen. »Vater ist allerdings weiterhin nicht wirklich gut auf dich zu sprechen.«

»Nein?« Johannes' Löffel bewegte sich noch etwas schneller in der Tasse, rundherum, immer im Kreis, dann verharrte er. »Weil ich mich nicht für längere Zeit verpflichtet habe?«

Ludwig zuckte die Achseln. »Nun ja, das ist nicht das Einzige. Du hast noch dazu deine Dienstzeit verkürzt. Du kennst unsere Familie doch. Vater, Großvater, Urgroßvater – alle verdiente Soldaten.«

»Und du bist es auch«, stellte Johannes ruhig fest.

»Ja, ich bin es auch«, bestätigte der Jüngere.

Wieder klirrte es leise, kurz darauf hielt Johannes erneut inne und lachte dann auf. Es klang ein wenig gepresst. Unwillkürlich breitete sich ein wohliges Gefühl in Ludwigs Magengrube aus. Zumindest eines konnte er nicht verleugnen: Seit Johannes die Verkürzung seines Wehrdienstes durchgesetzt hatte, war er, der Jüngere, zumindest dem Vater näher als zuvor. Vielleicht würde auch die Mutter eines Tages seinen Wert erkennen.

Mit einem Seufzer lehnte sich Ludwig in seinem Sessel zurück. Johannes runzelte kurz die Augenbrauen und entschied sich dann endlich, von seinem Kaffee zu trinken.

»Was ist mit meinem Bild auf der Kommode im Salon?«, drang er in Ludwigs Gedanken.

»Weiter hinten, wenn Vater alles arrangiert, weiter vorn, wenn Mutter davorstand.« Der jüngere Bruder grinste schief.

Früher hatte Johannes verlässlich immer in der vordersten Reihe gestanden … Johannes trank noch etwas mehr Kaffee.

»Verstoße nicht gegen eherne Gesetze …«, murmelte er. »Glaubst du eigentlich, dass es Krieg geben wird?«, wechselte er gleich darauf abrupt das Thema.

Ludwig hob die Hand und bestellte sich selbst einen weiteren Kaffee. »Man hört Verschiedenes.«

Johannes zog die Stirn zusammen. »Ja, das tut man.«

Mit einem Mal kamen ihm einige Zeilen aus einem Gedicht in den Sinn, das er Ende des letzten Jahres irgendwo gelesen hatte: »Und dass des Weltkriegs Melodie nicht länger drohend schalle!«, sprach er nachdenklich.

»Was?«

Ludwig beugte sich näher zu seinem Bruder hin. Der verzog das Gesicht. »Ach, nichts … Nur etwas, was ich irgendwo gelesen habe. Was hältst du im Übrigen von den anhaltenden Unruhen auf dem Balkan?«

Der Jüngere zuckte die Achseln. »Wer weiß schon, was davon zu halten ist? Ich bin Soldat und überlasse diese Dinge der Politik.« Er machte eine kurze Pause. »Es gibt ja auch die, die sagen, Russland und Frankreich seien ohnehin zum Frieden gezwungen, weil keiner von beiden mit der Unterstützung Englands rechnen kann.«

»Zum Frieden gezwungen …« Johannes schüttelte den Kopf. »Das hast du schön ausgedrückt.«

»Als Mann des Kriegs kann man das durchaus so sehen«, merkte Ludwig mit leichtem Stolz in der Stimme an. Sein neuer Kaffee wurde gebracht.

»Ich habe schon im letzten Mai des Öfteren vom Krieg sprechen hören«, sagte Johannes nach einer Weile leise.

»Unter euch Zivilisten?« Ludwig hob die Tasse an die Lippen und betrachtete seinen Bruder über den Tassenrand hinweg.

»Na, na, ich leiste meinen Dienst ebenso ab wie du.«

»So wenig wie möglich, würde ich sagen«, gab Ludwig zurück. Dann holte er tief Luft. »Aber wenn du meine Meinung hören willst: Ich weiß nicht, wie die Lage einzuschätzen ist, aber als Soldat sehe ich einen möglichen Krieg als Reinigung an. Soll sich doch der wahre Lebensernst über das schwache Gefühl erheben. Unsere Zeit ist solchermaßen geprägt von Verwerfungen, von Spannungen, von Unrast, von Kleinkrämerei und Leuten, die nur ihre Zahlen kennen, dass das innere Gleichgewicht ganz verloren geht. Was kennen wir denn heute, außer Materialismus und öder Rechenhaftigkeit? Vielleicht dauert unser Frieden ja schon viel zu lange, vielleicht haben uns diese Friedensjahre verweichlicht und vom wahren Weg abgebracht?«

»Das sitzt.« Auf Johannes' Lippen zeichnete sich ein zurückhaltendes Lächeln ab. Er rutschte unruhig auf seinem Sitz nach vorne. »Ich glaube, ich werde euch Soldaten nie verstehen.«

»Tröste dich, Zivilisten sind mir auch ein Rätsel.« Ludwig grinste. »Würdest du dich denn freiwillig melden, müssten wir in einen Krieg eintreten?«, setzte er dann hinzu.

»Wenn ich muss … Nun ja, ganz sicher würde ich der Sache dann ja ohnehin nicht entkommen.« Johannes sah müde aus. Ludwig ließ ihn nicht aus dem Blick. »Leider«, fügte der Ältere nach kurzem Zögern hinzu.

»Ob wir die Uniform wohl einmal gemeinsam tragen, Bruder?«, fragte Ludwig.

»Er hat also gesagt, er will dich heiraten, Kind?«, fragte Hermann Kahlenberg liebevoll und strich seiner Tochter Beatrice zärtlich eine Haarsträhne hinter die Ohren zurück. Dann runzelte er die Stirn. »Wann hat er dich das denn gefragt?«

Beatrice, die am Schreibtisch saß, sah von ihrem Buch auf, wo sich ihre Augen ein paar Atemzüge lang geradezu festgesaugt hatten. »Vor ein paar Tagen, als er zu Besuch war. Er wirkte sehr ernsthaft.«

»Das will ich dem jungen Thalheim aber auch geraten haben«, sagte Hermann halb scherzhaft.

»Ich frage mich, was Mama dazu sagt«, sprach Beatrice weiter, ohne auf den Vater einzugehen.

Hermann sah, wie er es oft tat, aus dem Fenster zum See hin. Sein Gesichtsausdruck wirkte nachdenklich. Dann reckte er mit einem Mal den Hals und horchte.

»Was ist?« Beatrice legte das Buch zur Seite. »Ich dachte, ich hätte eben unten deine Mutter gehört …«

»Sie ist doch in der Stadt. Sie wollte erst abends zurückkommen.«

»Ich weiß.«

Hermann ging jetzt nah zum Seefenster hin, die Hände hinter dem Rücken verschränkt. Beatrice schaute auf die offene Tür ihres Zimmers, als würde Edith gleich dort auftauchen. Es dauerte einen Moment, bis sich ihr Vater wieder umdrehte.

»Bitte sei vorsichtig, Kleines …«

Beatrice zog die Augenbrauen in die Höhe. »Du kennst mich, Papa. Ich weiß schon, dass die Thalheims mich als Braut sicherlich nicht willkommen heißen werden. Johannes und ich sind vorsichtig. Wir tun gewiss nichts, was Anlass zu Gerede geben könnte.«

Hermanns Stimme klang sorgenvoll. »Deine Mutter hat gestern mit mir geredet. Vielleicht ahnte sie etwas, vielleicht war es auch nur ihr übliches Gespür. Du kennst deine Mutter …«

Beatrice nickte. »Mama ist sehr vorsichtig. Sie will keinen Ärger, vor allem nicht für das Hotel. Das ist alles.«

Dann beugte sie sich vor, sodass sie ihre Ellenbogen auf die Oberschenkel stützen konnte.

Hermann räusperte sich. »Das Hotel hat natürlich seinen Ruf, und wir alle …«

»Keine Sorge, Papa«, erwiderte Beatrice beruhigend, »ich bereite euch kein Ungemach.«

»Das meine ich nicht. Ich weiß, dass ich mich auf dich verlassen kann, meine Kleine.« Hermann machte eine Pause. »Ich will ja ohnehin vor allem, dass du glücklich wirst.«

Beatrice stand abrupt auf, streichelte mit ihren schmalen Fingern über die in Falten gelegte Stirn ihres Vaters. »Danke, Papa. Das ist lieb von dir.« Sie hielt in ihren Bewegungen inne. »Wir haben noch nichts weiter besprochen, Papa, mach dir keine Sorgen.«

Hermann seufzte tief. »Deine Mutter hat vielleicht recht, wenn sie sagt, dass wir die Thalheims nicht verärgern sollten. Sie haben Beziehungen. Sie kennen viele von denen, die nach Bad Homburg kommen und uns in diesem Rahmen vielleicht auch einen Besuch abstatten möchten.«

Beatrices Hand sank herab. Ihr Blick fiel auf die Schultasche, die sie mit dem letzten Schultag einfach in die Ecke geworfen hatte. Keine Schule, einen Sommer lang. Und Johannes' Antrag sprach bereits von der Zeit, die danach kommen würde. Sie schaute ihren Vater wieder an. »Aber darauf wolltest du doch nichts geben?«

»Ja, darauf wollte ich nichts geben«, wiederholte Hermann. Er sah immer noch nachdenklich aus. »Und ich denke tatsächlich, dass der junge Mann selbst über sein Leben entscheiden muss, allerdings …«

Beatrice konnte sich nicht beherrschen. »Was allerdings?«

»Allerdings seid ihr beide nicht volljährig. Seine Eltern können sich das Recht vorbehalten, ihre Zustimmung zu verweigern …«

»Dann werden wir eben warten.«

Als sie vor ihrem Vater stand, fiel Beatrice erstmals auf, dass sie mittlerweile fast genauso groß war wie er. Ihr einst hellblondes Haar war mit dem Älterwerden einem dunkleren Honigton gewichen, ihre Augen waren immer noch sehr blau. Hermann drehte er sich wieder von ihr weg und sah erneut auf den See hinaus.

»Ach, Kind, was würde ich darum geben, dass alles unter Dach und Fach wäre und ihr glücklich verheiratet. Was würde ich dafür geben, dass wir uns alle unsere Wünsche erfüllen könnten. Aber so spielt das Leben nicht, und die Zeiten sind unsicher.«

Dieses Mal musste Beatrice nicht lange überlegen. »Gemeinsam werden wir alles durchstehen, Papa, einfach alles.«

Hermann wandte sich zu ihr um. »Das wünsche ich dir, Täubchen, ich wünsche es dir und uns wirklich sehr.«

Unten in der Halle wurde es plötzlich so laut, dass man es bis zu ihnen hinauf hörte. Es waren nicht die üblichen Geräusche des Hotelalltags, Rufen und die Klingel am Empfang, die neue Gäste ankündigte. Absätze klapperten eilig über den gefliesten Boden; ein schneller, harter Rhythmus, der ihnen beiden nur zu bekannt war. »Mama«, bemerkte Beatrice mit einem Augenzwinkern.

Im nächsten Moment verharrten die Schritte, dann war Ediths Stimme zu hören.

»Hermann, Beatrice? Wo seid ihr denn? Habt ihr es schon gehört? Der Thronfolger ist tot. Franz Ferdinand wurde in Sarajewo erschossen.«

Sarajewo, schoss es Beatrice durch den Kopf, und es klang wie etwas Exotisches aus einer unbekannten Geschichte. Sarajewo … Sie hatte die Älteren darüber reden hören, oder nicht? Das war doch eine Stadt irgendwo auf dem Balkan, weit weg jedenfalls.

Beatrice wusste nicht, warum sie in diesem Moment an ihrem Vater vorbei auf den See hinaussah, ebenso wenig, wie sie sich erklären konnte, warum sie sich lediglich fragte, wo dieses Sarajewo wohl lag, und ob das etwas für ihr Leben zu bedeuten hatte.

Ein Mensch war gestorben. War es nicht das, was einen als Erstes beschäftigen sollte? Sie bemerkte nun, dass Papa kreidebleich geworden war. Im nächsten Moment kam Mama auch schon zu ihnen herein, schenkte Vater und Tochter einen fragenden Blick und sprach sofort weiter.

»Krieg«, hörte Ludwig seinen Vater rufen. Nein, vielmehr brüllte er es. »Dieser Angriff bedeutet Krieg. Jetzt muss jeder deutsche Mann, jeder Bursche, jeder Junge bereitstehen. Krieg, trommelt es in jeder Brust, Krieg!«

Dumpfe Schritte dröhnten im Rhythmus. Von Mama war nichts zu hören.

In seinem Zimmer warf Ludwig seinem Ebenbild im Spiegel einen letzten Blick zu. Mit einem Finger schob er eine Haarsträhne an Ort und Stelle, zupfte noch einmal an seiner Uniform.

Aber sie saß schon perfekt, und er selbst war das Bild eines Mannes, breitschultrig, muskulös. Ein Soldat. Der Wehrdienst hatte ihn gestählt. In zackiger Haltung, obgleich ihn niemand sehen konnte, trat Ludwig aus seinem Zimmer, schloss die Tür ordentlich hinter sich und ging entschlossen den Flur entlang und die Treppe hinunter.

Ich bin ein Soldat, ich werde jede Schmach sühnen und das Reich verteidigen. Ich bin bereit, Vater, dachte er mit jedem festen Schritt, der ihn näher zu seinen Eltern brachte. Ich werde für das Vaterland kämpfen. Ich bin Soldat.

Jetzt muss er mich endgültig anerkennen.

Ludwigs Herz tat einen kurzen Hüpfer; Angst, Unbehagen und Erwartung griffen nach ihm. Entschlossen kämpfte er die unerwarteten Gefühle, von denen niemand ahnen durfte, hinunter.

Heute, dachte er, ändert sich unser aller Leben. Heute ändert sich die Welt. Ab heute wird alles anders sein. Es wird keine Missgunst mehr geben. Deutschland wird wie eins zusammenstehen.

Ich werde nicht mehr nur der Zweite sein.

Er kam unten an. Der letzte Rest Unsicherheit verflog. Wovor hatte er sich nur gefürchtet? Eine verheißungsvolle Zukunft wartete auf ihn, die Zukunft eines Helden.

Die Tür zum Salon stand offen. Er klopfte trotzdem an den Türrahmen und wartete das »Herein« seiner Eltern ab. Cornelius von Thalheim stand in seinem besten Anzug am Fenster. Die Mutter saß in einem hellen Sommerkleid auf der Chaiselongue und hielt ein gefülltes Champagnerglas in der Hand. Sehr kurz hielt Ludwig inne. Es sah tatsächlich aus, als hätten seine Eltern angestoßen. In jedem Fall war es seine Mutter, die ihn als Erstes bemerkte.

»Junge«, sagte sie und ließ den Blick über seine Uniform gleiten. Er hatte sich ihren Blick irgendwie anders gewünscht, aber er musste ihn akzeptieren, und er war fest entschlossen, nicht zu lange darüber zu grübeln. Nicht heute. Dieser Tag war perfekt. Er würde ihn sich nicht verderben lassen.

»Da bist du ja, Ludwig«, schloss sich der Vater in diesem Moment etwas zerstreut an, während die Mutter ihm schon eine Wange entgegenstreckte, um sich küssen zu lassen.

Indem er näher trat, registrierte Ludwig auf erschreckende Weise, dass sie älter geworden war. Sie erschien ihm plötzlich wie ein Ölgemälde, auf dem Risse entstanden waren, doch anders als bei einem alten Bild störte ihn das bei seiner Mutter. Bislang hatte sie sich nie verändert, war immer gleich geblieben, glatt und ohne Fehl. Die Wange, die sie ihm zum Kuss darbot, erschien ihm weicher und rundlicher als sonst.

Hatte sie etwa zugenommen? Er konnte sich nicht vorstellen, dass sich seine Mutter so weit gehen ließ, also unterdrückte er den Gedanken sogleich. Als er sich von ihr abwandte, bemerke er, dass ihn sein Vater musterte, und drückte unwillkürlich die Brust heraus. Er sah gut aus in der Uniform, das wusste er. Er war wie gemacht für die Uniform, gemacht für das Soldatentum.

»Gut, gut«, murmelte Cornelius jetzt, »gut, gut. In solchen Zeiten muss die Familie, muss das ganze Reich zusammenhalten.«

»Ja, Vater.« Ludwig straffte seine Haltung unwillkürlich noch etwas mehr. »Ich bin bereit!«

Cornelius klopfte ihm auf die Schulter. »Ich bin stolz auf meine Söhne.«

Ludwig behielt die stramme Haltung bei, obgleich die Gedanken in seinem Kopf mit dem letzten Wort zu rasen begannen.

Warum sprach Papa jetzt von Johannes? Der Ältere war doch schon seit Monaten nicht mehr in ihren Gesprächen vorgekommen. Während des Wehrdiensts hatte Johannes darauf verzichtet, die Eltern zu besuchen.

Die Mutter sah ihn wieder an. »Dein Bruder hat telegrafiert«, erklärte sie, die untrüglich die Frage in seinem Ausdruck erkannt hatte. »Er wird sich ebenfalls freiwillig melden. Vater hat schon mit seinen alten Kameraden gesprochen.« Sie stellte das Champagnerglas auf das Beistelltischchen neben der Chaiselongue. »Ihr werdet Seite an Seite dienen.«

Ludwig schluckte. Mit einem Mal lag ein Schatten über diesem Tag, der so vielversprechend begonnen hatte.

Johannes zündete sich eine Zigarette an, inhalierte tief und blies den Qualm in die Luft. Seit dem letzten Jahr rauchte er vermehrt. Die Zeiten waren stressig gewesen, und irgendwie hatte das Wissen darum, dass seine Mutter das Rauchen nicht guthieß, dem Ganzen einen weiteren Reiz gegeben. Seit gestern war Ludwig da, um ihn, den Älteren, nach Hause zu holen, als stünde zu befürchten, dass er sein Versprechen brechen könnte.

Und was ist mit meinem Versprechen Beatrice gegenüber? Nun, ich werde sie heiraten, sobald das hier alles vorbei ist.

Der Krieg, der ihm vor ein paar Wochen noch so fern erschienen war, war tatsächlich da. Gestern, beim Schlendern durch die Stadt, hatte Johannes die Aushänge, in denen die allgemeine Mobilmachung angeordnet wurde, unzählige Male gelesen, so oft, dass er den knappen Inhalt nun im Schlaf auswendig hätte hersagen können: »Es wird hierdurch zur allgemeinen Kenntnis gebracht, dass die Mobilmachung befohlen, und dass der 2. August erster Mobilmachungstag ist. Frankfurt a. M., 1. August 1914. Der Magistrat.«

Johannes hatte keine Ahnung, warum ihn diese Plakate geradezu magisch angezogen hatten – vielleicht, weil sie aus der Situation etwas Endgültiges machten.

Seit der Ermordung des Erzherzogs überschlugen sich die Ereignisse. Auch er hatte erkannt, dass es jetzt nicht so weitergehen würde wie zuvor. Also hatte er seinen Eltern telegrafiert. Es war ihm nur natürlich erschienen. Er konnte sich dem Ganzen nicht einfach entziehen. Das war unmöglich. Da war etwas, was in solchen Zeiten in einen drang: dass man seiner Pflicht nicht entkommen konnte.

Beatrice hatte mit Wut und Angst auf seine Entscheidung reagiert und sich zuerst kaum beruhigen wollen. Johannes fühlte sich immer noch unwohl, wenn er daran dachte.

Heute Morgen war dann wider Erwarten auch noch Ludwig im *Hotel zum Goldenen Schwan* eingetroffen, um gemeinsam mit dem Älteren zurück zu den Eltern zu fahren, die ihre Söhne in diesen Zeiten bei sich wissen wollten.

Johannes verschränkte die Arme vor der Brust. Immerhin hatte sein Bruder nichts gesagt, als der Ältere sich ausgebeten hatte, noch einmal allein mit Beatrice zu sprechen, saß jetzt im Wintergarten bei einer Tasse Tee und wartete.

Für ihr Gespräch hatten sich Johannes und Beatrice am Strand verabredet. Es überraschte Johannes nicht, sie barfuß zu sehen. So war Beatrice. Sie mochte siebzehn Jahre alt sein und die Schule im nächsten Jahr abschließen, aber sie liebte es immer noch, den Boden unter ihren nackten Füßen zu spüren. Bei ihrer letzten Unterhaltung war sie sofort in Tränen ausgebrochen. Es hatte ihn vollkommen überrascht, dass sie nicht die gleiche Erhabenheit spürte wie alle anderen, denen er begegnet war, dieses Gefühl, gemeinsam gegen den Feind zusammenstehen zu müssen.

»Du meldest dich?«, hatte sie gefragt, bevor er noch etwas hatte sagen können. Perplex hatte er die fehlende Begrüßung registriert, die Zigarette aus dem Mund genommen und sie fragend angeblickt: »Woher …?«

»Ich weiß es eben.« Sie hatte die Augenbrauen gehoben. »Denkst du, ich bin blind? Glaubst du, ich weiß nicht, was passiert?«

Johannes schüttelte den Kopf, als könne er so die Erinnerungen an ihr unglückliches letztes Gespräch vergessen machen. Er beugte sich herunter, drückte die fast aufgerauchte Zigarette im Sand aus und schnickte den Stummel ins Schilf. Dann trat er zu Beatrice, die an der Wasserlinie stand und zusah, wie die kleinen Wellen an ihren Zehen leckten. Einen halben Schritt von ihr entfernt blieb er stehen. Die Verunsicherung, ob er seine Verlobte nun berühren sollte oder besser nicht, verwirrte ihn.

»Es ist allgemeine Mobilmachung.«

»Ich weiß.«

Johannes sah Beatrice prüfend von der Seite an. Die junge Frau wich seinem Blick immer noch aus.

Natürlich wusste sie es. Die Zeitungen berichteten ja tagtäglich in Sonderausgaben und Extra-Blättern davon. In der Stadt selbst – das hatte er beim letzten Treffen mit Ludwig bemerkt – schwankte die Stimmung zwischen Hochgefühlen und unerträglicher Anspannung. Immer wieder wurden *Fremde* angegriffen, die man der Spionage verdächtigte. Wilde Gerüchte griffen um sich über ausländische Autos, die Mengen an Gold transportierten, um sie dem Feind zu übergeben. Sogar der fremdländische Name eines lange Eingesessenen konnte heutzutage unangenehme Folgen haben. Zur Entschlossenheit, die Kampfandrohung anzunehmen, gesellte sich ein allumfassendes Gefühl der Bedrohung. War es nicht so, dass man nun tun musste, was man tun musste? Johannes hatte allerdings auch gehört, dass Sparkassen belagert wurden, Mehl und Butter mancherorts ausverkauft waren, und andere Geschäfte nur gruppenweise Einlass gestatteten. Er wagte es endlich, Beatrices Ellbogen zu umfassen: »Ich kann mich dem Ganzen nicht entziehen, Liebes.«

Er spürte den leichten Schauder, der über ihren Körper lief. »Nein, das können wir nicht«, gab sie endlich mit ungewohnt rauer Stimme zu. »Ich weiß das.«

Da war etwas in ihrem Tonfall, dass ihn innehalten ließ. Wieder war er unsicher, was zu tun war. Beatrice trat einen Schritt von ihm weg und schlang unwillkürlich ihre Arme um den Oberkörper.

»Ich kenne keine Parteien mehr, nur noch Deutsche«, murmelte sie.

»Es wird sicherlich nicht lange dauern.« Johannes räusperte sich erneut, mehr aus Nervosität, als dass es da irgendetwas Störendes in seiner Kehle gab. »Alle sagen das. Ein paar Monate und der Spuk ist vorüber. An einem längeren Krieg hat doch ohnehin niemand Interesse.«

»Dein Wort in Gottes Ohr.«

»Und ich bin kein Soldat.« Johannes' Grinsen misslang. »Nein, das bist du nicht.«

Beatrice lächelte ihn, wenn auch zögernd, an. Endlich getraute er sich, sie wieder zu berühren. Die Haut an ihren Armen war warm und weich unter seinen Fingern.

»Warte ab – zu Weihnachten sind wir alle wieder hier und schmücken gemeinsam den Baum.« Beatrice gab ein Geräusch von sich, irgendetwas zwischen Lachen und Schluchzen. »Und im Jahr darauf heiraten wir«, fuhr er fort. »Im Mai 1915. Würde dir das gefallen?«

Beatrice nickte langsam. »Gewiss würde es das.« Sie fuhr sich mit dem Handrücken unter der Nase entlang. »Der Mai ist ein schöner Monat.«

»Der Wonnemonat.«

Endlich entschloss Johannes sich, Beatrice in den Arm zu nehmen. Für einen Moment lang standen sie reglos da.

»Du wirst nicht mehr kochen können.«

»Ich werde danach wieder kochen. Ich habe ohnehin noch so viel zu lernen. Ich stehe noch ganz am Anfang.«

»Allerdings«, neckte sie ihn.

»Wer sagt das?«

Beatrice zuckte die Achseln, ließ es zu, dass er sie wieder an sich drückte, dann ihre Schläfe küsste. »Ich werde immer gerne essen, was du mir kochst.«

Er küsste sie noch einmal. »Und ich werde es immer lieben, für dich zu kochen.«

Sie barg ihr Gesicht an seiner Brust. Ihre Haare kitzelten an seinem Hals, aber es war ihm gleich. Am liebsten würde ich sie nie wieder loslassen, dachte er.

»Ich fahre heute Abend noch mit Ludwig nach Hause«, sagte er laut. »Ich schreibe dir dann, sobald ich die Gelegenheit habe.«

Beatrice nickte, während sie wieder gegen die Tränen kämpfte.

Vor wenigen Tagen waren sie zu Hause eingetroffen. Heute, dachte Ludwig, war der letzte Tag, die Sache in die richtige Richtung zu lenken. Die letzte Gelegenheit, dem Bruder andere Erinnerungen mitzugeben, wie es die Eltern wünschten, und nicht die an dieses Mädchen.

Für wie lange werden wir wohl fort sein, überlegte er weiter, während er sorgsam den Sitz seiner Uniform überprüfte.

Manche sagten ja, der ganze Spuk würde rasch vorübergehen. Ludwig war sich da nicht sicher, und er wünschte es auch gar nicht. Ein Krieg war die Zeit, sich zu beweisen. Mehr als einmal hatte er eine solche Gelegenheit herbeigesehnt.

Er warf noch einen prüfenden Blick in den Spiegel. Nach einer längeren Fahrt in einem von Soldaten überfüllten Zug waren Johannes und er erst spät am Abend auf Gut Thalheim in Brandenburg eingetroffen. Kurz vor dem Ziel waren noch ein paar Jungen aus ihrem Abteil geholt worden, die fortgelaufen waren, um sich freiwillig zu melden. Hin und wieder hatten sie ein Spalier winkender Menschen durchfahren, Straßen, Plätze und Brücken waren an ihnen vorbeigeflogen, dicht gedrängt mit Menschen, die Taschentücher schwenkten und sogar Blumen warfen. Manche Waggons waren mit Inschriften versehen. »Hier werden noch Kriegserklärungen angenommen«, hatte er gelesen und: »Jeder Stoß ein Franzos.«

Das erste Abendessen daheim war ebenso steif verlaufen wie das Frühstück heute Morgen. Papa … Nein, man vermied das welsche Wort ja heutzutage … Vater hatte stolz die Aufnahme beider Söhne in seine alte Truppe verkündet. Bald sollte es losgehen. Heute Nachmittag wollten Johannes und er jedoch noch einmal feiern. In einem der Nachbardörfer fand ein Fest statt. Es war nicht leicht gewesen, Johannes zum Mitkommen zu überreden. Zuerst hatte er darauf bestanden, dass der Jüngere allein gehen solle. Im Moment lümmelte er auf seinem Bett herum und blätterte in einem alten Exemplar der *Frankfurter Zeitung*, das er gestern gekauft hatte.

»Und«, fragte Ludwig, während er sich vorgeblich weiter in der Spiegeltür des Schranks betrachtete, »wie hat Beatrice reagiert? Immer noch alles in Butter?«

»Klar.« Johannes nahm den Blick nicht von seiner Lektüre. Er hatte überlegt, Ludwig von den Hochzeitsplänen zu erzählen, sich dann aber vorerst dagegen entschieden. »Der Spuk ist ohnehin bald vorbei.«

Ludwig widerstand dem plötzlichen Bedürfnis, sich umzudrehen. Also gehörte Johannes auch zu denjenigen, die glaubten, dieser Krieg ginge schnell vorüber … Ludwig hoffte das Gegenteil. Dieser Krieg war seine Chance, seine Gelegenheit auf Sinnhaftigkeit. Als sei es gerade erst geschehen, sah er plötzlich Johannes vor sich, wie er am Tag der Abreise mit einem Mal in der Tür ihres gemeinsamen Zimmers im *Hotel zum Goldenen Schwan* gestanden hatte, die Ärmel seines Hemdes aufgerollt, die Füße staubig, denn er war offenbar barfuß gegangen, als sei er noch ein Junge und kein erwachsener Mann. Sein feuchtes Haar hatte nur zu deutlich gemacht, dass er im See gebadet hatte.

Mit ihr zusammen, war Ludwig sofort durch den Kopf geschossen. Sie haben zusammen gebadet.

Johannes hatte entspannt gewirkt, trotz der Nachrichten, die sich mittlerweile überschlugen. Trotz der Nachricht, die er *ihr* hatte überbringen müssen. Ludwig spürte, wie sich sein Magen zusammenzog.

Das ist so, weil er sich ihrer sicher ist. Beatrice ist auf seiner Seite.

Für Johannes ändert sich offenbar niemals etwas. Das Leben tat ihm gut. Er war ein Glückskind und würde es immer bleiben.

Natürlich hatten auch die Eltern ihn behandelt, als sei er niemals fort gewesen, als habe er niemals auch nur gegen die Familienregel verstoßen.

Ludwig biss die Zähne aufeinander. Und ich muss mich beugen, denn in diesen Zeiten muss jede Familie, muss ganz Deutschland zusammenstehen. Unwillkürlich fragte er sich, ob man ihn auch so leicht hätte davonkommen lassen. Nein, gewiss nicht. Er wusste das. Er war und blieb derjenige, der es seinen Eltern niemals recht machte.

Schließlich löste er sich von seinem Spiegelbild, trat auf die Tür zu und drückte die Klinke herunter.

»Komm, lass uns gehen.«

Das Bett knarrte leise, als Johannes aufstand. Wenig später durchschritten sie das Hoftor auf dem Weg nach draußen. Das Dorf war fußläufig zu erreichen. Die warme Sommersonne schien vom Himmel, und sie sprachen über dieses und jenes. Nach kurzer Wegstrecke kam ihnen ein junges Mädchen entgegen, einen Strauß Sommerblumen im Arm. Sie lächelte, als sie die Uniformen sah, überreichte jedem von ihnen eine Blume, die Ludwig mit einer Verbeugung entgegennahm und Johannes mit einem

»Danke schön«. Bald schon war die Musik zu hören. Als gelte es, keine Zeit zu verlieren, hatte man früh mit dem Aufspielen begonnen. Der hölzerne Tanzboden knarrte längst unter den Tritten unzähliger Tänzer. Sie waren nicht die Einzigen in Uniform. Ludwig genoss die bewundernden Blicke, während Johannes in sich gekehrt wirkte. Wie lange, fragte sich Ludwig, würde es wohl dauern, bis er Beatrice vergaß? Würde er sie überhaupt vergessen?

13

Frankfurt am Main, *1992*

Florian und Mia hatten sich noch nie gestritten. Jetzt war es offenbar so weit. Am Abend zuvor hatte ein Wort das andere gegeben. Irgendwann war die Situation eskaliert. Warum musste er so überheblich sein? Mia spürte, wie sie sich innerlich verkrampfte, wie gestern, als sie aufeinander eingeschrien hatten. War ihr Erbe tatsächlich so wenig wert? Alles bloß alter Plunder? Was war mit den Gebäuden, mit dem Grundstück, was mit den Menschen, die dort gelebt und ihre Spuren hinterlassen hatten?

Das war doch *ihre* Familie, das war kein Plunder.

Nein, sie konnte und wollte einfach nicht zulassen, dass Florian so über Dinge sprach, die ihr wichtig waren. Er hatte sie verletzt, und dass er das nicht erkennen wollte, schmerzte Mia noch mehr. Deshalb hatte sie ihm demonstrativ den Rücken zugekehrt, als er ins Bett gekommen war. Deshalb hatte sie ihm den Gutenachtkuss verweigert.

Am nächsten Morgen gab Mia vor, noch zu schlafen, als Florian aufstand. Sie konnte ihm jetzt nicht in die Augen blicken, geschweige denn mit ihm sprechen. Erst als sie hörte, wie die Tür ging und wenig später unten ein Motor gestartet wurde, verließ sie das Bett und setzte sich noch im Schlafanzug an den Frühstückstisch. Florian hatte für sie gedeckt und sogar einen Strauß Gänseblümchen in einer winzigen Vase bereitgestellt.

Wo er die wohl herhatte? Vielleicht aus einem der Blumenkästen auf dem Balkon. In jedem Fall war es – wunderschön, hätte sie kürzlich noch gesagt. Zu perfekt, ätzte jetzt eine Stimme in ihr.

Während sie sich den ersten Kaffee einschenkte und in langsamen Schlucken trank, sah sie erneut die Bilder durch, die sie vom Haus gemacht hatte. Mit jedem Mal, die sie sie betrachtete, gefielen sie ihr besser, mit jedem Mal wurden sie ihr vertrauter. Sie mochten hier und da zu dunkel sein und stellenweise überbelichtet, aber sie fand, dass es ihr durchaus gelungen war, den Charme des alten Hauses einzufangen.

Es ist das Haus meiner Großmutter, dachte sie, und ein warmes Gefühl durchströmte sie, es ist mein Haus, meine Geschichte.

Ist Mama dort aufgewachsen?

Mia stellte sich ein Kind vor, das ihr ähnlich sah – sie wusste ja nicht, wie ihre Mutter ausgesehen hatte – und das auf dem See Schiffchen schwimmen ließ. Ein Mädchen, das mit der Puppe spielte, die sie gefunden hatte. Dann ein etwas älteres Mädchen, das half, die Gäste zu bedienen.

Und wie ist es im Hotel zu dessen Glanzzeit zugegangen?

Für einen Moment schloss Mia die Augen. Damen in langen Kleidern tauchten in ihrer Fantasie auf, die Oberkörper schmerzhaft eng in Korsetts geschnürt, auf den Köpfen Sonnenhüte groß wie Wagenräder, an ihrer Seite steife Herren in feinen Anzügen, mit Zylinder …

Sie stand auf und schenkte sich eine weitere Tasse Kaffee ein. Etwas später rief Florian an, um sich zu entschuldigen. Nicht, weil er etwas Falsches getan oder sich nicht richtig verhalten hatte, nein, nur weil es ihr ja offenbar *so* wichtig war.

Mia hörte ihm zu und spürte, wie sie sich innerlich distanzierte. Er entschuldigt sich, dachte sie, und sagt mir gleichzeitig, dass alles meine Schuld ist.

Das Gespräch verlief einsilbig. Nach kaum fünf Minuten sagte Florian, er müsse jetzt weiterarbeiten, und legte auf, ohne ihre Antwort abzuwarten.

Mia schaute zum ersten Mal an diesem Tag auf den eigenen Stapel Arbeit aus dem Büro und konnte sich nicht entschließen anzufangen. Auch Hunger verspürte sie keinen, also brachte sie das unberührte Geschirr und die Kaffeetasse in die Küche, wo Rosanna sie sehen und wegräumen würde.

Um neun Uhr rief die Zugehfrau an und entschuldigte sich hustend dafür, heute nicht kommen zu können. Mia wünschte ihr gute Besserung. Rosanna entschuldigte sich vielmals und sagte auch für den Rest der Woche ab.

Mia beendete das Gespräch nach weiteren Genesungswünschen und schaute erneut auf den Stapel Arbeit.

Ich will nicht, ich will das jetzt nicht tun.

Kurz entschlossen bereitete sie sich einen Espresso zu und trat, immer noch im Schlafanzug, auf den Balkon hinaus. Von unten drangen die Geräusche der Stadt zu ihr herauf: Stimmen der Nachbarn, eine Radiosendung, die aus einem der geöffneten Fenster drang, Motorengebrumm, Handwerkerlärm, aber auch morgendliches

Vogelgezwitscher und der Wind, der die Blätter eines Baumes rascheln ließ.

Stimmt etwas nicht zwischen Florian und mir?

Vorgestern noch war ihr ihr Leben absolut perfekt vorgekommen, und jetzt … Was hatte sich nur geändert?

Nein, Mia verdrängte den Gedanken wieder, *wahrscheinlich übertreibe ich einfach.* Florian und sie hatten sich ein wenig gestritten. Sie waren einmal nicht einer Meinung gewesen – was war schon dabei? In jeder Ehe wurde gestritten – ein Wunder, dass bei Florian und ihr immer alles so harmonisch verlaufen war. Vielleicht war das ja nicht richtig gewesen. Zu einer Beziehung gehörte Streit dazu.

Über ihr rumpelte es. Es war fast zehn Uhr. Mia ging zur Kaffeemaschine hinüber und sorgte für eine neue Kannenfüllung. Kurze Zeit später gesellte sich Neyla zu ihr, die die letzten Ferientage in vollen Zügen genoss und dankbar die Tasse mit frischem schwarzem Kaffee entgegennahm. In der Nacht war sie, wie schon öfter, spät nach Hause gekommen. Ihre neue Liebe war noch frisch und zauberte gerötete Wangen und glänzende Augen hervor.

»Na, noch nicht angezogen?«, stellte sie beim Anblick ihrer Stiefmutter als Erstes fest. »Das bin ich ja gar nicht gewohnt von dir.«

»Och«, Mia wedelte mit der Hand, »ich war einfach zu beschäftigt. Außerdem sind Ferien, oder?«

»Hm, ja. Ein paar Tage noch.« Neyla schlurfte zur Anrichte, um sich Kaffee nachzufüllen. Auch dieses Mal pechschwarz. Mia schüttelte sich insgeheim.

»Wo ist Rosanna?«, erkundigte sich Neyla.

»Krank.«

»Ja?« Neyla trank von ihrem Kaffee und suchte gleichzeitig mit der freien Hand einen Apfel aus dem Obstkorb aus.

»Ja, krank.« Mia schaute ihre Stieftochter prüfend an. »Glaubst du das etwa nicht?«

»Doch, doch, warum sollte ich das nicht glauben … Es war nur …« Neyla schaute den Apfel in ihrer Hand nachdenklich an.

»Was denn?«

»Na ja, sie war noch nie krank.«

Mia zuckte die Achseln. »Ich schätze, auch sie wird älter. Sie müsste doch schon über sechzig sein, und dann das Putzen. Das ist schwere Arbeit, oder?«

Neyla nickte. »Hm.«

Im nächsten Moment scharrte ein Stuhl über den Boden, dann saß die junge Frau auch schon am Tisch und griff nach den Fotos, die Mia noch nicht fortgeräumt hatte.

»Mehr Fotos?«

Mia nickte. »Du hast Florian und mich gestern belauscht?«

»Von Lauschen kann ja wohl keine Rede sein. Ihr wart nicht zu überhören.«

»Tut mir leid.«

Neyla seufzte. »Kein Problem, ich bin ja schon groß.« Sie studierte die Fotos nun eins nach dem anderen.

»Das sieht wirklich klasse aus«, sagte sie endlich. »Und das Hotel liegt mitten im Wald an einem See, ja? Ich habe wirklich noch nie davon gehört …«

»Na ja«, Mia lachte, »es liegt ja nicht ganz um die Ecke, und es ist wohl auch ein wenig in Vergessenheit geraten über die Jahre.«

»Offenbar.« Neyla machte eine Pause, nahm dann erneut eines der Bilder auf. »Sieht irgendwie aus wie in so einem alten Gruselfilm«, fuhr sie dann fort. »*Das Spukschloss* oder so … Man fragt sich doch, welche Geister da wohl ruhen?«

Ich frage mich, welche Geister wohl dort ruhen … Neylas Satz wollte Mia nicht aus dem Kopf gehen, als sie sich an diesem Tag auf den Weg zu *ihrem* Haus machte. Irgendwie hatte ihre Stieftochter einen Nerv in ihr berührt. Geister, das war es. Auch wenn Mia nicht an Geister glaubte, so war sie doch fest entschlossen, alles über die ehemaligen Bewohner dieses Hauses in Erfahrung zu bringen. Wer war diese Beatrice? Die Tochter des Hotelbesitzers, hatte Trechting gesagt. Corinnas beste Freundin, vermutete sie selbst, und zahlreiche gemeinsame Fotos schienen das zu beweisen, Fotos vor allem, die die beiden als Kinder zeigten, und dann eines aus dem Jahr 1925: zwei junge Frauen stolz lächelnd vor dem Eingang des Hotels – auch hier stand »Corinna und Beatrice« auf der Rückseite –, und danach? Irgendwann war Beatrice einfach verschwunden. Corinna war allein zurückgeblieben.

Es war schon nach elf Uhr, als Mia endlich am Hotel ankam. Das Wetter zeigte sich wieder einmal von seiner schönsten Seite, sodass sie beschloss, alle Fenster zu öffnen, um genügend Licht und Luft herein und den Muff der vergangenen Jahre hinauszulassen. Nur wenige Fenster, stellte sie dabei fest, waren unbeschädigt; die meisten waren verzogen und ließen sich schwer öffnen. Ein paar würde sie ganz erneuern müssen.

Habe ich eben wirklich über Reparaturen nachgedacht? Mia schmunzelte. Gute Güte, was Florian wohl sagte, wenn sie ihn um Geld für Reparaturen bat? Aber sie hatte ihn noch nie wirklich um etwas gebeten, und sie waren verheiratet …

Ich muss ihn also um nichts bitten. Es ist unser gemeinsames Geld. Ich könnte außerdem auch an mein Gespartes gehen, und natürlich kann ich Corinnas Haus im Westend verkaufen. Das dürfte genügend einbringen, um hier alles zu finanzieren.

Um das herauszufinden, musste sie baldmöglichst ein paar Erkundigungen dazu einziehen.

Mia beschloss, ihren Weg fortzusetzen, das Haus erneut Raum um Raum anzusehen. Sie wollte prüfen, was bleiben konnte und was fortmusste, endlich eine genauere Bestandsaufnahme machen und sich dabei Gedanken über die weiteren Schritte machen.

Seltsam, als ich zum ersten Mal hierherkam, habe ich nur darüber nachgedacht, das Haus schnellstmöglich zu verkaufen. Das hat sich vollkommen geändert, jetzt fühlt es sich langsam wie mein Haus an. *Mein* Haus. Das Haus meiner Familie.

Sie begann ihren Rundgang im untersten Stockwerk, wo sich, wie sie bereits wusste, der Empfangsbereich, der Speisesaal und eine großzügige Küche befanden. Letztere betrat sie heute als Erstes. Zwei riesige gusseiserne Herde

zeugten noch von der Zeit, als hier Tag für Tag Hochbetrieb geherrscht hatte.

Mia fragte sich, ob die Küche des Hauses wohl bekannt gewesen war, und wen sie dazu fragen könnte. Was
war gekocht worden? Wie viele Menschen hatten hier
gearbeitet? Einen der Herde, entschied sie, würde sie in
jedem Fall als Erinnerung behalten.

Mia öffnete alle verbliebenen Schränke: stapelweise Geschirr, Töpfe und Pfannen … Besteck in den Schubladen.
Erstaunlicherweise schien die Einrichtung noch ziemlich
vollständig zu sein, und alles war von recht guter Qualität.

Sie würde den Rechtsanwalt fragen, ob jemand das
Haus in den letzten Jahren verwaltet und hier ab und an
nach dem Rechten gesehen hatte. Nachdem das Ausflugslokal geschlossen hatte, war hier jedenfalls niemand in
böser Absicht eingedrungen. Das ganze Haus wirkte, als
liege es in einer Art Dornröschenschlummer. Ihr erster
Eindruck hatte Mia nicht getäuscht.

Sie betrat den größeren Raum mit Blick auf den See
links von der Empfangstheke, der offensichtlich als Büro
und Rückzugsort für die Hotelleitung gedient hatte. Hier
befand sich, neben einem großen Schreibtisch und Schrän-
ken, eine Jugendstil-Chaiselongue. Die Schränke waren,
bis auf einen Stapel Einnahmen-und-Ausgaben-Bücher
und ein paar alte Werbezettel, leer.

Und was werde ich damit machen? Alles an ein Archiv
geben, oder vielleicht ein eigenes Archiv zur Geschichte
des Hotels anlegen? Jetzt, nachdem Mia ihren Gedanken
keine Zügel mehr anlegte, kam eine Idee nach der anderen. Als sie an der Empfangstheke vorbei zurück in die

Halle ging, bediente sie aus einer Laune heraus zum zweiten Mal die dort angebrachte Schelle. Der Laut klang auch dieses Mal gespenstisch in dem großen, leeren Haus, und Mia benötigte danach einen Moment, um ihr heftig klopfendes Herz zu beruhigen.

Heute wollte sie sich das Zimmer im Stockwerk der Familie genauer vornehmen, das sie als Corinnas ausgemacht zu haben meinte. Nachdem sie die Zimmertür hinter sich geschlossen hatte, blieb sie mit dem Rücken an der Tür stehen und ließ den Raum auf sich wirken. Es war der Ort einer jungen Frau, der teilweise schon recht erwachsen, teilweise noch sehr mädchenhaft wirkte. Wie alt war sie eigentlich gewesen, als sie das Hotel übernommen hatte? Auf einem Bord an der Wand saßen eine Puppe, ähnlich der, die Mia in Corinnas Wohnung gefunden hatte und die sie in ihrer Vermutung bestärkte, dass es sich um Corinnas Zimmer handeln musste, und ein Teddybär. Mia rührte der Gedanke, dass Corinna ihrer Tochter wohl die gleiche Puppe gekauft hatte, die sie selbst als Kind hatte. Aber warum hatte sie diese ganzen Erinnerungsstücke einfach zurückgelassen? Waren die Depressionen schuld daran gewesen? Was war geschehen? Vielleicht ist es der Tod meiner Mutter gewesen, der sie aus der Bahn geworfen hat. Mia wollte sich gern vorstellen, dass es Lores Tod gewesen war, der dieses Verhalten hervorgerufen hatte, aber genau würde sie das wahrscheinlich nie erfahren.

Sie konzentrierte sich wieder auf das Zimmer. Rechts von der Tür stand ein weißer Kleiderschrank, links das Bett. Mia war wieder einmal froh, dass weder Bettwäsche noch eine Matratze darauf lagen. An solchen Stellen nisteten sich gern Mäuse, Ratten und anderes Ungeziefer ein. Zwar hatte sie keine Angst vor den Tieren, angenehm war ihr der Gedanke an eine unverhoffte Begegnung aber nicht.

Sie trat an den schmalen Schreibtisch und betrachtete den kleinen Stapel Bücher darauf: eine Ausgabe von Goethes »Faust« sowie einige einfache Romanhefte, darunter eines mit dem Titel »Agonie der Leidenschaft« aus dem Jahr 1922. »Beatrice Kahlenberg« stand auf der Innenseite in kleinen, verwischten Tintenbuchstaben. In einer Schublade lag ein Schulheft, in dem wiederum offenbar ihre Großmutter Unterschriften ausprobiert hatte. Auf einer Seite standen verschiedene Varianten von »Corinna Mayer«, auf der anderen Seite stand »Corinna Kahlenberg« … Beatrice und Corinna Kahlenberg – noch konnte Mia sich keinen Reim darauf machen. Vielleicht waren die beiden Cousinen gewesen? Womöglich erklärte sich damit auch, wie Corinna dazu gekommen war, das Hotel zu leiten … Das war doch sicherlich ungewöhnlich gewesen für diese Zeit? Wenn ihr Onkel aber der Hotelbesitzer gewesen war … Mia legte das Heft zurück und schloss die Schublade. Dann schob sie die Bücher an den Rand des Tisches und entdeckte einige schwarze Tuscheflecken, anscheinend war hier jemand nicht ganz sorgfältig gewesen. Dann nahm sich Mia Zeit, die Zeichnungen zu betrachten, die rechts an der Wand neben dem Fenster angebracht waren.

Gar nicht mal so schlecht, stellte sie fest, während sie eine Tuschezeichnung vom See in Augenschein nahm.

Nachdem sie noch eine Weile am Schreibtisch gesessen und den Raum von diesem Platz aus auf sich hatte wirken lassen, stand sie auf und ging noch einmal zu dem geöffneten Schrank. Wie sie schon beim ersten Mal bemerkt hatte, hingen hier tatsächlich noch Kleider. Mia zog ein vergilbtes langes, weißes hervor, entdeckte weitere, die von den Bügeln zu Boden gerutscht waren. Einige schienen zu einem jungen Mädchen gehört zu haben, andere zu einer erwachsenen Frau. Während Mia die Kleider gewohnheitsmäßig zurück auf die freien Bügel hängte, entdeckte sie weitere Bücher und Fotoalben auf dem Boden des Schrankes. Neugierig nahm sie eins nach dem anderen heraus und stapelte sie auf den Schreibtisch. Es waren alte, schmale Bücher, nicht sonderlich groß, manche davon selbst gebunden. Aus einem schauten Briefe hervor.

Unentschieden blätterte Mia das erstbeste Album auf. Bilder aus einer anderen Zeit, wie die, die ihr schon an den Wänden begegnet waren. Ernste Menschen, in der Bewegung erstarrt. Stilvolle Bilder der Zwanzigerjahre mit Tänzern, und Bilder von Wanderungen und lachenden Menschen. Sie entdeckte Corinna und Beatrice, die einander in den Armen hielten. Dann ein Bild der beiden Freundinnen Arm in Arm auf dem Bootssteg. Sie mochten damals etwa zehn Jahre alt gewesen sein.

Nachdem sie noch etwas weitergeblättert hatte, packte Mia schließlich sämtliche Bücher in ihre große Tasche, nur eines behielt sie sich bis zum Schluss vor. Es sah ein wenig anders aus mit seinem karierten Einband. Sie schlug die erste Seite auf. Ein Rezeptbuch – sollte es sich um das Rezeptbuch des Hotels handeln? Gab es so etwas überhaupt? Die erste Seite verzeichnete ein Sandwich mit Schinken-Käse-Belag. Das Rezept war in einer Schrift vermerkt, in einer anderen war hinzugefügt worden, wo man das Sandwich zu essen habe, nämlich gemeinsam, in der Mittagssonne am Ufer des Sees bei der alten Trauerweide. Oben in der Ecke klebte jeweils eine getrocknete und gepresste Blume. Auf den ersten etwa sieben Seiten hatten jeweils zwei Personen die Rezepte auf diese Weise vermerkt, dann folgten weitere Seiten mit nur einer Schrift, irgendwann, nach vielleicht zwanzig Seiten, nichts mehr … Auf der letzten beschriebenen Seite stand in winzigen Buchstaben: Mai 1916.

Mitten im Krieg, fuhr es Mia durch den Kopf. Sie blätterte eine Weile vor und zurück, verstaute dann auch dieses Buch in ihrer Tasche und beschloss, für heute Schluss zu machen und nach Hause zu fahren. Dort konnte sie das weitere Vorgehen überdenken. Vielleicht würde es ja helfen, das Archiv der örtlichen Zeitung zu durchforsten? Vielleicht gab es auch einen Geschichtsverein oder etwas Ähnliches. Sie musste sich wirklich danach erkundigen. Irgendwie musste sich doch etwas mehr über dieses Haus in Erfahrung bringen lassen. Mia selbst jedenfalls kam mit ihren eigenen Nachforschungen langsam, aber sicher an ihre Grenzen.

Noch einmal trat Mia an Corinnas Fenster. Von hier oben konnte man gut sehen, wie groß der See einmal gewesen war, bevor er von den Seiten her zugewuchert war. Im Laufe der Zeit hatte er vielleicht ein Drittel seiner ursprünglichen Fläche verloren. Auf der anderen Seite, dem Hotelgebäude gegenüber, entdeckte Mia jetzt eine kleine, sandige Bucht, auf deren linker Seite eine Weide dicht am Ufer stand. Ob die Freundinnen dort im Sommer schwimmen gegangen waren? In jedem Fall schien das eine gute Stelle dafür zu sein.

Auf der dem Hotel zugewandten Seite des Sees erkannte Mia mitten im Schilf einen Anlegesteg. Also hatte es hier wohl auch einmal Boote gegeben. Vielleicht hatten sich die Gäste sogar auf dem See herumrudern lassen? Mia versuchte, sich vorzustellen, wie es gewesen sein musste, als der Hotelbetrieb noch in vollem Gange gewesen war. Sie vermutete, dass dort, wo sich heute das Ausflugslokal befand, einst eine große Terrasse sowie ein Wintergarten gewesen war. Irgendwo hatte sie die Terrasse auf einem der Bilder gesehen, bevölkert von Gästen in altertümlicher Kleidung. Im Gedächtnis geblieben war ihr von diesem Bild aber auch ein Dienstmädchen in einem strengen Kleid mit weißer Schürze ganz am Rande des Bildes, das offenbar nicht wusste, ob es stehen bleiben oder noch davonhuschen sollte. Leider war das Gesicht zu sehr verschwommen, als dass man sie hätte erkennen können. Auf vielen anderen Bildern fand sich eine junge Beatrice, meist in der Mitte des Bildes, hin und wieder auch am Arm eines Mannes mit einem stolzen Schnurrbart. Was Mia ein wenig verwunderte, war, dass Corinna weitaus seltener zu sehen war, aber dafür gab es sicherlich einen Grund. Mia zum Beispiel ließ sich nicht gern fotografieren. Vielleicht war es Corinna ähnlich ergangen.

Mias letzter Weg führte sie heute hinunter zum See. Für einen Moment schloss sie die Augen, genoss die Sonnenstrahlen auf ihrem Gesicht und den leichten Wind, der durch ihr Haar spielte

Was für ein wunderschöner Ort, dachte sie plötzlich. Sie fühlte sich zu Hause.

»Herr Belman?«

Florian hob den Kopf. Ein Lächeln erschien auf seinem Gesicht, als er Carlotta Behnke mit jenem unvergleichlichen Hüftschwung auf sich zukommen sah. Wo hatte sie nur dieses Kleid her? Es war aus einem leichten Stoff, sehr blau und eigentlich viel zu kurz für den Einsatz im Büro. Natürlich sah sie atemberaubend darin aus.

»Hier sind die letzten Briefe für heute«, gurrte sie.

»Leg sie da hin.« Florian schaute auf die Uhr. »Wollen wir etwas essen gehen?«

»Wirklich, Herr Belman?«

Florian hörte ein leises Lachen in ihrer Stimme. Er mochte es, wenn sie mit ihm kokettierte, lehnte sich zurück und verschränkte die Arme hinter dem Kopf. Eigentlich kannten sie sich schon so lange – ihre Eltern waren befreundet gewesen, wahrscheinlich hatte er sie schon im Sandkastenalter gesehen –, doch heute machte Carlottas Augenaufschlag ihn schier verrückt.

»Zum Inder dieses Mal?«, entgegnete er. Carlotta setzte sich mit einer Pobacke auf seinen Schreibtisch. Papier raschelte. Das alles gehörte zu ihrem Spiel, und er genoss es in vollen Zügen. Er grinste, als sie nun mit einer Hand am Ausschnitt ihres Kleides zu spielen begann. Schon lange dachte er in solchen Momenten nicht mehr an Mia.

Warum sollte er sich einen kleinen Flirt mit einer aufregenden Frau versagen? Wenn Florian ehrlich war, langweilte er sich doch ohnehin nur noch mit seiner Ehefrau. Natürlich wollte er sich nicht von Mia trennen – warum auch, es lief doch alles gut zwischen ihnen –, aber ab und an brauchte er eben etwas Abwechslung. Das hatte ihm Carlotta gezeigt. Sie hatte ihn auch daran erinnert, dass es Frauen gab, die man heiratete, und solche, mit denen man Spaß hatte. Carlotta gehörte eindeutig zur zweiten Kategorie. Sie hatte ihm auch klargemacht, dass sie nicht ans Heiraten dachte. Was ihm nichts ausmachte, schließlich war er schon verheiratet.

»Setz dich doch.« Er klopfte auf sein rechtes Bein.

»Aber Herr Belman!« Die Siebenundzwanzigjährige tat so, als ziere sie sich. Das mochte anderen albern erscheinen, aber es gehörte zu ihrem Spiel dazu, und dieses beherrschte Carlotta wirklich perfekt. Gestern hatten sie sich nach Büroschluss auf dem Schreibtisch geliebt. Himmel, das klang so absurd, aber wann war ihm das zum letzten Mal passiert? Wann? Noch nicht einmal zu Studentenzeiten. Vor einigen Wochen war ein Mitarbeiter noch mal ins Nachbarbüro gekommen, und sie hatten sich halb nackt, heiß und verschwitzt vom Sex unter den Tisch gekauert, um nicht entdeckt zu werden. Das Gefühl der Angst hatte etwas Berauschendes gehabt. Danach hatte Carlotta vorgeschlagen, es im Fahrstuhl zu tun. Bei der Erinnerung daran erigierte sein Glied. Er schob sie von seinen Schoß herunter und stand auf. Es genügte, ihr Kleid hochzuschieben. Einen Slip trug sie nicht. Sie machten einen Quickie im Stehen.

»Komm«, sagte er dann. »Japanisch, vietnamesisch, indisch? Was ist dir am liebsten?«

»Sushi.« Mit einem Finger wischte sie ihm Lippenstift von der Wange. »Aber was sagt deine Frau, wenn du wieder später kommst?«

Er zuckte die Achseln.

»Was soll sie tun, wenn ich länger arbeite? Ich bringe das Geld nach Hause. Sie weiß doch, dass man nach der Auftragslage gehen muss.« Er grinste und nahm Carlotta dann in den Arm, um seine Unsicherheit zu überspielen. Die Geschäfte liefen in letzter Zeit noch schlechter als zu Anfang der Krise. Er wusste, dass er irgendetwas tun, endlich eine tragbare Lösung finden musste. Nur welche? Er dachte an Mias Hotel.

Mia fiel auf, dass der auf ihren Streit folgende Samstag der erste war, an dem sie wieder einmal gemeinsam frühstückten. Auch am Freitag war Florian erst in der Nacht nach Hause gekommen, aber sie hatte beschlossen, darüber hinwegzusehen. Sie wollte das gemeinsame Wochenende nicht mit einem neuen Streit beginnen.

Als Mia die Küche betrat, hatte Neyla bereits den Tisch gedeckt. Wenn Mia es richtig gehört hatte, war ihre Stieftochter erst vor Kurzem nach Hause gekommen, wach und hungrig, und wollte offenbar gern frühstücken, bevor sie zu Bett ging. Nächste Woche fing die Schule wieder an, dann kamen solche Unternehmungen, außer am Wochenende, nicht infrage. Neyla hatte sogar frische, noch warme Brötchen mitgebracht. Der Tisch bog sich geradezu unter Speisen. Als Florian gähnend die Treppe herunterkam, stand auch der Kaffee schon duftend auf dem Tisch. Der Anblick Florians wirrer Haare rührte Mia und erinnerte sie an den Anfang ihrer Beziehung, an jene Zeiten, als sie ganze Wochenenden gemeinsam im Bett verbracht hatten und das Liebesspiel nur unterbrochen hatten, um eine Kleinigkeit zu essen oder etwas zu trinken. Damals hatte sie erstmals Champagner getrunken. Die Erinnerung ließ sie erröten. Sie fühlte sich mit einem Mal sehr verletzlich und war froh, dass in diesem Moment keiner zu ihr hinsah.

Ich liebe ihn doch immer noch, dachte sie, für mich hat sich nichts geändert.

»Morgen, Papa«, rief Neyla, so wie sie es immer getan hatte, als sie noch jünger gewesen war.

»Morgen, Große!«, brummte Florian, gähnte, während er sich mit beiden Händen das Haar zurückstrich, was an deren zerzaustem Allgemeinzustand aber kaum etwas änderte.

»Kaffee, Honigbrötchen?«, fragte Mia. Er sieht gut aus, ging es ihr zugleich durch den Kopf: diese dunkelblauen Augen, das etwas längere, braune, leicht wellige Haar. Am Meer wirkte Florian immer wie ein Surfertyp, dabei konnte er nicht einmal gut schwimmen. Der Gedanke brachte Mia auf eine Idee: »Warum fahren wir nicht einmal wieder ans Meer, wir alle zusammen?«

Florian biss in das Honigbrötchen, das seine Tochter ihm gereicht hatte. »Hm … Die Sommerferien sind vorbei.«

»O ja, stimmt. Dann eben erst einmal heute Abend gemeinsam zum Italiener«, fuhr Mia mit strahlendem Lächeln fort.

Das Honigbrötchen in Florians Hand sank herab. Er blickte sie um Verständnis bittend an.

»Oh, tut mir leid, Mia, das ist aber ganz schlecht heute.«

Mia runzelte die Stirn. »Aber es ist doch Wochenende?«, fragte sie und ärgerte sich zugleich über die Unsicherheit in ihrer Stimme. Zumindest das Wochenende war ihnen bislang immer heilig gewesen. Natürlich hatte sie Verständnis dafür, wenn er schwer arbeiten musste, aber …

»Ja, schon …« Florian biss krachend in sein Brötchen und schaute noch betrübter drein.

»Ich dachte«, Mia kämpfte gegen die Enttäuschung an, die sie mit einem Mal wie ein Schnellzug zu überrollen drohte, »ich dachte, wir unternehmen mal wieder etwas zusammen, klären ein paar Dinge … Seit Wochen kommst du kaum vor neun Uhr nach Hause.«

Florian verzog das Gesicht. »Ach, Mia, jetzt fang nicht so an. Die Firma durchläuft eine schwierige Phase, mehr nicht. Natürlich wäre es mir anders auch lieber, aber so ist es eben.« Er grinste Mia jetzt aufmunternd an. »Komm, sei mir nicht böse, Süße. Brauchst du Geld zum Shoppen? Hey, ich gehe arbeiten, und du gönnst dir was. Na, was meinst du?«

Mia schwieg, ungewiss, was sie sagen sollte. Es war Neyla, die sich einmischte, während Mia immer noch mit der aufsteigenden Traurigkeit rang.

»Mia wollte aber dich, Papa, keine neue Hose oder ein neues Paar Schuhe.«

Und ich hasse es, wenn Florian mir Geld zuteilt, ging es Mia durch den Kopf. Ich tue auch meine Arbeit. Ich arbeitete für ihn, auch wenn er mich offiziell nicht bezahlt. Hätte ich besser auf einer anderen Regelung bestehen sollen?

Mia starrte das unberührte Brötchen auf ihrem Teller an, straffte dann die Schultern und hob den Kopf.

»Noch Kaffee?«, fragte sie in die Runde. Vater und Tochter nickten synchron. Mia setzte eine weitere Kanne auf. Wenig später saßen sie wieder vor ihren Tassen. Florian wich ihrem Blick immer wieder aus, Neyla sah sie hin und wieder fragend an. Ein Gespräch wollte schwer in Gang kommen. Endlich nahm Neyla sich zu Mias Verwunderung ein Mandelhörnchen und bemerkte dann mit einem Grinsen: »Da werde ich wohl später eine Extrarunde joggen müssen.«

»Mach zwei draus, so wird eher ein Schuh draus«, neckte Florian sie, worauf Neyla ihm die Zunge herausstreckte.

Plötzlich war da wieder der Eindruck, als sei alles normal zwischen ihnen.

Aber irgendetwas stimmt nicht. Mia wurde den Gedanken nicht los.

Wie immer endete das gemeinsame Frühstück mit einem allumfassenden Chaos auf dem Tisch. Florian entschuldigte sich rasch. Er musste dringend duschen und dann los. Als er einige Zeit danach wieder am Frühstückstisch auftauchte, trug er seinen Anzug. Mia ließ das Geschirrtuch sinken. Am Wochenende, wenn Rosanna nicht kam, räumte sie selbst in der Küche auf. Ob es der Zugehfrau wohl inzwischen besser ging? Und was war das eigentlich für eine Sache, die Rosanna mit ihr hatte besprechen wollen?

Mia überlegte kurz, entschied sich dann aber, Florian nicht damit zu belasten, denn der hatte dafür momentan ganz offensichtlich keinen Nerv. Aber auch ihr nächster Satz kam nicht gut an. »Du willst tatsächlich in die Firma?«

»Natürlich – war ich vorhin nicht deutlich genug?« Florian wirkte plötzlich richtig ärgerlich.

»Ich dachte nur … Es ist Samstag, weißt du.«

»So ist das eben bei Selbstständigen. Überleg dir mal, wer das hier alles bezahlt?«

In diesem Augenblick merkte Florian, dass er nun zu weit gegangen war. Er versuchte, Mia den Missmut aus dem Gesicht zu küssen. An der Tür drehte er sich noch einmal um.

»Was macht eigentlich der Verkauf des Hotels? Brauchst du Hilfe? Ich kenne da ein paar Leute …«

Mia schaute ihn perplex an. »Aber ich will es vielleicht gar nicht verkaufen, es ist … Wir hatten doch darüber – gesprochen … Es ist schließlich das Haus meiner Familie.«

Florian zögerte einen Augenblick. Seine Hand rutschte von der Türklinke, die mit einem Klacken zurücksprang.

»Aber ich dachte, das hätten wir durch, Mia?« Er klang jetzt ungehalten und ein wenig, als spreche er mit einem kleinen Kind. Mia versuchte, den dicken Kloß, der sich unwillkürlich in ihrem Hals bildete, hinunterzuschlucken.

»Wir haben eigentlich gar nichts besprochen. Es ist mein Erbe, und ich habe noch keine Entscheidung getroffen.«

»Schon einmal über die Erbschaftssteuer nachgedacht? Willst du die bezahlen? Von was?«

»Das ist fies, Florian.«

»Wieso? Ich sage doch nur die Wahrheit. In einer Familie entscheidet man große Sachen eben gemeinsam – oder hast du dir in den Kopf gesetzt, ein Hotel zu führen? Das ist nichts für dich. Dich hat doch schon die Schule überfordert.«

Das, schoss es Mia durch den Kopf, hätte er wirklich nicht sagen müssen. Soll ich meine Vergangenheit wegwerfen, weil ich Angst habe? Ich hatte noch nie eine Vergangenheit, versteht er das nicht? Dieses Gefühl ist vollkommen neu für mich, ich will es nicht verlieren …

»Hey, kommt, ihr beiden«, schaltete sich jetzt Neyla ein. Inzwischen trug sie einen Schlafanzug und würde sich wohl gleich in ihr Bett zurückziehen. »Verhaltet euch wie Erwachsene, und seid nett zueinander.«

Florian lächelte seine Tochter an, auch wenn es ihn offenkundig Mühe kostete, und drückte Mia dann noch einmal einen schnellen Kuss auf die Wange, bevor die sich wegdrehen konnte.

»Frieden, ja?«, fragte er und ließ seine Stimme zerknirscht klingen. »Komm, nicht böse sein, Mia.« Er holte tief Luft und trat etwas von ihr zurück. »Lass uns heute Abend darüber reden.«

»Hm.«

»Komm schon.«

»Ist gut«, presste sie hervor.

Sie stand noch an derselben Stelle, als er schon längst gegangen war. Es gab nichts zu bereden. Verdammt, was sie mit ihrem Erbe anstellte, war ganz allein ihre Entscheidung.

Mia räumte die restliche Küche auf, wusch sich dann die Haare. Danach beschäftigte sie sich ein wenig mit ihren Fundstücken aus dem Hotel, fand aber weder Ruhe noch einen neuen Anhaltspunkt. Sie konnte sich einfach nicht konzentrieren; der Morgen hatte sie zu sehr aufgewühlt. Sie dachte an Alexa, ihre beste Freundin, die sie so lange nicht mehr angerufen hatte, weil Florian nicht mit ihr zurechtkam ... *Wenn du mich liebst, mein Schatz, dann ... Sie mag uns nicht. Sie ist eifersüchtig. Sie will nicht, dass wir glücklich werden ...*

Gegen Mittag bereitete Mia sich einen kleinen Imbiss zu, eine Thai-Suppe mit Pilzen, Kokosmilch und Krabben. Danach ordnete sie wieder die Fundstücke, räumte schließlich alles zusammen und verstaute es in ihrem Schrank. Sie wollte nicht, dass Florian noch einmal etwas davon sah. Bisher hatte er nur seltsam auf die Dinge reagiert, die sie mit nach Hause gebracht hatte. Sie musste sich wirklich erst über einiges klar werden.

»Fährst du heute wieder raus?«, fragte Neyla, als sie etwa eine Stunde später im großen Wohnzimmer aufeinandertrafen.

»Ja.«

Mia war verwundert, dass Neyla schon wieder wach war. Sie hatte noch nicht über eine erneute Fahrt zum Grundstück nachgedacht, aber natürlich würde sie das tun. Das Haus zog sie inzwischen geradezu magisch an. Es hatte ein Geheimnis, das spürte sie, ein Geheimnis, das es zu entdecken galt.

Auf dem Sofa lehnte sich Neyla, immer noch mit dem weißen Seidenschlafanzug bekleidet, zurück und nippte an ihrem Espresso.

»Kann ich mitkommen?«, fragte sie.

Mia zögerte. »Wenn du magst«, sagte sie dann. Ja, vielleicht war es gut, die Meinung eines Außenstehenden zu dem Ganzen zu hören. Neylas Meinung.

Wenig später hatte Mia alles gepackt, und Neyla hatte sich in Windeseile angezogen. Sie trug ihre langen, dunklen Haare in einen lockeren Zopf geflochten, Jeans und ein verwaschenes blaues Sweatshirt. Etwa zehn Minuten später waren sie bereits auf der Autobahn. Mia summte den Hit im Radio mit. Plötzlich freute sie sich darauf, Neyla das Haus zu zeigen.

14

Dublin, *1992*

Das Flurtelefon klingelte, als Séan Flanagan gerade die Tür zu seinem kleinen Zimmer in der Dubliner Bloomfield Avenue aufschließen wollte. Der Vierundzwanzigjährige ließ den Schlüssel stecken und ging zu dem Münztelefon, das der Vermieter für alle Parteien unten im Hausflur hatte anbringen lassen.

»Hallo?« Séan wartete auf die Antwort, musste gleich darauf lächeln. »Ja, ich bin's, Ma. Das hast du richtig erkannt.«

»Gut, dass ich dich erwischt habe«, sagte Janice Flanagan am anderen Ende. Eine kurze Pause folgte. »Es ist etwas passiert, Séan«, fuhr sie dann fort, »du musst so schnell wie möglich zurück nach Wexford kommen.«

»Aber ich bin doch erst seit einer Woche wieder hier ...«

»Séan!«

Mas Stimme klang eindringlich. Séan überlegte. Seit er für sein Studium nach Dublin gezogen war und dort einen eigenen *bedsitter*, eine Einzimmerwohnung, die in seinem Fall sogar über eine winzige Badewanne verfügte, bezogen hatte, rief seine Mutter fast täglich an, um sich zu vergewissern, dass alles in Ordnung war.

Und um mich wieder davon abzubringen.

Seit dem tödlichen Schwimmunfall seines Vaters vor nunmehr fast zehn Jahren waren Mutter und Sohn einander sehr nah. Außerdem war er ihr einziges Kind – ungewöhnlich für eine irische Familie, wie er immer wieder zu hören bekam –, natürlich wollte sie sicher sein, dass es ihm gut ging. Manchmal war ihre Ängstlichkeit allerdings einfach nur erdrückend. Sie hatte sich gewünscht, dass er seinen Platz im Studentenwohnheim behalten würde. Nach dem Bachelor- und Masterstudium hatte er sich jedoch für eine eigene Bleibe entschieden. Er war schließlich kein kleiner *freshman* mehr. Séan schluckte den Seufzer herunter, während er sich fragte, was ihr nun schon wieder eingefallen sein mochte. Schon vor seiner ersten Abreise nach Dublin hatte sie ihm in eindringlichen Farben geschildert, wie gefährlich es in der Hauptstadt war. Dass man dort Drogen an jeder Ecke kaufen konnte, dass es Viertel gäbe, die die Polizei aufgegeben habe – bitte, pass auf, dass du dort nicht hingerätst –, dass niemand mehr auf den anderen achte und keiner mehr in die Kirche ginge.

»Ma«, hatte er gesagt, »du übertreibst. Ich studiere dort, nichts weiter. Das Angebot ist gut. Dr. Wells ist einer der kenntnisreichsten Forscher zum Ersten Weltkrieg und den großen Veränderungen zu Beginn dieses Jahrhunderts. Ich bin so stolz, Teil seines Teams werden zu dürfen. Es ist nicht selbstverständlich, dass er meine PhD betreuen will.«

Seine Mutter hörte ihm offenbar gar nicht zu.

»Ist vor Jahren nicht eine junge Frau in den Wicklow Mountains verschwunden? Schreckliche Sache, das.«

»Eine junge Frau, Ma, so etwas passiert.«

»Man hört auch von Messerstechereien.«

»Limerick nennt man *stab city*, die Hauptstadt der Messerstechereien, nicht Dublin.«

»Darüber scherzt man nicht.«

»Ach, Ma, ich werde auf mich aufpassen und dich oft besuchen.«

Er erinnerte sich, dass ihre Stimme bei der nächsten Frage etwas gezittert hatte:»Jedes Wochenende?«

»Jedes zweite Wochenende«, hatte er geantwortet.

Und das zweite Wochenende war noch lange nicht herangekommen.

Séan seufzte noch einmal. »Was ist los, Ma? Weißt du, ich stecke mitten in den Vorbereitungen, vor dem nächsten Trimester muss ich einiges erledigt haben. Ich wollte mir auch einen Job suchen, und ich hatte doch zugesagt, dass ich übernächstes Wochenende …«

»Grandad hatte einen Schwächeanfall. Sally hat ihn erst am nächsten Morgen entdeckt …« Janice atmete gepresst ein und wieder aus. »Es geht ihm so weit ganz gut, aber er muss endlich aus diesem Cottage fort. Er kann dort in seinem Alter nicht mehr alleine wohnen.« Er hörte, wie ihre Stimme zitterte. »Aber das will der alte Sturkopf einfach nicht einsehen.«

Natürlich wusste Séan sofort, von wem Janice sprach. Trotzdem musste er sich versichern. »Joe? Sprichst du von Joe?«

Seine Mutter seufzte. Als sie ihm nach einer kurzen Pause antwortete, waren Tränen in ihrer Stimme zu hören.

»Ja. Ich mache mir wirklich Sorgen um ihn.«

Joe war zwar Janice' Schwiegervater, aber sie hatten sich von Anfang an nahegestanden, näher, als es Janice ihren eigenen strengen Eltern je gewesen war. Erst in Joes Haus, hatte sie einmal gesagt, habe sie erfahren, was es bedeutete, eine Familie zu haben. Bei ihren Eltern war das Leben strengen Regeln gefolgt. Essen immer zu festgelegten Zeiten. Licht aus um neun Uhr. Ein Freund war völlig ausgeschlossen gewesen. Janice hatte ihren Mann erst mit einundzwanzig Jahren kennen und lieben gelernt, völlig unbedarft in solchen Dingen. Bei ihrem ersten Treffen waren sie auf dem Bürgersteig vor dem Deutschkurs zusammengestoßen, den Terry belegt hatte, um sich in den Semesterferien in Deutschland etwas Geld zu verdienen. Seinetwegen hatte sie denselben Kurs belegt, und deshalb hatte letztendlich auch Séan in der Schule Deutsch gelernt. Deutsch war ihre Geheimsprache gewesen, sogar Grandad hatte sich ab und an beteiligt, und er war gewiss nicht der Schlechteste von ihnen gewesen. Terry hatte einmal erzählt, Joe habe die Sprache als junger Mann schon einmal gelernt. Das war allerdings lange her.

Mas Eltern, vor allen Dingen ihr Vater, hatten seinen Da, den Eindringling, abgelehnt. Es hatte Jahre gedauert, eigentlich bis zum Tod von Janices Vater, bevor ihre Mutter und sie wieder miteinander geredet hatten. Joe, selbst Witwer, war in dieser schweren Zeit für Janice da gewesen. Deshalb hatte sie ihren einzigen Sohn auch nach ihm benannt. Das irische Séan stand für John, wenn sich der alte Mann auch seit Jahr und Tag Joe nennen ließ.

»Ma?«

Séan hörte, wie Janice sich die Nase putzte, sah sie plötzlich vor sich, klein und schmal, das schwarze Haar zu einem akkuraten Pagenkopf frisiert, vor dem großen

Panoramafenster mit Blick aufs Meer stehen. Sicherlich nagte sie an ihrem rechten Daumennagel, während sie mit ihm sprach. Das tat sie immer, wenn sie nervös war.

»Ma?«, fragte er noch einmal nach.

»Hm.«

Dass sie ihm nicht mit einem vollständigen Satz antwortete, bedeutete wahrscheinlich, dass sie wirklich weinte. Nein, sie wollte keinen Druck ausüben, dieses Mal nicht. Sie war verzweifelt. Joe und sie waren einfach immer füreinander da gewesen. Séan räusperte sich. »Ich komme, Ma.«

»Wirklich?«

»Klar doch. Ich nehme den nächsten Bus. Holst du mich ab?«

»Sicher.« Er hörte, wie sie zitternd einatmete. »Geht das wirklich? Ich meine, kommt dir das nicht ungelegen?«

»Nein, ist schon in Ordnung.« Séan begann abwesend in den Taschen seiner Jeansjacke zu kramen: ein Bonbon, eine zerknautschte Packung Kippen, ein paar verirrte Münzen, die er nach dem letzten Einkauf dort hineingestopft hatte. »Geht es Grandad denn inzwischen etwas besser?«

»Er hat sich erholt.«

»Schön zu hören.«

»Aber es ist nötig, dass jemand nach ihm schaut. Etwas länger, meine ich.«

Séan gab darauf keine Antwort. Er musste sich die Lage vor Ort anschauen, bevor er eine Entscheidung traf. Er wechselte den Hörer vom rechten ans linke Ohr, überlegte unterdessen bereits, was er packen sollte.

Wo ist überhaupt der Rucksack?

»Und es macht dir wirklich nichts aus?«

»Nein, Ma, ganz sicher nicht.« Séan erinnerte sich, den Rucksack zuletzt unter einem Haufen Klamotten gesehen zu haben, die er dringend in die Wäscherei bringen wollte. Er hatte eine unten in der South Great Georges Street gesehen, in der Nähe von diesem vegetarischen Restaurant, wo man günstig essen konnte. »Wir sind doch eine Familie, oder? Ich packe gleich meine Sachen und mache mich auf den Weg. Es fährt bestimmt noch ein Bus.«

»Du musst dich nicht hetzen, aber …« Er hörte sie schlucken. »Weißt du, er weigert sich, das Haus zu verlassen, und ich kann nicht immer da sein. Mein Job, weißt du … Und dann scheint die Sache mit dem *Bed and Breakfast* in die Gänge zu kommen. Wir haben mehrere Voranmeldungen für die nächsten Wochen.«

»Klasse, Ma.«

»Und wenn Grandad dann nicht das Haus verlässt … Verstehst du, ich stelle mir jede Nacht vor, er könnte gestürzt sein und irgendwo hilflos liegen … Er ist einfach starrköpfig wie ein Esel.«

»Das sieht ihm ähnlich. Zumindest scheint der Schwächeanfall seine Persönlichkeit nicht verändert zu haben.«

Ein Glucksen war zu hören, dann hörte Séan seine Mutter zum ersten Mal seit Anfang des Gesprächs lachen. Er wartete noch einen Moment, dann sagte er sanft. »Ich muss dann, Ma, wenn's heute noch klappen soll.«

»Ja, entschuldige, lass dich nicht aufhalten. Ruf mich an, wenn du weißt, wann du ankommst.«

»Mach ich. Bis dann.«

Janice legte ein paar Sekunden vor ihrem Sohn auf. Der ging endlich in seine kleine Wohnung, machte sich daran, ein paar Sachen in seinen Eastpak-Rucksack zu packen. Es ging schneller, als er gedacht hatte. Einerseits fehlte es ihm eindeutig an sauberer Wäsche, andererseits wartete daheim ohnehin noch sein Zimmer mit einem gut gefüllten Kleiderschrank. Er benötigte also kaum mehr als ein paar Unterlagen des Colleges, die er noch durcharbeiten wollte, und seine Zahnbürste.

Kaum zehn Minuten später stand Séan vor dem Spiegel und starrte sich nachdenklich an: intensive blaue Augen, schwarzes, seit er in Dublin wohnte, raspelkurz geschnittenes Haar. Was Ma wohl zur neuen Frisur sagte? Er wusste, dass sie seine Locken immer geliebt hatte. Séan entschloss sich, seinen Lieblingspullover anzuziehen, einen braunen Aransweater, der einmal Da gehört hatte, dann schnappte er sich den Rucksack, ging hinaus und schloss ab.

Als er vor der Haustür stand, zögerte er, ging dann noch einmal kurz entschlossen die paar Schritte die Straße entlang bis zum *Grand Canal* und zündete sich eine Zigarette an. Im letzten August, als es sehr heiß gewesen war, hatte er hier manchmal Kinder planschen sehen. Sie kamen aus den Sozialwohnungen gegenüber, die nahe bei der Brücke lagen. Séan rauchte ein paar Züge, fand aber keinen Geschmack daran, sodass er die Zigarette schließlich wieder ausmachte und zur Seite schnickte. Eigentlich hatte er mit dem Rauchen damals ohnehin nur angefangen, um seine Mutter zu ärgern. Er schulterte seinen Eastpak, drehte sich um und marschierte los. Noch auf dem Weg zum

16er-Bus beschloss er zu laufen, die South Circular Road nach rechts, irgendwann links in die Camden Street und über Straßen mit wechselnden Namen mehr oder weniger immer geradeaus bis zur Dame Street. Am Gebäude des ehemaligen irischen Parlamentes vorbei – heute Sitz der Bank of Ireland –, über den Fluss, und dann war er auch schon fast da. Wenn er schnell ging, würde er den Busbahnhof, Busaras, in etwa vierzig Minuten erreichen.

Natürlich traf Janice erst ein, als Séan sich schon fünfzehn Minuten lang die Beine in den Bauch gestanden hatte. Seine Mutter kam immer eine Viertelstunde zu spät, das aber verlässlich. Er beobachtete, wie sie ihren zerbeulten roten Polo, der schon lange eine neue Lackierung gebraucht hätte, parkte und ausstieg. Dann blieb sie einen halben Meter von ihm entfernt stehen und legte den Kopf schief. »Hallo.«

»Hiya, Ma.«

»Du hast eine neue Frisur.«

Er zuckte die Achseln. »Gefällt's dir?«

»Ich weiß nicht.« Sie lächelte schief. »Trägt man das so in der Stadt?«

»Ach, Ma.« Er zögerte, dann umarmte er sie, was sie offenbar überraschte. Sie fühlte sich schmal an, kleiner und schmaler jedenfalls, als er sie in Erinnerung hatte. Unsicher machte sie sich schließlich von ihm los, sah sich um, betrachtete dann den Rucksack auf seiner Schulter.

»Kann ich dir dein Gepäck abnehmen?«

»Nein, Ma, den Rucksack trage ich schon selbst.«

Sie schien etwas sagen zu wollen, tat es dann aber nicht. Er folgte ihr zum Auto. Mit diesem Polo hatte sie ihn manchmal zur Schule gefahren, zu Hurling-Veranstaltungen, als er noch Hurling gespielt hatte, dieses typisch irische Spiel, das die meisten Fremden an eine Art Hockey erinnerte, oder zum Schwimmen, als er noch schwimmen gegangen war. Bevor er einstieg, berührte er den langen, tiefen Kratzer an der Beifahrertür. Er erinnerte sich an den Wutanfall, damals, als sie ihm kurz nach Das Tod nicht hatte erlauben wollen, mit seinen Freunden zum Strand zu gehen. In einem Moment hatte er rot gesehen, hatte sein Taschenmesser genommen und … Sie hatte nie etwas dazu gesagt. Vielleicht hatte sie es auch zuerst gar nicht gemerkt. Damals war Da gerade drei Tage tot gewesen. Vielleicht hatte sie später gedacht, sie sei wieder einmal irgendwo dagegengefahren. Das passierte ihr häufiger. Da hatte sie immer damit aufgezogen.

Séan ging um das Auto herum zur Beifahrerseite, sah zu, wie Janice sich hinüberbeugte und die Tür aufschob. Im Fußraum lag eine Flasche Cola. Er ließ sich auf den Sitz fallen, atmete den vertrauten Geruch ein. Am Spiegel hing die kleine Christophorus-Medaille. Der Beschützer der Reisenden. Seit er wieder in Dublin war, war er noch nicht zur Messe gegangen. Er sah aus dem Fenster, während Janice den Wagen aus der Stadt hinauslenkte. Sie waren schon fast zu Hause, als er seine erste Frage stellte.

»Warst du noch mal bei Grandad?«

»Seit unserem Gespräch? Nein, war ich nicht. Er hat mir gestern gesagt, dass ich mich um meinen Kram kümmern könne. Er sei schon länger erwachsen als ich.«

»Klingt ganz nach ihm.«

»Ja«, Janice setzte den Blinker, um in die Hauseinfahrt einzubiegen, »er hat sich erstaunlich gut und schnell erholt. Und Sally schaut jeden Tag nach ihm …«

»Sie hat ein dickes Fell«, murmelte Séan, während er den Sicherheitsgurt löste.

»… aber sie hat ihre eigene Arbeit und …«, fuhr Janice fort.

Séan öffnete die Autotür.

»Ich mach das schon, Ma, ich habe ja noch ein bisschen Zeit.«

»Danke.«

Janice schnallte sich auch ab, stieg aus, ging die Stufen vor ihm her zum Eingang hoch und verschwand in der Küche. Gleich darauf hörte er sie mit dem Teekessel hantieren. Etwas später kam sie mit einem Tablett, einer Teekanne, zwei Bechern, Milch und einer Packung *Mc Vitie's Ginger Biscuits* herein. Sie schenkte ihnen beiden Tee ein, fügte Milch hinzu, nahm sich einen Keks. Séan hatte sich in seinen Lieblingssessel gekuschelt, den mit dem dunkelblauen Cordstoff, der so gar nicht in die Mischung aus Cremeweiß und Altrosa passen wollte, mit der Janice das Wohnzimmer ausgestattet hatte. Sie schwiegen. Séan schaute aus dem Fenster in eine Landschaft, die ihn seine ganze Kindheit lang begleitet hatte und nun schon so weit weg wirkte. Er hatte die unmittelbare Nähe des Meeres in Dublin vermisst. Auch auf einer Insel war man dem Meer an manchen Stellen ferner als an anderen. Hin und wieder hatte er den DART genommen und war mit dem Zug die Küste entlanggefahren, nach Bray oder Howth oder Dún Laoghaire. Von Dún Laoghaire gingen die Fähren nach England rüber.

»Fahren wir heute noch zu Grandad?«, fragte er schließlich.

»Natürlich, am besten machen wir das gleich, sonst wird es zu spät. Ich habe einen *stew* aufgesetzt, aber der wird sowieso besser schmecken, wenn ich ihn noch eine Weile köcheln lasse.«

Janice stand auf, schnappte sich im Flur ihre Jeansjacke. Séan fühlte sich mit seinem Aransweater zu warm angezogen. Er lief rasch hoch in sein Zimmer, zog ein langärmliges Shirt aus dem Schrank – Mickymaus, nun gut – und polterte wieder die Treppe herunter.

Kaum fünf Minuten später waren sie auf dem Weg. Vom Haus aus ging es zurück zur Hauptstraße – na ja, was man hier so Hauptstraße nannte –, dann nach rechts. Nach einer gewissen Strecke verließ man die *main road* wieder, fuhr linker Hand in eine kleine Straße, die schließlich über einen Schotterweg in Richtung Meer führte. Etwa auf halber Strecke, zwischen zwei grünen Hügeln gelegen, befand sich Grandads Haus, ein etwa zweihundert Jahre altes Cottage, das zumindest so weit in der Gegenwart angekommen war, dass es mittlerweile mit fließend Wasser und Elektrizität ausgestattet war. Noch zu Zeiten von Séans Geburt war das nicht so gewesen, und etwas von dem alten Charme hatte sich bis heute erhalten. Séan hatte es jedenfalls geliebt, seine Ferien dort zu verbringen.

Vor ihnen tauchte eine große, graue Mauer auf, über die eine Fuchsienhecke lugte. Janice lenkte den Wagen an die Seite, schaltete den Motor ab. Sie hatten ihr Ziel erreicht.

»Ich hole dich nachher ab, ja? Gegen siebzehn Uhr hat sich ein Pärchen angemeldet. Sie wollen ein paar Tage hier verbringen.«

Séan warf einen Blick auf die Uhr. 16:55. Ma würde es nie rechtzeitig zurückschaffen.

»Okay«, sagte er, öffnete die Tür und stieg aus.

Janice ließ den Motor wieder an, wendete den Wagen und fuhr zurück auf die Straße, wo er noch hinter der nächsten Kurve zu hören war. Séan wandte sich um und ging auf das Cottage zu. Ein leichter Wind fuhr durch ungemähtes Gras. Eine alte Vogelscheuche hing vollkommen schief an ihrem Pfosten. Sofort waren die Erinnerungen wieder da: an vergangene Sommer, den Geruch nach trockenem Gras und feuchter Erde, das Meer und seine Wellen.

Jetzt war er also wieder hier und haderte nun plötzlich damit, ob das wohl die richtige Entscheidung gewesen war.

Ich sollte in Dublin sein. Ich sollte mein neues Leben leben.

Er hatte seiner Mutter noch nicht gesagt, dass er nicht nach Wexford zurückkehren würde.

Séan klopfte an der Tür, auch wenn er das hier noch nie in seinem Leben getan hatte.

»Herein«, war eine knurrige Stimme zu hören, gefolgt von: »Aber ich brauch nichts. Ich hab alles.«

»Das weiß ich doch.« Séan stieß die Tür auf, grinste schief.

»Hallo, Grandad.«

Es hatte nur auf den ersten Blick so ausgesehen, als ob sich nichts verändert hatte, aber das stimmte nicht. Séan stellte schon bald fest, dass Grandads sonst immer so penibel aufgeräumtes Cottage Spuren von Verwahrlosung aufwies. Es war nicht auszumachen, ob Joe den Schmutz nicht wahrnahm oder ob er den Anforderungen des Alleinlebens einfach nicht mehr gerecht wurde. Eigentlich hatte es nie etwas an Grandads Ordnung auszusetzen gegeben, sogar Blumen und ein paar Grünpflanzen hatte es gegeben. Nichts davon war jetzt noch zu sehen. Sie sprachen nicht viel, während Joe eine Kanne Tee aufsetzte. Danach ließ Joe sich berichten, wie es in Dublin war, wo Séan genau wohnte, und erzählte endlich, dass er früher auch manchmal am Grand Canal spazieren gegangen war.

»Du hast nie viel von Dublin erzählt«, stellte Séan fest. Joe zuckte die Achseln.

»War ja auch nur ein paar Monate da. Es waren unruhige Zeiten damals. Der Bürgerkrieg war gerade vorüber, der Hass war geblieben …«

»Du hast den Bürgerkrieg mitbekommen?«

»Nein«, für einen Moment schaute Joe in seine Teetasse, »nicht wirklich. Ich war nie in der Nähe größerer Auseinandersetzungen.«

»Und 1916? Den Osteraufstand?«

»Nein, 1916 auch nicht.«

Joe stand unvermittelt auf und ging zu dem gusseisernen Herd, um den Zustand des Feuers zu überprüfen. Nachdem sie ihren Tee getrunken hatten, nahm Séan sich den Stapel Geschirr vor. Joe saß mittlerweile wieder am Küchentisch und beobachtete seinen Enkel.

»Das musst du nicht machen. Ich schaff das schon noch.«

»Ist schon in Ordnung. In meiner eigenen Wohnung mache ich das ja auch.« Séan erhitzte Wasser in einem Kessel auf dem Herd und kippte das heiße Wasser dann zum kalten in der Spülschüssel hinzu. Einige Teller, stellte er mit dem nächsten Blick fest, würde er einweichen müssen. Er drehte sich zu seinem Großvater um.

»Sag mal, hilft dir Sally eigentlich? Ma sagte so was.«

Joes Teetasse klirrte, als er sie nun heftig absetzte.

»Nein, ich lasse sie nicht, das schwatzhafte Weib.«

Séan verbarg sein Schmunzeln, indem er sich wieder zur Spüle drehte. Joe hatte eine Zeit lang behauptet, Sally stelle ihm nach. Vielleicht war etwas dran an der Behauptung, vielleicht war Sally aber auch nur eine liebenswerte, sehr hilfsbereite Frau, die der Kauz in seinem kleinen Cottage dauerte. Von Ma wusste er, dass Grandads eigene Frau früh gestorben war und dass er seinen Sohn Terry allein aufgezogen hatte. Séans Blick streifte die Leiter, die zum Dachboden hinaufführte, wo sich immer Joes Bett befunden hatte, doch er nahm an, dass dieser mit seinen siebenundneunzig Jahren jetzt nicht mehr dort schlief.

Inzwischen merkt man sein Alter, fuhr es Séan durch den Kopf. Geistig war er zweifelsohne noch fit, körperlich hatte er abgebaut, daran ließ sich nichts herumdeuten. Er war auch schmaler geworden. Das Hemd schlotterte um seine Schultern.

Séan stapelte den ersten Teil des Geschirrs zum Trocknen auf und entschied sich, das völlig schmierig gewordene Wasser zu wechseln. Als er die nächsten Tassen und

Teller in das frische Wasser versenkte, war hinter ihm das Scharren eines Stuhls auf den Steinplatten des Bodens zu hören.

»Ich bin müde«, sagte Joe unvermittelt. »Ich setze mich mal für einen Moment in meinen Sessel.«

»Klar doch.« Séan angelte eine weitere Tasse aus dem Wasser und bearbeitete sie mit dem Lappen. »Ich komme dann zu dir, wenn ich fertig bin.«

Es dauerte eine weitere gute halbe Stunde, bis Séan den Rest des Geschirrs gespült hatte. Danach reinigte er noch die Arbeitsplatte und den uralten Herd, jedenfalls soweit das möglich war. Immer wieder schweiften seine Gedanken ab. Er dachte an die Ferien seiner Kindheit, an lange Nachmittage am Meer, entweder direkt vor Grandad Joes Haustür, aber auch am Ballinesker oder am Curracloe Beach, wohin er und Joe mit dem alten Volkswagen gefahren waren. Gemeinsam hatten sie Vögel und Robben beobachtet und unzählige Muscheln gesammelt. Sie hatten auch Ausflüge nach Hook Head gemacht, wo man neben dem alten Leuchtturm auch einige der im dunkelgrauen Kalkstein gefundenen Fossilien bewundern konnte, was Séan über Jahre hinweg in dem Wunsch bestärkt hatte, sich später der Erforschung von Fossilien zu widmen. Irgendwo im Haus seiner Mutter mussten noch seine eigenen Fundstücke sein: frühe Wasserlilien und solches mehr. Warum hatte er sich dann eigentlich für Englische Literatur und Geschichte eingeschrieben, etwas, was er zwar immer gut gekonnt, aber nie besonders geliebt hatte – was hatte ihn dazu getrieben? Vielleicht der Gedanke, dass er damit überall auf der Welt sein Geld als Englischlehrer verdienen konnte? Und das hatte er ja gewollt. Irgendwann, mit dem Älterwerden, hatte er nur fort von hier gewollt, raus aus dem kleinen Irland, etwas von der Welt sehen. Im Laufe der Zeit hatte das Geschichtsstudium der englischen Literatur dann aber ihren Rang abgelaufen, und nun würde er dieses Jahr mit seinem PhD-Studium beginnen. Danach war er promovierter Historiker, ein Gedanke, der ihn durchaus amüsierte.

Séan trocknete sich die Hände ab und konnte das Geschirrtuch dann endlich aufhängen. Joe saß in seinem Lehnsessel vor dem Kamin, die Füße in den abgeschabten, karierten Altmännerhausschuhen zum Feuer hin gerichtet. Séan konnte schon von der Seite sehen, dass ihm der Kopf auf die Brust gesunken war, die sich langsam und sanft hob und senkte. Früher hatte er Joe kaum einmal schlafen sehen, immer war er auf den Beinen gewesen. Entweder hatte er in seinem Haus gewerkelt, oder in seinem Garten. Viele Jahre lang hatte er auch ein paar Schafe gehalten, aus deren Milch er Käse hergestellt hatte. Zu einem Gutteil hatte er sich selbst versorgt. Für die Nachbarschaft hatte er Dinge repariert und dafür im Austausch Milch, Brot und anderes mehr erhalten. Manchmal hatten ihm auch Séans Eltern unter die Arme gegriffen, aber das hatte Joe kaum erlaubt. Er hatte seine eigenen Vorstellungen vom Leben gehabt. Geld hatte er jedenfalls nur wenig ausgegeben. Einmal im Monat war er zur Post gegangen, um seine Rente abzuholen. War Séan dabei, hatte es in der Stadt im Sommer für ihn ein Softeis gegeben, im Winter einen heißen Kakao.

Séan trat dicht an den alten Mann heran. Joe rührte sich nicht. Durch das Fenster fiel noch ein Rest graues Tageslicht herein und leuchtete das schmale, faltige Gesicht von der Seite her aus. Die Nase sah plötzlich größer aus, als Séan sie in Erinnerung hatte, Grandads Lippen waren dafür schmaler. Er war wirklich alt geworden.

»Noch ein paar Würstchen, Bacon oder etwas Rührei?«, fragte Ma.

»Aber gerne«, sagte Séan und hielt ihr seinen Teller hin.

Am Vorabend war Janice erst spät bei Grandad aufgetaucht, weil sie die Gäste noch mit einer Mahlzeit und Tipps für die Abendgestaltung versorgt hatte. Sie hatten dann noch etwas von dem *stew* gegessen und ein bisschen geredet. Als Séan und seine Mutter am nächsten Morgen aufstanden, schliefen die Gäste noch. Da es Samstag war und Ma nirgendwo hin musste, nahm sie sich Zeit, ein kräftiges irisches Frühstück aufzufahren, samt Würstchen, Speck, Rührei, *baked beans*, Toast und selbst gebackenem *brown bread*.

Es war jetzt kaum 8:30 am Morgen, und obgleich Séan geglaubt hatte, so früh am Morgen nichts runterzubekommen, hatte er inzwischen einen guten Appetit entwickelt. Das Frühstück war ausgesprochen lecker. So etwas Gutes hatte er schon lange nicht mehr gegessen. In Dublin gab's meist nur eine Tasse starken Tee und etwas Buttertoast. Sonntags frühstückte er ab und an im *Bewleys* in der Westmoreland Street, las den *Sunday Independent* und kam sich sehr erwachsen und auch etwas dekadent vor.

Nachdem Janice den Teller erneut gefüllt hatte, setzte sie sich nun ebenfalls, zog die Tasse mit Milchkaffee zu sich heran – morgens trank sie niemals Tee – und schwieg so beredt, dass Séan den Kopf hob und sie schließlich fragend anblickte.

Janice zögerte noch, dann räusperte sie sich.

»Und, ist dir etwas aufgefallen?«

Séan kaute an seinem Bissen Toast und überlegte. »Also, ich glaube in jedem Fall, dass du recht hast. Er packt das Alleinleben nicht mehr ganz. Er bräuchte ganz sicher eine Hilfe, möglicherweise nur vorübergehend, möglicherweise länger, das ist schwer zu sagen.«

»Hm.«

Janice nahm einen kleinen Löffel zur Hand und rührte konzentriert in ihrer Tasse. Eigentlich war das sinnlos, denn sie nahm gar keinen Zucker. Endlich trank sie einen Schluck, stellte die Tasse dann sehr behutsam ab.

»Als ich das letzte Mal da war«, sagte sie dann, »ist mir plötzlich auch aufgefallen, dass er im Laufe der Zeit unglaublich viel Kram angesammelt hat. Dir auch? Ich hatte mit einem Mal den Eindruck, er wirft nichts mehr weg. Überall liegen Sachen herum, in jeder Ecke stapelt sich etwas.«

Séan spießte ein Würstchen auf, schnitt es sorgsam in drei Teile und steckte sich dann eines davon in den Mund, ließ ein Stück gebutterten Toast folgen. Er wollte nachdenken, bevor er antwortete. Es war alles nicht so einfach. Noch hatte er sich kein wirkliches Bild der Situation machen können.

»Es war ein bisschen unordentlicher, als ich das sonst gewohnt war«, gab er schließlich zurück.

Séan bemerkte, dass seine Mutter ihm die Hand hinstreckte und sie dann ebenso schnell wieder zurückzog. Seit er älter geworden war, wussten sie nicht mehr recht, wie sie miteinander umgehen sollten. Er war jetzt ein Mann. Er hatte eine eigene Wohnung, auch wenn sie zu einem Teil für die Miete aufkam.

»Ich bin froh, dass dir das auch aufgefallen ist«, sagte sie jetzt. »Es sollte jemand bei ihm bleiben, zumindest für eine Weile.«

Séan nickte, schob etwas Rührei auf den Toast, angelte ein Stück Bacon mit den Fingern, was ihm eine hochgezogene Augenbraue von Janice einbrachte.

»Würdest du …«, setzte sie dann an. »Würdest du das vielleicht tun? Nur ein paar Wochen – ist gerade eng im Job, und die Sache mit dem *Bed and Breakfast*, du weißt schon …«

Wie auf ein Signal hin rumpelte es oben, dann begann das Wasser zu laufen. Séan schenkte sich Kaffee aus der *french press* nach.

»Klar, mach ich. Hab ich doch schon gesagt.«

»Ich wusste nicht …«, setzte Janice an, dann schwieg sie einen Moment lang. »Ich dachte, ich lasse dich erst mal die Lage vor Ort anschauen, bevor du dich wirklich entscheidest.«

»Ach so …« Séan hatte seinen Teller geleert und legte sein Besteck quer darüber. »Nein, ich hatte mich schon entschieden, als ich von Dublin aufgebrochen bin. Kein Problem also. Wir … Wir sind doch eine Familie.«

Janice blickte erleichtert drein. Séan sah aus dem Panoramafenster zum Meer hinüber. Er hatte noch Zeit, bis das Studium wieder losging, und für ihn hatte sich mit der Doktorandenstelle ohnehin einiges geändert. Ein paar Wochen konnte er auch gut hier unten verbringen. Natürlich würde er auf diese Weise nicht dazu kommen, sich einen Job zu suchen, wie er das eigentlich vorgehabt hatte, aber auch dafür würde sich eine Lösung finden. Er half seiner Mutter dabei, den Frühstückstisch abzuräumen und einen neuen Tisch näher beim Panoramafenster für die Gäste einzudecken. Janice hatte dort eine Art Frühstücksecke eingerichtet.

Am späten Vormittag, nachdem er sein altes Fahrrad wieder halbwegs flottgemacht hatte, brach er zu Grandad Joes Cottage auf. Im Haus war niemand zu finden, als er eintraf. Die Tür stand jedoch sperrangelweit offen. Séan schob sie zu und verriegelte sie. Als Joe früher einmal betrunken die Tür nicht verschlossen hatte, hatten sich morgens Schafe im Haus befunden. Auch im Garten, dessen Zustand besser war als der des Hauses, war Joe nirgendwo zu sehen. Séan machte sich schließlich auf den Weg zum Strand.

Vom hinteren Teil des Gartens aus führte ein schmaler, erst steiniger, dann sandiger Pfad zum Meer. Kurz bevor man den Strand erreichte, ging es zwischen ein paar mit Blaustrandhafer bewachsenen Dünen hindurch. Von dort aus war schon das Geräusch der Wellen zu hören. Als er den weichen Sand erreichte, entschied Séan sich, die Schuhe auszuziehen.

Er sah Joe, kaum, dass er den Strand betreten hatte. Grandads hochgewachsene Gestalt stand fast an der vordersten Wasserlinie. Er hatte die Hände hinter dem Rücken verschränkt und sah über das Meer zum Horizont.

»Wohin schaust du?«, hatte Séan einmal als Junge gefragt.

»Nach Europa«, hatte Joe geantwortet. »Ist es nicht schön, dass es Europa gibt?«

Etwa eine Stunde später machten sie sich gemeinsam auf den Rückweg. Sie hatten nicht viel geredet. Ein wenig über das Wetter und was in der Zeit seit Séans Umzug in die große Stadt passiert war. Ein wenig über Janices *Bed and Breakfast*.

»Macht sie gut, meine Schwiegertochter«, hatte Joe in seinem knurrigsten Tonfall festgestellt. »Ist mal eine Möglichkeit, etwas Geld hereinzuholen.«

»Möglich.« Séan hatte die Achseln gezuckt. Er wusste nicht, wie viel man in ein solches Projekt reinstecken musste und wie viel dabei herauskam.

»Und, hat sie dich überredet, ein Auge auf mich zu werfen?«, fragte Joe jetzt, wohl schroffer, als er das beabsichtigt hatte, denn er schob ein knappes »Entschuldige, war nicht so gemeint« hinterher.

»Nein«, gab Séan ebenso knapp zurück, entriegelte die Tür und ließ seinen Großvater zuerst eintreten. Joe steuerte den Küchentisch an. Séan stellte Wasser auf, hängte drei Beutel *Barry's Tea* in die Kanne und kam schließlich mit Bechern, Kanne, Milch und einem Teller *Hobnobs* an den Tisch. Joe runzelte die Stirn.

»Wo hatte ich die denn?«

»Nirgends, die habe ich mitgebracht.« Séan nickte zu einer Kiste hin, die er neben der Tür abgestellt hatte. »Ma wusste nicht, wie voll dein Vorratsschrank ist.«

Joe sagte nichts. Séan prüfte die Stärke des Tees – Joe wollte schließlich kein Spülwasser –, befand sie als ausreichend und schenkte Grandad und sich ein. Für einen Moment lang tranken sie beide schweigend ihren Tee und aßen Kekse dazu. Joe liebte *Hobnobs*. Der Teller hatte sich also schon bald deutlich geleert. Dann schaute Joe seinen Enkel prüfend an.

»Also, sag schon, warum bist du hier?«

»Um dir zu helfen. Das stimmt schon. Ma hat mich gefragt, aber es war meine Entscheidung. Sally willst du ja nicht.«

»Ich … Ach, Sally.«

Séan sah zu, wie Joe sich Tee nachgoss, beobachtete die blauädrige Altmännerhand, die doch keinen Tropfen danebengoss und nur ins Zittern geriet, als sie die schwere Steingutkanne auf dem Tisch abstellen wollte. Danach etwas Milch, nur so wenig, dass sich die Milch wie eine Wolke in der dunkelbraunen Flüssigkeit versenkte. Joe mochte seinen Tee nicht milchig; da waren Séan und Janice ganz anders. Und Da …? Séan konnte sich nicht mehr daran erinnern, wie Da seinen Tee gemocht hatte. Na ja, es war ja auch schon lange her, fast zehn Jahre, und damals war es nicht wichtig gewesen. Séan bemerkte plötzlich, dass er einen Keks zwischen seinen Fingern zerkrümelt hatte.

»Der gute *Hobnob*«, rügte Joe ihn grinsend, dann stützte er die Ellenbogen auf dem Tisch auf. »Also gut, du willst

228

mir helfen. Hast du nichts Besseres zu tun? Dein Studium fängt bald an, du hast jetzt dein Leben in Dublin.«

»Vielleicht.« Séan trank etwas Tee. »Aber im Moment habe ich wirklich noch nichts Besseres zu tun.«

Joe schwieg für einen Moment.

»Wie meinst du das, vielleicht?«, hakte er dann nach. »Janice hat mir gesagt, du schreibst eine Doktorarbeit.«

Séan schob den Becher Tee von sich weg.

»Vielleicht heißt, dass ich mir plötzlich nicht mehr sicher bin, Grandad. Vielleicht möchte ich eine Pause einlegen und erst nächstes Jahr weitermachen. Das heißt ›vielleicht‹.«

Wieder entstand eine Pause.

»Gefällt es dir dort nicht?«

»Doch, es ist klasse.« Séan dachte an die vielen Pubs, die unterschiedlichen Geschäfte, Cafés, das ganze großstädtische Flair und seine Wohnung, wo er niemandem Rechenschaft über sein Kommen und Gehen ablegen musste. Dann dachte er an sein Studium. Joe räusperte sich.

»Seit wann bist du dir nicht mehr sicher?«

»Seit ich mich auf den Weg hierher gemacht habe.« Séan zog den Teebecher wieder zu sich hin und trank. Joe schüttelte den Kopf.

»Na, da beißt die Maus doch den Faden ab.«

Séan hob den Kopf und grinste seinen Großvater an.

»Also, kann ich hier bei dir bleiben? Für ein paar Wochen? Und mir über ein paar Dinge klar werden.«

Joe nickte. »Klar. Du kannst natürlich mein altes Bett oben nehmen. Ich schlafe schon länger hier unten.«

»Hab ich mir gedacht.«

Joe zog die Augenbrauen hoch. »Wieso? Wirke ich so klapprig?«

»Du bist fast hundert Jahre alt, Grandad, was erwartest du?«

Joe gab keine Antwort, stand auf und schlurfte zur Spüle rüber, um seinen Becher hineinzustellen. Dann drehte er sich wieder zu seinem Enkel hin.

»Ja, was erwarte ich? Das ist eine gute Frage. Was erwarten wir eigentlich alle?«

Diese Nacht verbrachte Séan noch einmal bei seiner Mutter. Am Tag darauf quartierte er sich bei Grandad Joe ein. Janice war traurig, fand aber auch, dass es das Beste war, nahe bei Grandad zu sein, falls der unerwartet Hilfe brauchte. Über das, was geschehen war, über den Schwächeanfall, redeten sie vorerst nicht. Als Séan in der ersten Nacht im Cottage oben im Bett lag, stellte er fest, dass es noch genauso schön war, zu den Sternen zu blicken, wie in seiner Kindheit. Unten schnarchte Grandad leise auf dem Sofa. Im Kamin knisterte das Feuer und verbreitete wohlige Wärme, während die Flammen tanzende Bilder aus Licht und Schatten an die Wände malten.

Séan erwachte früher als sonst am nächsten Morgen. Er fröstelte, denn im Cottage war es kühl. Das Feuer im Kamin musste über Nacht ausgegangen sein, und Joe beschäftigte sich eben damit, es neu in Gang zu bringen. Er trug noch seinen Schlafanzug aus kariertem Flanell in Grau, Braun und Blau, während er vor dem Herd kniete, Holz und Zeitungspapier hineinstopfte und schließlich von oben durch die geöffnete Herdplatte ein Streichholz hineinfallen ließ. Die Flammen züngelten. Séan hörte es knistern.

Er wunderte sich nicht, dass Joe schon wach war. Grandad war immer ein Frühaufsteher gewesen. Auf dem alten Tisch, dessen Holz von der Benutzung durch die Jahre hindurch ganz glatt und silbergrau geworden war, wartete bereits ein Frühstück aus selbst gebackenem *brown bread* und Schafskäse.

»Guten Morgen«, brummte Joe, als sein Enkel die Leiter heruntergeklettert kam.

»Guten Morgen, Grandad!«

Trotz der frühen Morgenstunde – es war kaum sieben Uhr, wie Séan mit einem Blick auf die große Küchenuhr feststellte – fühlte er sich ausgeschlafen.

»Frühstück?«, fragte Joe.

Séan nickte, fand, dass sein Großvater anrührend aussah mit seinem feinen, weißen Altmännerhaar, das noch vom Schlaf verlegen und verwuschelt war, in seinem karierten Pyjama, aus dessen Ärmeln knochige Hände hervorschauten. Sie setzten sich. Joe schob seinem Enkel den Teller mit Schafskäse zu, den eine Schicht aus grünen Kräutern und wohl auch etwas Paprika bedeckte. Séan schnitt ein kleines Stück ab und probierte. »Lecker«, stellte er fest. Bei Grandad hatte es oft etwas Besonderes zu essen gegeben.

»Von Sally, der Käse. Macht sie aus ihrer Schafsmilch«, sagte Joe.

»Sally hat ihre Schafe noch?«

»Ja.« Joe sah nicht zu ihm hin, während er für jeden eine Scheibe *soda bread* abschnitt.

Das Brot schmeckte nach Kindheit – Joes Brot hatte immer etwas Besonderes gehabt –, und da es noch warm war, zerschmolz die Butter darauf goldgelb. Séan schnitt noch ein Stückchen Käse ab, konzentrierte sich dieses Mal auf die Kräuterkruste. Er bemerkte, dass Joe ihn dabei beobachtete.

»Und?«, fragte der alte Mann. »Wie ist sie?«

»Die Kräuterkruste war deine Idee?«, vergewisserte sich Séan.

Joe nickte.

»Sehr gut. Ist da Paprika drin?«

»Spanischer. Ich habe ihn mir mitbringen lassen. Ein bisschen scharf, was?«

Séan probierte noch einmal. »Nein, genau richtig. Das ist wirklich gut.«

Séan biss das nächste Stück Brot ab.

Der Rest des Frühstücks verlief schweigend. Schließlich stand Séan auf. Er hatte sich vorgenommen, heute aufzuräumen, denn neben dem Geschirr, das er am Tag zuvor bewältigt hatte, war ihm seit gestern noch einiges aufgefallen, was in Ordnung gebracht werden musste. Zuerst aber ging er in das kleine Badezimmer, das sich in einem benachbarten Anbau befand. Als das Cottage gebaut worden war, hatte man an solchen Luxus noch nicht gedacht. Séans Vater hatte den Anbau später entworfen. Das Wasser, das aus dem Duschkopf kam, war wärmer als erwartet und doch kälter als gewohnt. Danach fühlte Séan sich gut durchblutet. Er schlüpfte in frische Unterwäsche, die Jeans vom Vortag und seinen braunen Lieblings-Aransweater. Als er zurück ins Cottage kam, saß Joe immer noch im Schlafanzug mit seiner Tasse Tee am Tisch und musterte ihn.

»Was hat Janice eigentlich zu deinen Haaren gesagt?«

Séan fuhr sich unwillkürlich über den raspelkurzen Schopf. Er zuckte die Achseln. »Nicht viel.«

»So siehst du deinem Da sehr ähnlich«, sagte Joe. »Abgesehen von der Haarfarbe natürlich – die ist von deiner Mutter.« Dann nahm er seine Tasse Tee und ging hinüber zu seinem Lehnsessel.

Séan machte sich daran, die Überreste des Frühstücks zu beseitigen, begann dann, sich systematisch von links nach rechts durch die Stapel vorzuarbeiten. Ein paar alte Plastiktüten füllten sich mit Müll, ein paar herumliegende Sachen sortierte er in die Schränke ein. Die oberflächliche Unordnung hier unten ließ sich schneller als erwartet beseitigen. In einem nächsten Schritt füllte Séan einen Eimer mit Putzwasser, fügte etwas warmes Wasser und flüssige Kernseife hinzu, die er in Grandad Joes Vorratsschrank gefunden hatte. Zuerst reinigte er die Ablagen, danach wischte er den mit glatten, grauen Steinplatten ausgelegten Boden des Cottages.

Nach etwa zwei Stunden war er fertig mit allem. Es war leichter gegangen als erwartet. Séan setzte neuen Tee auf, schenkte Grandad und sich je eine Tasse ein und machte eine kurze Pause. Da Grandad nicht zum Reden aufgelegt war, machte Séan sich bereits wenig später auf den Weg nach oben.

Hier, stellte er bald fest, würde ihm die Sache weitaus weniger leicht von der Hand gehen. An den Wänden von Joes ehemaligem Schlafzimmer stapelten sich ringsherum

Papiere, größere und kleinere Kartons. Séan setzte sich auf das Bett und schaute sich um, während er einen Seufzer unterdrückte. Komisch, dass ihm das nicht schon früher aufgefallen war: Diese Sachen waren doch augenscheinlich nicht erst seit Kurzem hier.

Wieder begann er auf einer Seite, um sich von dort aus langsam vorzuarbeiten. Zwei Stunden später war er kaum zwanzig Zentimeter weit gekommen. Er hatte ein paar alte Zeitungen zum Feuerholzstapel gebracht, aber er würde irgendetwas brauchen, wo er die Dinge einsortieren würde, denn nicht alles konnte er einfach so entsorgen. Für eine weitere Stunde beschäftigte er sich mit einer groben Vorsortierung, dann entschied er sich, für heute aufzuhören, und schlug Joe vor, noch einen Spaziergang zum Meer zu machen. Auch Joe hatte sich inzwischen angezogen, aber er schüttelte den Kopf.

»Nein, heute nicht. Ich bin müde.«

Séan zögerte einen Moment, dann stapfte er allein los. Nach der ganzen Putzerei, dem Sortieren und dem vielen Staub brauchte er etwas frische Luft. Ein paar Urlauber waren unten am Strand. Ein Mann und zwei kleine Jungen ließen Drachen steigen. Die beiden Kinder juchzten. Etwas weiter vorn am Wasser suchten eine Frau und ein Mädchen nach Muscheln. Wie Grandad Joe am Tag zuvor schaute Séan über das Meer hinweg nach Osten.

Der Kontinent, fuhr es ihm plötzlich durch den Kopf, ich bin noch nie da gewesen. Er nahm sich vor, dies so bald wie möglich zu ändern. Es fuhren Fähren dorthin, er würde noch nicht einmal den Umweg über England nehmen müssen. Vielleicht könnte er ja mal einen Ferienjob da drüben finden. In Deutschland zum Beispiel. Er sprach schließlich Deutsch. Es gab immer Angebote; er hatte sich schon öfter danach erkundigt.

Eine Weile lief er am Wasser entlang und suchte nach Muscheln und Schnecken, wie er das als Kind getan hatte. Ab und an riss eine Windböe an seiner Wachstuchjacke. Der Himmel über ihm hing tief und voller Wolken, die sich ab und an bedrohlich verdichteten und dann wieder aufrissen. Es regnete nicht, obgleich es mehrfach danach aussah. Da er den Kopf meist gesenkt hielt, bemerkte Séan erst, wie weit er gelaufen war, als er in kurzer Entfernung auf dem Hügel sein Elternhaus erblickte. Bald hatte er den Strandabschnitt direkt unterhalb des Hauses erreicht. Von hier führte ein Pfad zum unteren Gartentor. Früher hatte hier ihre Jolle gehangen, und am Wochenende waren sie häufig segeln gegangen. Nach Das Tod hatte Ma das Boot verkauft. Séan drehte sich noch einmal um und blickte über das Meer hinweg. Mittlerweile tanzten weiße Schaumkronen auf bleifarbenem Wasser. Für einen kurzen Moment meinte er, den Kopf einer Robbe aus den Wellen auftauchen zu sehen. Die feuchte Luft schmeckte nach Salz.

In den nächsten Tagen räumte Séan weiter auf. Im Erdgeschoss war bald nichts mehr zu erledigen; blieb nur das vollgestopfte Schlafzimmer oben. Viel hatte sich dort noch nicht getan. Er war immer noch bei der groben Vorsortierung. Das Gefühl von Staub und Schmutz an den Händen und vor allen Dingen an den Fingerspitzen fiel ihm kaum noch auf. Einmal noch machte er einen langen

Spaziergang zu Ma, holte sich frische Wäsche und ließ die dreckige da. Neue Gäste waren angekommen, schwärmten von der Landschaft und den schönen Wanderungen. Er versprach ihnen, etwas von Sallys Käse vorbeizubringen, und schlug vor, im Hafen von Wexford nach einem Boot zu suchen, das einen Ausflug zu den Sandbänken machte, von wo aus man Robben beobachten konnte. Grandad schien es gut zu gehen. Er machte kleine Spaziergänge und arbeitete im Garten. Bislang hatte er keinen weiteren Schwächeanfall gehabt.

In der zweiten Woche hatte Séan auf dem Dachboden zumindest drei Beutel Müll aussortiert und alle Stapel an einer Wand durchgesehen. Nun machte er sich an die andere Seite. Diese Stapel waren deutlich staubiger und offenbar auch älter. Komisch, dass ihm das als Kind nie aufgefallen war. Er ging auf die gleiche Weise vor. Am Freitag stieß er ganz hinten in der Ecke, unter einem Wust Papier, auf einen alten Pappkoffer. Er hatte so einen schon einmal bei einem Trödler gesehen. Von außen sah der Koffer aus, als sei er aus Leder, jedenfalls, wenn man nicht genau hinsah. Klappte man ihn auf, erkannte man, dass das Innere aus Pappe war. An einer Stelle konnte Séan eine Jahreszahl erkennen. 1921, oder so. Die Schrift war verwischt und kaum noch zu lesen.

Er hob den Koffer hoch und trug ihn zum Fenster hinüber, um einen Blick auf den Inhalt zu werfen. Er musste lächeln, als er als Erstes einen Zylinder hervorzog. Hatte Grandad so etwas getragen? Nein, das konnte er sich jetzt wirklich nicht vorstellen. Unter dem Zylinder lag ein etwa wadenlanger, einreihiger grauer Mantel aus leichtem Tuch, ohne Futter, mit einem hohen Schlitz hinten, der einmal geknöpft worden war, doch die Knöpfe fehlten. Séan hob den Mantel heraus. Sah irgendwie militärisch aus. Deutsch, wenn er sich nicht irrte. Grandad hatte nie etwas vom Krieg erzählt. Wie er wohl in den Besitz eines deutschen Mantels gekommen war? Na ja, andererseits hatte Grandad oft Dinge auf dem Trödelmarkt gekauft. Séan legte den Mantel zur Seite und schaute erneut in den Koffer. Nur noch wenig befand sich darin, er war ja auch nicht besonders groß: etwas, was wie Briefe aussah, und – gestrickte! – Unterwäsche. Neugierig nahm Séan die vergilbten Blätter heraus. Sie machten den Eindruck, als seien sie einmal aus einem Brand gerettet worden. Wasser hatten die Seiten auch abbekommen. Die Schrift war nur noch hier und da zu lesen.

Re, entzifferte Séan, *recipes?* Rezepte? Er nahm sich das nächste Blatt vor. Nein, das waren keine Briefe. Die Struktur des Textes deutete tatsächlich darauf hin, dass es sich um Rezepte handelte, auch wenn er fast nichts davon entziffern konnte. Die Schrift sah merkwürdig aus. Hatte man früher so geschrieben? In seinem ganzen Studium war ihm so etwas jedenfalls bislang nicht begegnet. Das zweite Blatt schien aus einem Buch herausgetrennt worden zu sein. Séan wollte das Bündel gerade wieder zurücklegen, als etwas zwischen den Seiten herausfiel und zu Boden schwebte: eine gepresste Blume. Er zögerte einen Moment lang, dann hob er sie auf. Er musste jetzt mit Grandad reden.

15

*D*as zweite Jahr, *1915*

*S*chon das zweite Jahr, dachte Beatrice, während sie, die Arme gegen die scharfe Kälte um den Leib geschlungen, den Kopf gegen den eisigen Wind gesenkt, energisch vorwärtsschritt. Schon das zweite Jahr, und immer noch kein Ende. Dabei hatten doch alle gesagt, der Krieg wäre spätestens im Herbst wieder vorbei. Im Winter 1914 hatten sie sich auf den Champs-Élysées in Paris treffen wollen.

Hochmut kommt vor dem Fall, sagte man nicht so?

Beatrice senkte den Kopf noch tiefer. Im letzten Sommer hatte sie die Schule beendet, und die Frage, was sie jetzt mit ihrem Leben anstellen wollte, hatte sie, neben der Sehnsucht nach Johannes, sehr beschäftigt. Auch wenn sie sich den Abschied damals im August 1914 anders vorgestellt hatte und vielleicht auch ein wenig wütend gewesen war, hatte sie Johannes schon am Tag der Abreise schmerzlich vermisst.

Eine heftigere, eiskalte Windböe ließ Beatrice die Zähne zusammenbeißen. Nach dem Schulabschluss hatte sie ein paar Wochen lang viel im Hotel ausgeholfen. Sie hatte die Gäste unterhalten, darunter auch einige Männer, mit denen Mama sie ganz offensichtlich gern verheiratet sehen würde, und abends im Bett gelesen, bis ihr die Augen zufielen. Mehr als einmal war sie mit dem Buch auf der Brust wieder aufgewacht.

Papa, der wusste, dass sie auf Johannes warten wollte, bedrängte sie nicht. Mama dagegen, die doch früher von einer Hochzeit mit einem der Thalheim-Jungen geträumt hatte, nannte eine solche Beziehung heute ganz und gar unmöglich. Dagegen war ihr der Besitzer einer Textil-fabrik, der in diesen Zeiten Uniformen herstellte, als pas-sender Ersatz ins Auge gesprungen. Beatrice verschwen-dete keinen Gedanken an den Mann – doch, einmal hatte sie sich gefragt, ob Johannes und Ludwig wohl seine Uni-formen trugen.

Zum Frühherbst hin waren die Spannungen zwischen Mama und ihr jedenfalls immer heftiger geworden. Manch-mal floh Beatrice geradezu aus dem *Hotel zum Goldenen Schwan*, weil Edith und sie nur noch stritten. Beatrice konnte es ihrer Mutter nicht recht machen, und die ak-zeptierte nicht, dass ihre Tochter eigene Vorstellungen vom Leben hatte. Auch nur die Erwähnung der Familie von Thalheim, die ihr Hotel mieden, oder eines ihrer Mitglieder war mittlerweile wie ein rotes Tuch für Edith Kahlenberg, und manchmal fragte sich Beatrice, ob da noch etwas vorgefallen war, von dem sie nichts ahnte. Noch schlimmer wurde es, nachdem Corinna ihre Stel-lung aufgegeben hatte und nach Frankfurt gezogen war, wo sie eine Stelle als Telefonistin gefunden hatte. Keiner hatte etwas von Corinnas Plänen geahnt, bis sie einfach gegangen war. Beatrice hatte sich nicht vorstellen können, dass die Freundin so etwas einfach tun würde – schließ-lich waren sie beide nicht volljährig –, aber Corinnas Mutter hatte ihr diesen Schritt erlaubt, nachdem die Tochter versprochen hatte, einen guten Teil des Lohns bei ihr abzuliefern.

Telefonistin, hörte sich das nicht nach weiter Welt an? Natürlich hatte Beatrice gewusst, wie sehr Corinna ihre Arbeit im Haus und in der Küche des Hotels hasste, doch ein wenig nahm sie der Freundin die Flucht doch übel. Hatten sie nicht immer füreinander einstehen wollen? Sie waren doch Freundinnen gewesen, und keine hatte die andere je allein lassen wollen, das hatten sie einander geschworen. Sie hatten sich versprochen, immer auf den anderen achtzugeben. Beatrice ärgerte sich. Dann – es war einer der Tage gewesen, an denen Beatrice wieder einmal vor ihrer Mutter davongelaufen war – waren Corinna und sie sich plötzlich zufällig begegnet. Es war Ende des Herbstes gewesen, Corinna hatte ihre Mutter besuchen wollen, doch natürlich waren die Freundinnen ins Gespräch gekommen, und die Fremdheit, die eine jede von ihnen anfänglich verspürt hatte, war rasch verflogen.

Corinna berichtete von ihrer Arbeit. Beatrice entschied spontan, es ihr gleichtun zu wollen – sie war sich sicher, dass Papa es erlauben würde, sie musste ihn nur fragen –, ebenfalls in die Stadt zu ziehen und für einige Zeit dort zu arbeiten. Die Männer waren im Krieg, ihre Stellen mussten besetzt werden. Außerhäusliche Erwerbstätigkeit, ein lustiger Ausdruck, wie Beatrice fand, war zur Notwendigkeit geworden. Grenzen wurden verschoben, den jungen Frauen und Mädchen musste ihre natürliche Berufung zu Ehe und Familie in diesen schweren Zeiten vorerst verwehrt bleiben. Es gelang ihr bald, ebenfalls eine Stelle als Telefonistin zu finden.

Und natürlich konnte Papa seiner Tochter den Wunsch nicht abschlagen. Corinna stimmte zögernd zu, als Hermann Kahlenberg den beiden jungen Frauen eine gemeinsame, größere möblierte Wohnung in Aussicht stellte. Sie befand sich im Frankfurter Stadtteil Sachsenhausen und bestand aus ursprünglich zwei Wohnungen – einer größeren und einer kleineren –, durch einen langen Flur miteinander verbunden, den eine Tür in der Mitte trennte. In der kleineren Wohnung wohnte eine ältere Dame, Frau Lehmkühler, eine entfernte Bekannte der Kahlenbergs, die schon öfter junge Frauen beherbergt hatte und zustimmte, auch auf Corinna und Beatrice aufzupassen.

»Unser Anstandswauwau«, scherzte Beatrice und war zugleich froh, nicht ganz allein zu sein. Edith wiederum war sich sicher, dass die Eskapade ihrer Tochter nur wenige Wochen dauern würde, und schwieg deshalb.

Nun wohnten sie also beide seit über einem Monat in der Stadt, und Beatrice kam nur noch am Wochenende nach Hause. Anfangs war ihr alles wie Ferien erschienen, inzwischen schlich sich Routine ein. Immerhin hatten sie gut zu essen, denn ihre Eltern versorgten sie beide großzügig. Mama hatte einen Teil des Blumengartens in einen Gemüsegarten umgewandelt. Im See waren Speisefische ausgesetzt worden. Noch schien die Vorsichtsmaßnahme übertrieben, aber Mama war sich sicher, dass sie mit ihrer Vorsorge recht behalten würde. Befand sich die deutsche Landwirtschaft nicht in einer schwierigen Lage, nachdem zu Kriegsbeginn eine große Menge Landarbeiter und Pferde eingebüßt worden waren? Auch die Versorgung mit industriellem Dünger lief schlecht, und Großbritannien hatte schon im August 1914 eine Seeblockade verhängt. Immerhin war die Ernte 1914 insgesamt dennoch gut ausgefallen.

»Trotzdem werdet ihr mir noch dankbar sein«, pflegte Edith zu sagen, wenn Beatrice und ihr Vater sie neckten. Das Verhältnis zwischen Mutter und Tochter war seit Beatrices Fortgang etwas harmonischer geworden. Edith sah die Tätigkeit der Tochter in der Stadt inzwischen als kriegswichtig an und fand zudem, dass Beatrices neu erworbenes Wissen ihr eines Tages bei der Führung des Hotels hilfreich sein würde. Auch das Hotel würde sicherlich bald über eine Telefonanlage verfügen.

Das Einzige, worüber es Streit gab, war das Stricken. Mama strickte leidenschaftlich für die Soldaten und verlangte am Wochenende von ihrer Tochter, es ihr gleichzutun. Beatrice dagegen hasste das Stricken und was sie fabrizierte, war tatsächlich eher eine Zumutung als ein Geschenk.

Beatrice seufzte, als sie nun endlich das Wohnhaus erreichte, in dem sich Corinnas und ihre Wohnung befand. Erleichtert warf sie sich gegen die schwere Haustür und lauschte, immer noch fasziniert, dem klappernden Geräusch ihrer Absätze nach, während sie in den dritten Stock hinaufeilte. Corinna war schon da, doch der Ofen war kalt, denn sie mussten Feuerholz sparen. Beatrice horchte kurz. Von der Nachbarwohnung war nichts zu hören. Frau Lehmkühler, ihre Vermieterin, war sehr diskret. Das Bild, welches sich Beatrice bot, war ihr durchaus geläufig: Die Freundin saß am Küchentisch, eine Tasse dampfenden Kräutertees vor sich, eingepackt in einen unförmigen Strickpulli, eine Wollmütze auf dem Kopf und fingerlose Handschuhe an den Händen. Auf dem Herd köchelte eine Gemüsesuppe, deren Duft Beatrice dankbar wahrnahm. Zu solchen Gelegenheiten war es wirklich ein Geschenk, dass Corinna über mehrere Jahre hinweg in der Küche des *Goldenen Schwans* gearbeitet hatte. Sie konnte in diesen schweren Zeiten, in denen es an allen Ecken mangelte, wirklich aus sehr wenig etwas zaubern. Denn auch wenn sie von den Eltern mitversorgt wurden, waren Lebensmittel knapp und die Schlangen vor den Geschäften endlos lang.

Beatrice warf ihren Schlüssel in die dafür bereitstehende Schale. Corinna drehte auf das Geräusch hin den Kopf und begrüßte die Freundin. »Ah, da bist du ja endlich. Hast du Hunger?«

»Wie ein Bär.« Beatrice legte zur Betonung eine Hand auf den Bauch. »Und es riecht gut.«

»Natürlich.« Ein kleines Lächeln grub sich in Corinnas Mundwinkel. »Vielleicht koche ich nicht gerne, aber ich kann es.«

Beatrice, die sich inzwischen ihres Mantels entledigt, aber den dicken Wollpullover anbehalten hatte, setzte sich an den Tisch. Die ersten paar Löffel Suppe genossen sie beide schweigend. Dann leckte sich Beatrice über die Lippen. »Hast du denn wirklich nie gern gekocht?«

Corinna legte bedächtig den Löffel am Tellerrand ab.

»Ich musste es. Vielleicht liegt es daran. Weißt du, ich wäre gerne länger mit euch umhergestreift. Ich war schließlich auch noch ein Kind, vergiss das nicht, Bea.«

Es klang schmerzlich, wie sie das Wort »Kind« aussprach. Als habe sie damals einen Verlust erlitten, über den sie noch lange nicht hinweg war.

»Ich …« Beatrice spürte an der Hitze, die in ihre Wangen aufstieg, dass sie errötet sein musste, und räusperte sich. »Ja, das wäre schön gewesen.«

Corinna schaute sie prüfend an, als könne sie auf diese Weise erkennen, ob die Freundin die Wahrheit sprach. Manchmal meinte Beatrice zu spüren, dass damals etwas an Vertrauen unwiederbringlich zwischen ihnen verloren gegangen war, dann wieder konnte sie es sich nicht vorstellen, so nah fühlte sie sich der Freundin. Beatrice senkte unwillkürlich den Blick, hob ihn dann sofort wieder. Sie wollte Corinna nicht ausweichen. Sie hatten doch immer zusammengehört, sie waren beste Freundinnen … *Aber ist es dir in Wirklichkeit nicht vielleicht recht gewesen, alleiniger Mittelpunkt zu sein, nachdem Corinna nicht mehr Teil unserer Gruppe war?*

Sie räusperte sich im Bemühen, die unangenehmen Gedanken abzuschütteln. »Gut, dass ich am Wochenende unsere Vorräte auffüllen kann, sonst müssen wir es doch noch einmal mit Klippfisch probieren.«

Beatrice lachte breit. Corinna schüttelte sich bei dem Gedanken an den getrockneten Fisch.

»Du besuchst deine Eltern?«, erkundigte sie sich dann.

»Ja, am Wochenende, wie immer. Gut, dass Mama so viel angepflanzt und eingemacht hat. Erst fand ich es ja amüsant, aber jetzt … Ich glaube, meine Mutter hat zum ersten Mal in ihrem Leben etwas Vernünftiges gemacht.«

Beatrice lachte. Corinna stimmte ein. In diesem Herbst hatten erstmals Maßnahmen gegen Geschäfte mit dem Hunger getroffen werden müssen. Dafür ging es ihnen alles in allem wirklich gut. Beatrice blickte auf. »Willst du deine Mutter nicht auch einmal wieder besuchen, Corinna?«

»Hm.«

Corinna beugte sich tiefer über ihren Teller, doch Beatrice achtete kaum darauf, denn ihre Gedanken schweiften ab. Die Zeiten waren schwer, sie hatten zu kämpfen, doch tatsächlich verstanden sie sich so gut wie schon lange nicht mehr. Beatrice gefiel es außerdem, dass sie allein für ihren Lebensunterhalt sorgen konnten. Na ja, fast jedenfalls; da waren die Essenspakete ihrer Eltern, aber die deckten ja nicht alles ab. Für das meiste sorgten Corinna und sie selbst.

»Du hast Post«, bemerkte die jetzt.

Beatrice drehte unwillkürlich den Kopf und spähte zu der Anrichte hinüber, auf der sie die Post ablegten. Ein typischer kleiner, grauer Feldpostbrief stand dort an eine leere Obstschale gelehnt. Seltsam, dass sie heute gar nicht zuerst dorthin gesehen hatte, aber sie hatte so gefroren, und hungrig war sie auch gewesen. Jetzt juckte es sie, sofort aufzuspringen, doch sie blieb sitzen. »Lass uns zuerst in Ruhe zu Ende essen. Der Brief läuft nicht fort«, wendete sie sich wieder an Corinna.

»Wie du willst.«

Corinna nahm den nächsten Löffel Suppe. Beatrice schnitt sich eine Scheibe Brot ab.

»Hat Ludwig eigentlich wieder geschrieben?«

Corinna nickte, sagte aber nichts weiter. Beatrice, das Messer noch in der Hand, legte fragend den Kopf schief: »Möchtest du auch etwas Brot?«

»Gerne.«

Beatrice schnitt eine weitere Scheibe Brot ab. Einen Moment lang herrschte Schweigen zwischen ihnen.

»Weißt du«, sagte Beatrice dann, »manchmal stelle ich mir immer noch vor, wir beide heiraten die Brüder. Ich Johannes und du Ludwig, und dann ziehen wir irgendwo gemeinsam hin und sind einfach nur glücklich …«

Sie lachte. Es dauerte einen kaum merklichen Moment, bis Corinna sich ihr anschloss.

Nach dem Essen zog sich Beatrice vor der Kälte mit dem Brief ins Bett zurück. Unter der dicken Daunendecke fühlte sie sich gleich besser, fingerlose Handschuhe wärmten jetzt auch ihre Finger. Die Missstimmung, die vor Johannes' Aufbruch zwischen ihnen aufgekommen war, hatte sich längst gelöst. Johannes und sie hatten ihre Differenzen in Briefen geklärt, und heute schämte Beatrice sich ihrer Kälte. Sie schämte sich, nur an sich gedacht zu haben, während Johannes sein Leben aufgeben und in den Krieg ziehen musste. Aber hatten sie nicht alle ihr altes Leben verlassen müssen? Johannes und sie hatten doch heiraten wollen, und nun waren sie von einer Heirat so weit entfernt wie nur irgendetwas.

Wie immer konnte sie die Tränen nicht zurückhalten, während sie den Brief öffnete, und beruhigte sich erst wieder, als sie las, dass es ihm – den Umständen entsprechend – gut ging. Der Krieg tat ihm jedoch nicht gut, das spürte sie, und sie hoffte sehr, dass alles bald zu Ende war und Johannes und all die anderen nach Hause kamen.

Wird er dann noch der Alte sein?

Zwar schrieb er in seinen Briefen nicht, wie er den Krieg an der Front wirklich erlebte, aber sie entnahm es seinen Rezepten. Hierfür hatte er einen kleinen Code entwickelt, in den er sie während seines letzten, kurzen Urlaubs eingeweiht hatte. Auf dem Weg nach Norden zu seinen Eltern hatten sie sich damals für kaum zehn Minuten am Frankfurter Hauptbahnhof getroffen. Außer Corinna wusste keiner etwas davon.

Iss Eier zum Frühstück. Träume von einem buttrigen Fischfilet. Wäre ich bei dir, würde ich dir deine Lieblingsspeise bereiten. Ein jeder dieser Sätze hatte seine eigene Bedeutung. Ein jeder verriet ihr seine Stimmung zu dem Zeitpunkt, an dem er den Brief geschrieben hatte. Am wichtigsten waren jedoch die einfachen Rezepte aus den letzten Tagen im Hotel – das Omelett, das Schinken-Käse-Sandwich, die gefüllten Eier, die Pfannkuchen mit glasierter Birne und solches mehr –, denn die erinnerten an ihre gemeinsamen Erlebnisse. Mit ihr zusammen hatte Johannes dabei auch die Dinge ersonnen, die er für sie kochen wollte, wenn das alles vorbei war. Wenn das alles vorbei war, würde er kochen, so viel er wollte, und danach würden sie einander in den Armen halten und sich gegenseitig füttern. Sie würden gemeinsam im Bett essen und sich nicht darum kümmern, was schicklich war und was nicht …

Und doch konnte er heute schon tot sein, genau jetzt, während sie diese Zeilen las. Beatrice biss sich auf die

Unterlippe, um die neuen Tränen zurückzuhalten. In diesem Brief schrieb er nichts vom Kochen. Vielmehr wirkte er sehr nüchtern, beinahe fremd.

An der Tür war plötzlich ein Geräusch zu hören. Beatrice wandte den Kopf. Corinna stand da, und Beatrice fragte sich, ob sie dort schon länger gewartet hatte. »Alles in Ordnung?« Corinna schaute ernst.

»Ja.« Beatrice zögerte. »Ja, alles in Ordnung. Es geht ihm gut.« Sie klopfte auf das Bett. »Komm, willst du dich zu mir setzen?«

16

Schlamm, Schlamm, Schlamm, Erde, Schlamm und Kälte. Es gab Menschen, die machte dieser Krieg verrückt. Johannes war noch bei Verstand, und doch fürchtete er sich davor, seinen Verstand irgendwann zu verlieren.

Werde ich noch derselbe sein, wenn ich nach Hause zurückkehre? Werden Beatrice und ich heiraten, so wie wir es geplant haben? Kann das Leben wieder dort anfangen, wo wir es zurückgelassen haben? Werde ich mich fremd fühlen?

Er nahm erneut Beatrices Brief zur Hand. Die Buchstaben wollten vor seinen Augen hüpfen und springen wie Sommermücken über dem See. Er musste sich sehr konzentrieren, weiterzulesen: … *Habe dein Rezept verwendet … Geht es dir gut … Denke oft an dich …*

Beatrice schrieb dieses Mal sehr abgehackt, anders als er es von ihr gewohnt war. Bislang war es ihre Ruhe gewesen, die ihm Sicherheit und Kraft gegeben hatte. Er fragte sich, wie es ihr wirklich ging und ob sie ihren Gleichmut vielleicht nur vorgetäuscht hatte, damit er sich nicht sorgte. Er wusste ja nicht, wie das Leben an der Heimatfront war. Der Winter, hieß es, war hart gewesen. Es hatte an Kartoffeln und zahllosen anderen Dingen gemangelt. Hatte Beatrice hungern müssen?

Er las weiter: Hier ist es immer noch kalt. Damit ihr auch nicht frieren müsst, stricken wir fleißig.

Jetzt schmunzelte er doch. Ob sie das beabsichtigt hatte? Er versuchte, sich Beatrice beim Stricken vorzustellen. Sie hatte nie Interesse für irgendeine Handarbeit gezeigt. Er glaubte zu wissen, wie schwer es ihr fallen musste zu stricken. Dann wanderten seine Gedanken zurück zu den gemeinsamen Sommern am See. Schwimmen, tauchen einander nass spritzen. Endlose Sommer, die nie vorbeizugehen schienen. Er hatte sich danach nie wieder so frei gefühlt, dabei hieß es doch, die Freiheit käme mit dem Erwachsensein. Aber mit dem Erwachsensein kamen auch die Entscheidungen. Jeden Tag so viele Entscheidungen. Wenn er inzwischen eines wusste, dann, dass er kein Mensch war, dem Entscheidungen leichtfielen. Draußen vor dem Unterstand war ein Geräusch zu hören. Johannes spannte die Muskeln an. Es gab wenige Gelegenheiten, allein zur Ruhe zu kommen, und seine war nun schon wieder vorbei. Bald würde er wieder mitten im Trubel sitzen, zwischen lärmenden Kartenspielern, Schnarchern und den anderen Männern aus seinem Trupp. Bald waren der Nagel für seinen Tornister und die Pritsche wieder das Einzige, was er sein Eigen nennen konnte.

»Gefreiter Thalheim.«

Eine nur zu bekannte Stimme, der Tonfall leicht scherzhaft. Ludwig … Johannes faltete Beatrices Brief sorgsam zusammen, erhob sich von seiner Pritsche und nahm vor seinem Bruder Haltung an.

»Leutnant von Thalheim.«

Ludwig war der Offizier geworden, der er selbst hatte werden sollen, und er würde sicherlich rasch weiter aufsteigen. Was seinen ältesten Sohn anging, hatte der Vater seine Verbindungen spielen lassen müssen, damit dieser überhaupt zu den Ersten gehörte, die als tauglich befunden wurden. Die Plätze waren begehrt gewesen. Doppelt so viele wie benötigt hatten sich damals beworben. Er war genommen worden.

»Rühren«, sagte Ludwig.

Johannes entspannte sich. »Was ist?«

»Was ist, Herr Leutnant? Wir wollen doch die Form wahren.«

Ludwig grinste wieder, aber es war nicht zu erkennen, ob er den Satz ernst meinte oder nicht. Nein, Ludwig machte ihm das Leben nicht schwer, und gleichzeitig konnte Johannes doch nie sagen, woran er war. Man kannte sie als die Brüder. Man dachte, dass sie einander nahestanden, aber Johannes wusste, dass es nicht mehr wie früher war. Die Zeiten hatten sich geändert. Ihr Verhältnis hatte sich umgekehrt. Er ging nicht mehr voraus. Er würde es nie wieder tun. Er sah, wie sich Ludwigs Nasenflügel blähten. Er selbst nahm den Geruch nach verfaultem Stroh, Modererde, Schweiß und Stiefelfett kaum noch wahr.

»Ich hab uns etwas zu essen mitgebracht«, sagte der Jüngere jetzt.

Johannes schüttelte den Kopf. Wieder einmal war ihm der Magen wie zugeschnürt. »Danke, ich habe bereits gegessen.«

»Erzähl keinen Unfug. Ich weiß, was es heute gab.« Ludwig sah sich um. »Am besten gehen wir in meine Stube. Wer weiß, wann deine Kameraden zurückkehren, dann wird es hier eindeutig zu eng. Wirklich, ich weiß gar nicht, wie du das aushältst.«

Johannes schluckte die abwehrende Antwort herunter und folgte Ludwig. Natürlich war die Unterbringung der Offiziere besser als die der einfachen Soldaten. Zudem hatte Ludwig sich – vielleicht mit ein wenig Glück – gleich zu Anfang bewiesen und stand seitdem in Kontakt mit den höchsten Kreisen.

Sicher, dachte Johannes, während er seinem jüngeren Bruder folgte, hatten seine Eltern auch erwartet, ihren Ältesten bald unter den Offizieren zu sehen, doch es war anders gekommen. Johannes war kein Soldat. Es kostete ihn schon alle Kraft, sich nicht tagtäglich vollkommen lächerlich zu machen. Er hatte eine Scheißangst. Vor allem.

Sie waren angekommen. Johannes tauchte aus seinen Gedanken auf. Ludwig führte ihn zu einem Tisch, wo gekühlter Weißwein, Austern und frisches Weißbrot warteten.

Die Austern schmeckten köstlich. Johannes kaute, schmeckte einen Rest des würzigen Geschmacks, der von der Weite des Meers sprach, schluckte und hielt schon die nächste Auster zwischen den Fingern, bevor er etwas frisches Weißbrot folgen ließ und dann mit Weißwein hinterherspülte. Er hatte davon geträumt, Austern in Frankreich zu essen, aber nicht so. Nicht so …

»Wo hast du die her?«, fragte er.

Ludwig lächelte. Er selbst aß kaum etwas. Er fand eigentlich gar keinen Geschmack an Austern, wie Johannes wusste. Jetzt nahm er sich eine Muschel und musterte das helle Grau ihres Körpers.

»Ach, ich habe so meine Kanäle.« Er machte eine Pause. »Sie leben noch, nicht wahr? Du isst gerade ein lebendiges Lebewesen.«

Johannes nickte. »Wenn man sie frisch isst, ja, dann leben sie noch.« Er legte die leere Schale auf den dafür vorgesehenen Teller. »Ist das nicht ein wenig dekadent?«, fragte er dann mit einem leichten Lächeln in der Stimme.

Ludwig lächelte ebenfalls. »Austern in Frankreich zu essen?«

Johannes aß weiter und musste zugeben, dass es ihm besser mundete, als er sich das vorgestellt hatte, oder sich das auch nur wünschte.

Wieder einmal gescheitert. Er kannte sich selbst nicht mehr. Er hatte seine Erziehung, seine Familie und all das doch hinter sich lassen wollen, aber es gelang ihm nicht, wie ihm solche Gelegenheiten stets von Neuem zeigten. Er war kein einfacher Soldat, kein Kamerad unter Gleichen. Er konnte Austern essen und Weißwein trinken, und wenn er wollte, konnte er seinen Vater bitten, seine Beziehungen spielen zu lassen. Vielleicht könnte der ihn sogar hier herausholen.

Nach dem Essen bot Ludwig ihm eine Zigarette an und zündete sich selbst eine an. Sie rauchten.

»Kann ich noch etwas für dich tun?«, fragte der Jüngere dann.

Johannes musterte seine piekfeine, saubere Uniform.

»Mich hier rausbringen, das wär's.«

Ludwig erwiderte seinen Blick ernst.

»Das kann ich nicht. Darüber macht man außerdem keine Scherze.«

»Ich scherze nicht. Ich werde hier noch wahnsinnig.«

Ludwigs Augen verengten sich. »Weißt du, ich glaube, dass der Krieg in Wirklichkeit noch gar nicht begonnen hat. Bisher war nichts, gar nichts, die große Reinigung, das wahre Stahlgewitter steht uns noch bevor – und jetzt reiß dich zusammen.«

»Dieser Krieg ist absurd.«

Ludwig hob die Zigarette zum Mund und ließ sie wieder sinken.

»Das will ich nicht gehört haben.« Er steckte die Zigarette in den Mund, sprach undeutlich weiter. »Außerdem – wäre es dann nicht so, dass der Wahnsinnige diesen Krieg erst recht lieben würde?«

Johannes schwieg. Sie bewegten sich hier auf gefährlichem Terrain, und er war froh, dass sie allein waren.

»Also«, Ludwig streifte Asche von seiner Zigarette, »soll ich unter diesen Voraussetzungen mit dem Arzt sprechen und deinen Gemütszustand feststellen lassen?«

»Nei–ein.«

»Du kannst meiner Argumentation folgen?«

Johannes nickte. Von einem Moment auf den anderen lachte Ludwig los. Johannes war irritiert, stimmte aber ein.

»Ich weiß einfach nie, wann du Scherze mit mir treibst, Ludwig!«

Ludwig klopfte ihm, immer noch grinsend, auf die Schultern.

Das weiß ich auch nicht, dachte er bei sich, manchmal weiß ich das auch nicht.

17

»Wie können es die von Thalheims eigentlich zulassen, dass einer ihrer Söhne den Dienst als einfacher Soldat versieht?«, bemerkte Corinna nicht zum ersten Mal.

»Johannes hat keine Ausbildung zum Offizier gemacht«, murmelte Beatrice, während sie dessen neuesten Brief studierte. »Außerdem hat er sich ihnen widersetzt, damals, als er einfach für ein paar Wochen davonlief, um in der Küche meines Vaters zu arbeiten. Ich glaube, sie wollen ihn bestrafen.«

»Eine solche Strafe ist hart«, erwiderte Corinna. »Sie könnte ihn das Leben kosten. Ob sie darüber nachgedacht haben?«

»Ich weiß es nicht«, gab Beatrice nachdenklich zurück. Ja, es war hart, und Johannes klang auch mit jedem Brief bedrückter. Er hatte niemals Soldat werden wollen, und auch wenn sie das anfangs für feige gehalten hatte, so verstand sie ihn jetzt immer besser – jedenfalls insoweit sie sein Soldatenleben nachempfinden konnte. Sie wusste ja, dass er ihr nicht alles berichten konnte.

»Ludwig schreibt, dass sie bald wieder ein paar Urlaubstage bekommen. Sie werden wohl dieses Mal beide für einige Tage kommen«, unterbrach Corinna ihre Gedanken.

»Hierher? Zu uns?« Beatrice hob den Kopf.

Corinna zuckte die Schultern. »Ich gehe davon aus.« Sie schien zu grübeln. »Na ja, sie werden sich wohl im *Goldenen Schwan* aufhalten. Alles andere wäre kaum schicklich«, setzte sie dann hinzu. »Seltsam, oder? Ich würde doch erwarten, dass sie nach Hause fahren.«

»Ich freue mich jedenfalls, dass sie uns besuchen wollen«, hörte Beatrice sich mit zitternder Stimme sagen.

»Ja«, Corinna lächelte, »vielleicht wird es wieder ein bisschen so wie früher. Weißt du noch, der Sommer, bevor ich in der Küche angefangen habe?«

Das wäre schön, dachte Beatrice und wusste, dass es niemals wieder so sein würde.

Bei ihrer ersten Begegnung mit den jungen Männern nach so langer Zeit musste Corinna Beatrice am Arm zupfen.

Hätte ich ihn sonst erkannt? Nicht zum ersten Mal verlor Beatrice sich in Gedanken. Johannes war deutlich dünner geworden, das Lächeln auf seinem schmalen Gesicht weniger glücklich. In den ersten Tagen hatte er immerzu angespannt gewirkt, und wenn sie seine Schultern berührte, fühlten sich diese hart wie Stein an.

Die Brüder hatten gemeinsam ein Zimmer im *Goldenen Schwan* genommen.

Ich kann nicht mehr mit ihm reden, hatte Beatrice anfangs gedacht. Ich weiß nicht, worüber … Er ist mir fremd … Bis sie Johannes zufällig eines Tages würgend über der Nachtschüssel entdeckt hatte. Sie war ins Zimmer gekommen, das sie leer geglaubt hatte, um frische Handtücher bereitzulegen. Zuerst hatte sie weglaufen wollen, doch sie hatte ein Geräusch gemacht, und da hatte er sich zu ihr gedreht. Verunsichert hatten sie einander angestarrt, Johannes auf dem Boden kauernd, sie, die ihn nur noch aus Briefen kannte, neben ihm stehend.

Langsam hatte er sich hochgerappelt, war zur Waschschüssel auf der Kommode gewankt, um sich dann sorgfältig Hände und Gesicht zu waschen und den Mund auszuspülen.

Danach hatten sie sich gegenübergestanden. Beatrice hatte gezögert, sich dann aber unwillkürlich an ihn gedrückt. Nach und nach war sein Körper unter ihrer Berührung weich geworden, etwas, was sie für beinahe unmöglich gehalten hatte. Dann hatte er leise zu weinen begonnen.

Auch heute noch dankte sie Gott, dass sie ihrem ersten Impuls nicht nachgegeben hatte und geflohen war. Johannes hatte so lange geweint, bis nur noch trockenes Schluchzen übrig gewesen war.

Danach hatte er ihr von seinem Krieg erzählt, erst zögernd, dann waren die Worte wie ein Schwall aus ihm herausgekommen. Er hatte von den Dingen berichtet, denen er in seinen Briefen keinen Ausdruck geben konnte, stockend zuerst, dann flüssiger und flüssiger. Er hatte sie nicht geschont. Es war schrecklich gewesen, und doch hatten sie in den Tagen danach jede Gelegenheit genutzt, allein zu sein und weiterzumachen.

Auf diese Weise waren sie sich wieder nähergekommen. Zum ersten Mal hatten sie wieder an die Zeit nach dem Krieg denken können. An ihre Pläne. Und er hatte ihre Berührungen wieder zugelassen, ohne zu erstarren.

Dann mussten die jungen Frauen zurück zu ihren Arbeitsplätzen in der Stadt. Corinna war froh, wieder von ihrer Mutter fortzukommen. Beatrice konnte für ein paar Tage vergessen, dass Edith einer Verbindung mit den Thalheims inzwischen nicht mehr positiv gegenüberstand. Johannes wiederum zeigte sich stolz über Beatrices und Corinnas Arbeit als Telefonistinnen.

Heute hatten sie sich zu einem Spaziergang auf den alten Wallanlagen getroffen, die einst die Stadt umschlossen hatten. In den ersten Tagen nach seiner Ankunft, so hatte Johannes Beatrice heute früh gestanden, hatte er sich deshalb kaum in die große Stadt gewagt, weil er fürchtete, sich bei dem Lärm nicht unter Kontrolle zu haben. Laute oder ungewohnte Geräusche konnten unvorhersehbare Reaktionen auslösen. Für einen Moment schaute sie ihn von der Seite an, sah sein rechtes Augenlid wieder einmal nervös zucken. Er blieb stehen, blickte in die Ferne.

»Manchmal denke ich, ich halte es nicht mehr aus, weißt du«, sagte er unvermittelt. »Dann denke ich, ich müsste fortlaufen, oder mich erschießen lassen, damit das alles ein Ende hat, ob nun so oder so …«

Beatrice schluckte den Schrecken herunter, den ihr seine Worte einflößten, und konzentriere sich darauf, ihre Stimme bei den nächsten Worten ruhig klingen zu lassen.

»Kann dir Ludwig nicht helfen? Als Offizier, meine ich.«

»Er tut schon sein Bestes.« Johannes lächelte müde. »Wer hätte auch denken können, dass sein Bruder ein solcher Versager sein würde?«

»Du bist kein Versager.«

Johannes zuckte die Achseln. »Ich bin kein Soldat.«

»Das wussten wir beide schon vorher.«

Wieder schwiegen sie eine Weile. Beatrice hörte ihren eigenen Schritten zu und hatte sich schon damit abgefunden, dass Johannes wohl nichts mehr sagen würde, als er von Neuem zu sprechen anfing.

»Ich war immer so stolz darauf, einen eigenen Kopf zu haben, weißt du, aber jetzt schäme ich mich nur noch für meine Feigheit und wäre so gern einer von ihnen. Einer, der sich nicht in die Hose scheißt vor Angst, wenn es losgeht. Einer, der darauf brennt, den Feind zu packen und … Und Ludwig, ja, was soll er tun? Solche Dinge kann er nicht entscheiden. Er kann mich nicht heimschicken. Ja, wirklich, er tut schon sein Bestes für mich.« Johannes grinste, aber er sah verkrampft dabei aus. Dann legte er den Kopf in den Nacken und schaute in den Himmel hinauf. Sein rechtes Augenlid zuckte immer noch.

»Weißt du«, sagte er, »eigentlich kommt man da nur raus, wenn man verrückt ist … Aber ein Verrückter, der den Schrecken des Krieges benennt, ist nicht mehr verrückt, und da beißt sich die Katze auch schon in den Schwanz …« Er lachte, aber es klang nicht froh. Bevor sie etwas erwidern konnte, sprach er weiter: »Ich möchte mutig sein, Beatrice, aber ich weiß einfach nicht, wie ich in diese Hölle zurückkehren soll.«

Corinna stand hinter ihm, aber Ludwig tat so, als bemerke er es nicht. Sie schrieben sich Briefe, seit er in den Krieg gezogen war, so, wie sie es in einem kurzen, sentimentalen Abschiedsmoment verabredet hatten. Eigentlich hatte er gedacht, dass sie beide bald wieder damit aufhören würden, aber nun hatte er sich daran gewöhnt. Er dachte wieder an Beatrice und seinen Bruder und daran, wie leicht sich die beiden wiedergefunden hatten, obwohl doch inzwischen so viel passiert war. Sicherlich war es nicht wie früher, aber sie sprachen miteinander und hatten dazu nur wenige Tage gebraucht. Sie teilten ihre Ängste und wirkten jedes Mal, wenn er sie beobachtete, vertrauter im Umgang.

Es regnete. Ludwig sah einem Wassertropfen zu, der die Scheibe hinunterglitt, dann einem nächsten und einem nächsten. Inzwischen sehnte er nur noch das Ende des Urlaubs herbei. Er wünschte sich aus tiefstem Herzen, an die Front zurückzukehren. Dorthin, wo er es war, der die Dinge in der Hand hatte.

18

*H*ätte ich das gedacht? Vor etwas mehr als einem Monat noch hatte Mia das Erbe unbesehen ablehnen wollen, hatte nichts zu tun haben wollen mit dem, was sie jetzt Tag für Tag näher kennenlernte. Inzwischen fuhr sie so regelmäßig zu dem alten Hotel wie früher zur Uni und später zur Arbeit. Sie hatte damit begonnen, das alte Haus zu putzen und eine Bestandsaufnahme zu machen. Sie hatte bereits einige Teile zur Mülldeponie gebracht und auch herausgefunden, dass es einen örtlichen Geschichtsverein gab, der sogar ein kleines Archiv besaß.

Mia hoffte sehr, mit einem Besuch dort mehr über das Hotel, die Kahlenbergs und Corinnas Beziehung zu ihnen in Erfahrung zu bringen. Waren Corinna und Beatrice Cousinen gewesen, Freundinnen oder beides? Wie war es wirklich dazu gekommen, dass die beiden jungen Frauen die Führung des Hotels übernommen hatten? Bislang mutete noch alles wie ein Puzzle an, von dem Mia nicht wusste, welches Bild es letztendlich zeigen würde. In jedem Fall hatte es im *Hotel zum Goldenen Schwan* Neujahrspartys, Empfänge, Kriegstombolas und Bingoabende, aber auch Hochzeitsfeiern gegeben. Nur wenig hatte sie bisher über Corinna und Beatrice selbst erfahren. Und noch immer hatte sie keine Ahnung, was aus Beatrice geworden war. Irgendwann war sie von der Bildfläche verschwunden. Hatte eine schwere Krankheit sie auf irgendeine Weise eingeschränkt? Warum hatte Corinna das Hotel später allein geführt? Oder war Beatrice bereits in jungen Jahren gestorben? Die Menschen waren damals früher verstorben, das war ein Fakt. Und dann war da noch der Krieg gewesen – der viele Menschen das Leben gekostet hatte.

Mia richtete sich kurz in ihrem Liegestuhl auf und trank einen Schluck von ihrer Cola, bevor sie mit ihren Augen den See absuchte. Die sportliche Neyla, die sie auch heute begleitete, hatte sich bei der Ankunft kurzerhand einen Badeanzug angezogen, um ein paar Runden zu schwimmen. Mia hatte an diesem sonnigen Tag erstmals den mitgebrachten Liegestuhl aufgestellt. Rings um sie herum, gegen etwaig aufkommenden Wind mit Steinen beschwert, lagen Papierstapel und Unterlagen, die sie inzwischen überall aus dem Haus zusammengetragen hatte. Mia hatte sie grob sortiert nach Haushaltsbüchern, Gästebüchern, Briefen, Postkarten, Einladungen und anderem. Auf ihren Knien ruhte das alte Rezeptbuch. Sie hatte es wieder und wieder durchgeblättert. Zuerst war sie ob der Einfachheit der wenigen Rezepte fast ein wenig enttäuscht gewesen, dann hatte sie genau diese Schlichtheit fasziniert. Und hatte sie nicht einmal irgendwo gelesen, dass es eine Kunst war, eine gute Bouillon zu kochen? Als sie die nächste Seite aufschlug, fiel ihr Blick auf ein Rezept für Apfelwasser, das aus fein geriebenen Äpfeln, Wasser, Zucker und Zitronensaft angesetzt, schließlich abgeseiht, als kühlendes Sommergetränk empfohlen wurde. Das musste sie probieren. Ein paar Seiten weiter stieß sie auf ein Rezept für pikante Eierkuchen mit Speck und Zwiebeln. Wer hatte diese Rezepte aufgeschrieben? Mia war sicher, dass das Rezeptbuch nicht in die Hotelküche gehört hatte, doch es war häufig zur Hand genommen worden und sah abgegriffen aus. Handelte es sich um das private Kochbuch der Familie Kahlenberg? Auch da war Mia unsicher, denn zwischen den Rezepten fanden sich andere, tagebuchartige Notizen in einer zweiten Schrift, verschiedene gepresste Blüten und sogar ein paar kleine Zeichnungen, die denen aus Corinnas Zimmer ähnelten. Die Schrift, in der die Rezepte verfasst waren, wirkte besonders ordentlich, bei den anderen Einträgen war sie flüchtiger, als hätten Schreiber oder Schreiberin es eilig gehabt.

Dieses Buch ist das Buch zweier Menschen gewesen, dachte Mia, zweier Menschen, die diese Rezepte miteinander geteilt haben. Bis zum Mai 1916.

Leider fiel es Mia schwer, alles richtig zu lesen. Sie war zwar während des Studiums mit Sütterlin in Berührung gekommen, besonders gut kannte sie sich damit aber nicht aus. Es kostete sie einige Mühe, die Zeilen zu entziffern. Sie las von warmen Sommern und kalten, einsamen Wintern, aber leider fehlte ihr manchmal das entscheidende Wort, um den ganzen Sinn zu erfassen.

Mia hob noch einmal den Kopf und sah zu ihrer Stieftochter hinüber, die den See eben vom gegenüberliegenden Strand aus zügig durchschwamm. Als sie jünger gewesen war, hatte Neyla das Schwimmen einige Jahre lang als Leistungssport betrieben. Eine gute Schwimmerin war sie immer noch, aber Florian hatte wohl auf eine zweite Franziska van Almsick gehofft. Jedenfalls hatte er keine Zeit mehr in ihr Schwimmen investiert, nachdem klar gewesen war, dass Neyla zwar sehr gut, aber nicht überragend war. Neyla hatte danach den Spaß an der Schwimmerei verloren, doch in den letzten Monaten hatte sich die Situation entspannt. Jetzt hob sie den Arm und winkte ihrer Stiefmutter zu.

Mia dachte an Florian. Sie stritten nicht mehr, aber sie hatten sich auch nicht vertragen. Sie hatten noch nicht einmal versucht, sich wirklich auszusprechen. Mia musste sich immer noch an den Gedanken gewöhnen, dass es offenbar Seiten an Florian gab, die sie nicht mochte.

Sie seufzte. Ach Gott, wahrscheinlich war das normal. Niemand konnte einem in allen Facetten gefallen. Es kam eben darauf an, Wege miteinander zu finden, nicht darauf, sich in allem anzupassen.

Mia strich nochmals über den Einband, klappte das Buch dann wieder auf der ersten Seite auf. Ein kleiner Eintrag, oben auf der Seite, fiel ihr zum ersten Mal auf, vielleicht nur, weil in diesem Moment die Sonne darauffiel: Für B.

Für Beatrice? Mia bemerkte erst, dass Neyla sich ihr tropfnass genähert hatte, als die fast direkt neben ihr stand.

Sie sieht gut aus, fuhr es Mia durch den Kopf, so sportlich.

»Warum schwimmst du eigentlich nicht mehr? Das wollte ich dich schon immer mal fragen.«

»Zu viel Druck.« Neyla legte den Kopf zur Seite und versuchte offenbar, das Wasser aus den Ohren zu schütteln.

»Aber du bist doch so gern geschwommen.«

»Eben.«

Sie schwiegen, dann sagte Neyla, mit dem Blick auf den eingerissenen Einband: »Hast du noch etwas herausgefunden?«

»Ich weiß nicht.« Mia schaute auf das B. »Nein, eigentlich nicht.«

»Ich gehe mich mal umziehen«, sagte Neyla. »Es wird mir hier im Schatten doch etwas kühl.«

»Gut.« Mia nickte. »Danach fahren wir. Ich pack das hier nur zusammen. Es ist schon fast 17 Uhr. Ich habe mal wieder die Zeit vergessen.«

»Okay.«

Neyla verschwand. Mia stand auf und begann, ihre Fundstücke in die mitgebrachte Tasche zu räumen, um sich zu Hause eingehender damit zu beschäftigen.

Was Florian wohl sagen würde, wenn er noch mehr *Plunder* sah?

Mia straffte die Schultern. Nun, das ging ihn verdammt noch eins wirklich nichts an. Es waren ihre Sachen, ihre Entscheidungen.

Am nächsten Tag begann Mia, zu Hause ihren Kleiderschrank auszusortieren, wie sie es schon lange vorgehabt hatte. Die Fundstücke aus dem Hotel rührte sie nicht an, auch, um sich Gelegenheit zu geben, Abstand zu gewinnen. Sie hatte zum ersten Mal das Gefühl, etwas über ihre Familie erfahren zu haben, und musste die Dinge doch neu bewerten.

Gegen Mittag hatte Mia zwei Säcke für die Kleidersammlung gefüllt und beschloss, Florian zu einem gemeinsamen Essen von der Arbeit abzuholen. Sie war lange nicht mehr in der Firma gewesen und vermisste die fröhliche Atmosphäre dort. Die meisten Leute, überlegte sie, hörten Freitag früher mit der Arbeit auf. Vielleicht konnte sie Florian überreden, heute auch einmal früher Schluss zu machen. Sie konnten zu ihrem Lieblings-Italiener gehen, wie sie es früher häufig getan hatten. Endlich miteinander reden.

Mia zog nach kurzem Nachdenken ein sportliches, helles Ensemble an, in dem sie sich besonders gut fühlte, und sprang beschwingt die Treppenstufen hinunter. Ihr Mercedes stand direkt vor dem Haus. Wenig später ordnete Mia sich leise singend in den Stadtverkehr ein. Beim Büro angekommen, musste sie noch eine Weile um den Block kurven, bevor sie einen Platz in Sichtweite der Tür fand.

Noch mal Glück gehabt. Mia wollte sich gerade zu ihrer Handtasche hinüberbeugen, als sie Carlotta aus dem Gebäude kommen sah. Carlotta und sie hatten sich immer gut verstanden. Mia mochte ihr unbekümmertes Wesen. Sie waren sogar einmal zusammen Klamotten kaufen gewesen. Mia griff eben nach dem Türöffner, um Carlotta auf sich aufmerksam zu machen, da tauchte dicht hinter der jungen Frau Florian auf. Irgendetwas hieß Mia den schon zum Rufen geöffneten Mund wieder zu schließen. Sie beobachtete, wie Carlotta nun mit langsamen, wiegenden Schritten auf ihren Mini Cooper zuging. Florian folgte ihr.

Er ist viel zu dicht, schoss es Mia durch den Kopf, und im gleichen Moment duckte sie sich etwas. Dann standen die beiden auch schon bei Carlottas Wagen. Mia rutschte noch tiefer in den Sitz ihres Mercedes. Sie fragte sich, was sie tun würde, wenn die beiden ihr Auto erkennen würden.

Vielleicht war ja gar nichts. Vielleicht brachte Florian seiner Mitarbeiterin nur noch ein paar Unterlagen. Er hielt ja tatsächlich eine Mappe in der Hand. Jetzt drehte sich Carlotta zu ihm um und streckte die Hand danach aus. Aber Florian gab sie ihr nicht, sondern zog die Unterlagen mit einem Lachen wieder zurück.

Mia kannte dieses Lachen. Es hatte einmal nur ihr gehört. Die Faust in ihrem Magen krampfte sich zusammen. Es war albern, auf ein Lachen eifersüchtig zu sein, versuchte sie sich zur Räson zu rufen, aber sie konnte nicht anders. Die Faust in ihr wurde fester, und schmerzhafter.

Florian beugte sich jetzt zu Carlotta hin und küsste sie. Etwas in Mia zerriss in diesem Moment, und sie war fast erstaunt, dass es offenbar kein anderer hörte. Sie schloss die Augen und regte sich nicht, bis sie Carlottas Auto davonfahren hörte. Als sie sich wieder aufrichtete, war auch Florian nicht mehr zu sehen.

»Entschuldigen Sie bitte, aber die Karte funktioniert nicht.«
»Was?«, stotterte Mia.

Sie war abgelenkt gewesen, nicht zum ersten Mal in der letzten Stunde. Vielleicht irrte sie sich ja, vielleicht war das zwischen Florian und Carlotta nur eine freundschaftliche Umarmung gewesen. In der Schlange hinter ihr reckten sich die ersten Hälse. Mia streckte abwesend die Hand nach ihrer Karte aus und betrachtete sie für einen Moment ratlos. In ihre Gedanken versunken, drehte sie sich um.

»Brauchen Sie die Sachen noch?«, erkundigte sich die Kassiererin geschäftsmäßig und doch leicht gereizt.

Mia schüttelte den Kopf, ohne zurückzuschauen. Die Karte fest in der Hand, steuerte sie auf den Ausgang zu. Offenbar war die EC-Karte kaputt; das passierte jetzt schon zum zweiten Mal. Beim ersten Mal, erinnerte sie sich, war sie nach dem Besuch beim Rechtsanwalt auf dem Weg zum *Goldenen Schwan* gewesen. Danach hatte sie die Karte nicht mehr benutzt. Nun ja, heute war es zu spät, aber am Montag würde sie gleich zur Bank gehen und eine neue beantragen. Als sie das Geschäft verließ, blendete sie die Sonne. Sie würde ein wenig spazieren gehen. Sie musste nachdenken.

Habe ich mich geirrt? Bestimmt habe ich das. Hatte Florian nicht einmal gesagt, Frauen wie Carlotta mit ihrem blond gefärbten Haar, dem aufwendigen Make-up und dem starken Parfüm wären gar nicht sein Geschmack?

Sie erreichte den Eisernen Steg, zögerte einen Moment und wechselte dann zur anderen Mainseite hinüber, wo sie weiter in Richtung Liebighaus lief. Während ihres Studiums war sie öfter dort gewesen. Heute gab es dort ein schönes Café. Mia ging stramm weiter.

Verdammt, was war nur los? Sie musste unbedingt an etwas anderes denken. Zum Beispiel daran, wie sie mehr über Corinna und Beatrice herausfand und über das, was geschehen war. Sie musste herausfinden, warum Beatrice, Corinnas beste Freundin, verschwunden war.

Neyla war schon zu Hause, als Mia an diesem Nachmittag eintraf. Sie war lange umhergelaufen, kreuz und quer durch die Stadt. Dabei war sie nirgendwo eingekehrt, hatte sich nur eine Flasche Mineralwasser gekauft und die, am Main stehend, in großen Schlucken geleert. Es war sehr warm, und Mia war vollkommen verschwitzt. Ihre Haare klebten an ihrem Nacken fest, ihre Wangen glühten. Neyla hob die Augenbrauen, als sie ihre Stiefmutter sah. »Was ist denn mit dir los, warst du in der Sauna?«

»Spazieren.«

Neyla runzelte die Stirn, während Mia die leere Wasserflasche zu den Pfandflaschen stellte und sich eine volle von der Theke nahm, sie ansetzte und mit großen Schlucken trank.

»Das tut gut.«

»Hättest bei dem Wetter vielleicht nicht spazieren gehen sollen«, stellte Neyla mit einem Grinsen hinsichtlich des geröteten Gesichts ihrer Stiefmutter fest.

»Kaffee?«, fragte Mia, die Bemerkung ignorierend.

»Oh, gern, einen Espresso.«

Mia machte sich an die Arbeit. Es tat gut, etwas zu tun, dann musste man nicht weiter über das nachdenken, was man gesehen hatte. Sie füllte Wasser in den vorgesehenen Behälter, holte den Kaffee aus dem Kühlschrank, konzentrierte sich auf jede ihrer Bewegungen, denn alles andere schmerzte zu sehr.

»Ist was ausgefallen?«, fragte sie Neyla dann. »Kommst du sonst nicht später?«

»Französisch.«

»Traurig?«, neckte Mia ihre Stieftochter, die schallend auflachte. Mia stimmte ein. Gut, schoss es ihr erneut durch den Kopf, so komme ich auf andere Gedanken. Sie schaltete die Maschine an, die begann brummend ihr Werk.

»Spricht da die ehemalige Lehrerin?« Neyla setzte sich, schlug die sonnengebräunten Beine übereinander. »Natürlich war ich traurig«, grinste sie dann. »Wie soll ich denn ohne Französisch beim Sprachkurs in Nizza mit hübschen Franzosen anbandeln? Die sprechen doch alle kein Deutsch.«

Mia lachte.

»Übrigens habe ich auch keine Hausaufgaben«, fügte Neyla hinzu. »Das ist also ein perfekter Tag.«

Mia verteilte den fertigen Espresso. Ja, so hatten perfekte Tage früher ausgesehen … Sonne, dampfend heißer Asphalt, Schwimmbad, Pommes rot-weiß, Eis … Keine Hausaufgaben, natürlich …

»Verdammter Mist«, fluchte Mia im nächsten Augenblick. Aus Unachtsamkeit hatte sie die noch vom Frühstück dort stehende French-Press-Kanne von der Anrichte gerissen. Mit einem lauten Krachen zerbarst das Glas auf den Fliesen. Mia schossen Tränen in die Augen. Halb blind machte sie sich daran, das Malheur zu beseitigen.

»Mia?« Neyla kniete im nächsten Moment neben ihr. »Aber du weinst ja – hast du dich verletzt?«

»Nei-hein«, hörte Mia sich stottern, während sie fortfuhr, den Boden zu säubern. Wut und Verzweiflung schnürten ihr die Kehle zu.

»Lass das doch.« Neyla versuchte, sie hochzuziehen.

»Ich muss das aber wegmachen.«

»Ich mach das. Du setzt dich hin. Du bist ja völlig außer dir. Was ist los?«

Neyla schaute ihre Stiefmutter prüfend an. Mia schwieg, wusste ohnehin nicht, was sie sagen sollte. Noch immer kauerte sie unschlüssig über den Scherben.

»Setz dich«, mahnte Neyla sie noch einmal.

Mia tat, wozu das Mädchen sie aufforderte. Eine Viertelstunde später war alles wieder sauber. Neyla hatte auch neuen Espresso bereitet – der alte war schließlich längst erkaltet.

»Und«, fragte sie Mia ernst, »willst du mir jetzt sagen, was los ist?«

»Du meinst, Papa betrügt dich?«, versicherte sich Neyla langsam.

»Hört es sich vielleicht nicht danach an?«, fragte Mia halb ängstlich, halb hoffnungsvoll. Und wenn sie sich doch geirrt hatte, wenn es lediglich ein Abschiedskuss unter guten Kollegen gewesen war? Der Umgang in der Firma war immer recht freundschaftlich gewesen. Das hatte ihr durchaus gefallen. Ja, ganz bestimmt hatte sie sich geirrt.

Neyla räusperte sich. »Also, wenn du mich fragst, liegst du richtig. Er betrügt dich. Hundert pro. Ich kenne meinen Vater.«

»Was?« Mia fühlte sich wie vor den Kopf gestoßen. Hatte sie sich verhört?

»Er hat was mit Carlotta«, wiederholte Neyla sehr ruhig.

Mia sank in sich zusammen. Ihre Schultern fielen nach vorn. Sie schob den Espresso von sich weg, sah zu, wie Neyla behutsam in ihrer kleinen Tasse rührte.

»Weißt du«, sagte sie dann, »so hat das mit Mama damals auch angefangen.«

Mia starrte ihre Stieftochter an. »Daran kannst du dich erinnern? Du warst noch sehr jung damals, oder?«

Neyla zuckte die Achseln. »Na ja, ich erkenne jedenfalls, wenn sich etwas wiederholt«, gab sie zurück.

Mia platzierte den Löffel, den sie, wie sie jetzt bemerkte, immer noch in der Hand hielt, auf den Unterteller und legte die Fingerspitzen gegeneinander. So hat Papa manchmal am Tisch gesessen, schoss es ihr durch den Kopf. Habe ich das von ihm übernommen? Von meinem Adoptivvater? Der Gedanke rührte sie. Sie atmete tief durch.

»Ich dachte immer, deine Mutter hätte euch im Stich gelassen?«, vergewisserte sie sich.

So hat Florian mir die Geschichte erzählt.

»Teils, teils …« Neyla trank ihren Espresso aus und brachte beide Tassen zur Spüle. »Ja, Mama ist gegangen – einmal sagte sie mir, ihr sei alles zu eng gewesen –, aber Papa war eben auch nicht ganz unschuldig daran.« Neyla machte eine Pause. »eigentlich passten sie überhaupt nicht zueinander.«

Mia musste schlucken, bevor sie die nächste Frage stellte. Offenbar bekam Neyla einiges mit. »Und wir? Passen wir zusammen?«

Neyla schwieg. »Es fiel Papa schon immer schwer, in seinem Leben Platz für andere zu lassen«, sagte sie dann vorsichtig. »Eigentlich …«

Ist da nur Platz für ihn, beendete Mia innerlich den Satz.

Stieftochter und Stiefmutter schwiegen für einen Moment.

»Ich dachte schon länger, dass da was mit Carlotta läuft«, sagte Neyla dann leise.

Mia musste sich räuspern. »Tatsächlich?«

»Hm.«

»Und warum hast du nichts gesagt?«

»Ich wollte dir nicht wehtun. Außerdem war ich mir nicht sicher … Es war nur so eine Vermutung. Manchmal irrt man sich.«

Mia spürte Wut in sich aufsteigen; Wut, die sich gegen Florian richten sollte und nun verzweifelt ein Ziel suchte.

»Die Wahrheit halte ich schon aus«, blaffte sie, bevor sie sichs versehen hatte.

»Ja?« Neyla schaute sie mit dem abgeklärten Blick einer Fünfzehnjährigen an, die wusste, wie das war, zu lieben und nicht wiedergeliebt zu werden. Mia hatte plötzlich den Eindruck, in ihr knirsche es leise, während ein weiteres Teilchen ihrer Welt zerbrach.

»Ich habe nichts gesagt, weil ich dachte, ich liege vielleicht falsch, und was hätten wir dann gewonnen?« Neyla schüttelte den Kopf. »Ich hatte ja keine Beweise, und ich will auch nichts kaputt machen zwischen euch. Ich dachte einfach, wenn dir nichts auffällt, dann irre ich mich bestimmt. Und du hast ja nichts gemerkt, oder?«

»Nein.« Mia schüttelte den Kopf. Und dann fragte sie sich, was wohl noch alles falsch lief in ihrem Leben.

»Frau Belman, kommen Sie doch bitte hier entlang.«

Mia war erstaunt gewesen, als sich der Mann am Bankschalter bei ihrem Auftauchen kurz entschuldigt hatte. Einen Moment später wurde sie von einer Dame mit ernstem Gesichtsausdruck in eins der Beratungszimmer gebeten, das sie schon von früheren Besuchen in der Bank kannte.

»Guten Tag, Frau Belman. Schön, dass Sie endlich die Zeit gefunden haben. Wir hatten Ihren Mann ja schon mehrfach um ein Gespräch gebeten ...«

»Äh, ja«, antwortete Mia, während sich in ihrem Kopf die Gedanken jagten. Sie hatte keinen blassen Schimmer, worum es hier ging. Die Bank hatte sich schon mehrfach mit Florian in Verbindung gesetzt? Warum wusste sie davon nichts? Er hatte ihr doch kein Wort davon gesagt, oder hatte sie nicht zugehört, weil sie sich daran gewöhnt hatte, dass Geldangelegenheiten seine Sache waren?

Die kaputte EC-Karte kam Mia in den Sinn. Plötzlich hatte sie ein ungutes Gefühl.

»Unsere Briefe haben Sie doch bekommen, oder?« Die Frau sah in ihre Papiere. Anita Kuhn, las Mia auf ihrem Namensschild. »Die Adresse stimmt noch, ja? Sie sind nicht umgezogen und haben vergessen, uns das mitzuteilen? Man hat da ja manchmal so viel im Kopf, dass man nicht an alles denken kann, nicht wahr?«

Frau Kuhn schaute sie freundlich, aber reserviert an.

»Ja, natürlich«, stotterte Mia. Das verbindliche Lächeln wollte ihr nicht ganz so gut gelingen wie ihrem Gegenüber. »Ja, wir haben alles bekommen. Wir sind auch nicht umgezogen. Ich weiß nicht, wie das alles passieren konnte ...«

Anita Kuhn nickte immer noch freundlich, aber wenig überzeugt, setzte sich noch einmal auf ihrem Stuhl zurecht und begann, die Papiere durchzugehen. »Nun, wie

Sie sich schon denken können«, sagte sie nach einer Weile, »geht es um Ihr Konto.«

»Mein Konto?«, echote Mia.

»Ja, natürlich.« Frau Kuhn sah jetzt wieder irritiert aus. »Hatten Sie nicht gesagt, dass Sie die Briefe bekommen haben?«

»Äh, ja doch, natürlich, mein Konto, deshalb bin ich ja hier.«

Während Frau Kuhn die Papiere studierte, rasten Mias Gedanken. Wo hatte Florian die Briefe hingetan, was hatte er ihr vorenthalten?

»Ich … Ich war«, log sie, »längere Zeit unterwegs.«

»In Ordnung.« Frau Kuhn zog einen Bogen hervor, den Mia auch auf dem Kopf stehend als Kontoauszug erkannte. »Hm, wie fangen wir an. Also, ich …« Die Bankangestellte hob den Kopf. »Ich mache das wirklich nicht gern, aber leider muss ich Ihnen sagen, dass Sie Ihr Konto beträchtlich überzogen haben. Sie …«, Mia sah, wie Anita Kuhn die Augen zusammenkniff, um den Betrag am unteren Ende des Blattes zu lesen, »stehen mittlerweile mit 10 000 Euro im Minus.«

»Was?«, entfuhr es Mia. »Aber meine Ersparnisse, meine …«

Frau Kuhns Gesicht verlor vorübergehend den verbindlichen Ausdruck.

»Die wurden abgehoben. In, lassen Sie mich das nachvollziehen, drei bis vier Etappen seit Jahresbeginn …«

»Von wem?«

Anita Kuhn hob die Augenbrauen. »Wie meinen Sie das? Sie haben Ihre Geheimnummer doch immer gut verwahrt, oder?«

»Ich … Ja, natürlich …«, gab Mia mechanisch zurück. Natürlich verwahrte sie ihre Geheimnummer gut. Nur eben vor Florian nicht. Florian und sie hatten keine Geheimnisse voreinander. Sie waren Ehepartner. Ehepartner hatten keine Geheimnisse voreinander.

Falsch. Mia musste sich anstrengen, nicht zu zittern. Vor Anita Kuhn wollte sie die Haltung nicht verlieren. Ich habe keine Geheimnisse vor ihm, aber er hat – weiß Gott – er hat welche vor mir. Plötzlich kamen ihr Gelegenheiten in den Sinn, zu denen sie ihre EC-Karte vermisst hatte. Gelegenheiten, zu denen er sie wegen ihrer Zerstreutheit und Unvorsichtigkeit gerügt und geneckt hatte, dabei …

Er hat meine Karte genommen. Er hat mein Geld abgehoben – alles, was ich hatte, und noch viel mehr … Aber warum?

Anita Kuhns Stimme holte sie zurück in die Gegenwart.

»So, und Sie sind heute also zu uns gekommen, um die Sache zu klären?«, versicherte sie sich.

»Ich …« Mia holte tief Luft.

»Allerdings«, fiel Frau Kuhn ihr ins Wort, »hatte ich Sie doch eigentlich gebeten, einen Termin auszumachen. Es ist heute wirklich etwas eng …«

»Ich bin hier, um einen Termin auszumachen«, sagte Mia mit fester Stimme. Sie war froh, dass sie sich insoweit wieder im Griff hatte. »Allerdings bin ich doch auch ein wenig …«

Sie brach ab. Das hier war nichts, was sie mit Anita Kuhn besprechen konnte. Die Bankangestellte verstand sie falsch.

»Ich kann Sie gut verstehen, Frau Belman«, fiel sie Mia ins Wort. »Es ist nicht leicht, sich diesem Problem zu stellen, aber Sie haben nun den ersten Schritt getan, das ist gut, wenn ich Ihnen das sagen darf … Es gibt im Übrigen auch sehr gute Schuldnerberatungen. Am besten, Sie sprechen zuerst einmal mit Ihrem Mann. Er wird Ihnen sicherlich zur Seite stehen wollen.«

Mia nickte. Es gelang ihr sogar, zum Abschied freundlich zu lächeln. Später konnte sie kaum sagen, wie sie es geschafft hatte, aus der Bank zu kommen. Auf dem Weg nach Hause weinte sie hemmungslos.

19

Schrecken und Schönheit, *1916*

Johannes versuchte, ruhiger zu atmen. Der große Angriff stand nun endgültig für Februar bevor. So hatte er es von Ludwig erfahren. Seine Finger zitterten, als er sich die zweite Zigarette anzündete und einen tiefen Zug nahm. Heute schnickte er sie nicht mehr halb geraucht in die Gegend, wie er das früher einmal getan hatte. Kurz musste er an eine Zigarette denken, die er in Friedenszeiten einfach auf den Trottoir hatte fallen lassen, und an die schattengleiche Figur, die sich danach gebückt und die er zuerst kaum wahrgenommen hatte. Er erinnerte sich, wie er nicht hatte hinsehen wollen, sich dann doch umdrehte, während er die unbeschwert lachende Beatrice mit einem Arm umfasste. Der Blick des Mannes und sein eigener hatten sich getroffen. Scharfe, dunkle Augen, die es sicherlich gewöhnt waren, auszuweichen, das dann aber nicht taten. Aus welchen Gründen auch immer. Johannes nahm einen neuen Zug von seiner Zigarette, starrte in die Gegend, ließ die Gedanken wandern, fragte sich, ob dieser graue Mann von damals, dieser Schattenmensch, wohl auch hier war in dieser Hölle.

Der Angriff würde also bald beginnen. Sie mussten sich bereit machen. Es war endgültig. Johannes schauderte. Aber das Wetter konnte wieder schlecht werden, oder nicht?

Vielleicht würde man den Angriff dann noch einmal verschieben?

Ein Geräusch riss ihn aus seiner Grübelei. Er kannte den Rhythmus der sich nähernden Schritte nur zu gut. »Ludwig«, sagte er, anstelle einer Begrüßung, und noch bevor er sich umdrehte.

»Johannes.«

Die Brüder musterten einander aufmerksam. »Wie geht es dir?«, fragte Ludwig dann. Johannes hob die Schultern. Der Jüngere trat noch einen Schritt näher zu ihm hin. »Ich kann dir helfen. Vater und ich, wir können dir helfen. Das weißt du.«

Johannes sah an der Schulter seines Bruders vorbei in die Ferne. »Nun, ich bin hier, oder? Lasst es gut sein. Ich tue meine Pflicht.«

»Wir könnten dich aus der vordersten Linie nehmen. Du könntest auch anderswo deinen Dienst versehen, wo es ungefährlicher ist …«, fuhr Ludwig fort.

»Und meine Kameraden im Stich lassen?«

Johannes schüttelte heftig den Kopf. Ludwig rieb über eine Stelle an seinem Ärmel. Es gibt nichts auszusetzen an ihm, dachte Johannes, da ist kein Körnchen Schmutz. Auch hier draußen schaffte der Jüngere es, sich sauber zu halten. Manchmal rätselte Johannes darüber, wie ihm das gelang. Oftmals bewunderte er ihn dafür. Im Feld, wo es oft weder Seife noch Zahnpasta gab und die Toilette ein rechteckiger, tiefer, langer Schacht mit einer längs darübergelegten Stange war, sanken die Ansprüche.

Ludwig nahm den Blick von seinem Ärmel.

»Ich bin kein Feigling.«

Johannes' Stimme klang rau. Wieder Schweigen, dann entnahm Ludwig seinem silbernen Etui zwei Zigaretten, steckte sich eine an, gab die zweite mit einem leisen Seufzer an Johannes weiter, der sie verwahrte.

»Ich rauche zu viel«, murmelte der Ältere nach einer Weile, nachdem er einen weiteren tiefen Zug von seiner eigenen Zigarette genommen hatte. »Gibt es etwas Neues?«

Ludwig schüttelte den Kopf. »Nein, morgen geht es endgültig los.«

»Der 21. Februar?«

Ludwig rauchte und nickte wortlos. Er sieht gut aus in seiner Uniform, fuhr es Johannes erneut durch den Kopf, immer noch. Ein Uniform-Mensch. Ein Militär vom Scheitel zur Sohle, ganz anders als ich … Ob Papa und Mama – oder Vater und Mutter, wie es jetzt deutsch heißen musste, wohl stolz auf ihn waren?

»Ja, das Wetter hat aufgeklart, wie du sicher selbst gemerkt hast.« Ludwig lachte und setzte dann hinzu: »Jetzt ist es endlich so weit, und wir können's den Franzmännern zeigen.«

Johannes führte die Zigarette zum Mund, verwundert, dass seine Hände einmal nicht zitterten. Er zog ein-, zweimal, blies einen Rauchkringel in die Luft, ohne jedoch ein Hochgefühl oder den Eindruck von Entspannung dabei zu empfinden, wie er es früher getan hatte. Ein Lächeln grub sich in seine Mundwinkel, das er innerlich, wo alles hart und kalt war, nicht nachempfinden konnte.

»Ich hätte nicht gedacht, dass ich mich einmal *nicht* über besseres Wetter freue.«

Ludwig runzelte die Augenbrauen. Die Zigarette hüpfte in seinem Mundwinkel, als er sprach: »Lass das mal niemanden hören.«

»Aber es ist die Wahrheit.«

»Die Wahrheit«, der Jüngere grinste, »wird allgemein überbewertet.«

Der deutsche Angriff begann am 21. 2. 1916 um 8:12 Uhr deutscher Zeit bei frostklarem Wetter mit dem Schuss eines 38-cm-Geschützes, des »Langen Max«, auf die Zitadelle von Verdun. Die Angriffslinie erstreckte sich von Haumontwald bis zum »Kap der guten Hoffnung« bei Azannes. Das sich anschließende gewaltige Bombardement währte neun Stunden und erstaunte und schockierte in seinen brutalen Auswirkungen sowohl Angreifer als auch Angegriffene. Um 5 Uhr nachmittags begann der direkte Angriff.

»Kommen Sie schon, kommen Sie, Thalheim.« Die anderen Offiziere standen bereits über die Karte gebeugt, als Ludwig eintraf. Severin Bergedorf reichte ihm einen silbernen Flachmann.

»Ein Schluck, ja? Das gute Tröpfchen stammt aus meinem letzten Urlaub im Land des Erbfeinds. Freue mich darauf, wieder dorthin zu kommen, wenn alles vorbei ist. Echter Cognac übrigens …«

Ludwig nahm den Flachmann, trank, und bedankte sich danach heiser. Der berichtende Offizier hatte derweil den Faden geschmeidig dort wieder aufgenommen, wo er ihn hatte fallen lassen.

»Besonders schwer hat es, unseren Berichten zufolge, das 18. Armeekorps, das den Wald von Caures angreifen sollte. Viele von Oberst Driants Männern haben offenbar dank ausgebauter Stellungen unser Trommelfeuer überlebt. Das 3. Armeekorps wiederum liegt vor Herbebois fest. So weit die Lage, wie sie uns bekannt ist.«

Bergedorf neigte sich zu Ludwig hinüber. Aus Gründen, die der Jüngere bislang nicht kannte, hatte der ältere Offizier einen Narren an ihm gefressen. »Die Kämpfe im Wald von Caures sollen heftig gewesen sein«, sagte er jetzt. »Habe ein paar Bekannte dort. Sind so weit alle wohlauf.«

Ludwig zog sich unwillkürlich der Magen zusammen. Er hatte schon lange nichts mehr von Johannes gehört und fragte sich, ob es ihm wohl gut ging. Aber nein, ganz gewiss gehörte Johannes nicht zu jenen, die in diesen letzten Stunden ihr Leben verloren hatten. Das war vollkommen unmöglich …

Als er den Bruder spät am Abend, völlig erschöpft und kaum fähig, sich zu äußern, in seinem Unterstand antraf, fiel endlich wieder der Druck von seiner Brust, als sei er der eiserne Heinrich gewesen, dem Eisenring um Eisenring wieder absprang.

»Man sagt«, schrieb Ludwig einige Tage später an seine Eltern, »die französische Führung habe einen Angriff zwar erwartet, sei aber von der Wucht unserer Offensive völlig überrascht worden.«

Unter starken Verlusten wurden die Kämpfe in den nächsten Tagen fortgesetzt. Ludwig notierte alles genauestens in seinem folgenden Brief; vielleicht würde der Vater die Stellungen und Geländegewinne ja anhand seiner Informationen nachvollziehen können.

»Es geht bereits die Rede«, endete er diesmal, »dass der Gegner in den nächsten Tagen das rechte Maasufer räumen wird. Unsere Armee hat in jedem Fall klare Luftüberlegenheit ...«

Ludwig ließ den Stift sinken. Vielleicht kam es jetzt doch so, wie alle es erwartet hatten. Vielleicht war der Krieg bald vorbei. Er war unsicher, ob er sich darüber freuen würde.

20

Sie nahmen den nächsten Abschnitt nach zweistündigem schwerem Kampf ein, doch für ein weiteres Vorrücken reichte die Kraft nicht mehr aus. Wie andere auch ließ Johannes sich im nächsten Graben einfach fallen und bemühte sich, sein galoppierendes Herz zu beruhigen. Nicht nur das direkte Maschinengewehrfeuer hatte ihnen große Verluste beigebracht, sondern auch die französischen Geschütze, die jetzt auf der anderen Seite der Maas in ihrem Rücken lagen. Ein noch fernes Geräusch riss ihn aus den Gedanken. Je näher es kam, desto deutlicher war das leise, hohe Sirren des Motors zu hören.

Ein Flugzeug – Johannes drehte sich auf den Rücken und folgte der Spur des Fliegers, der nun über ihnen seine Kreise zog. Dann schloss er die Augen und lauschte dem Geräusch für einen Augenblick. In Friedenszeiten hatte er beides geliebt, sowohl den Anblick als auch das ihn begleitende Geräusch. Jetzt klang es nur noch bedrohlich in seinen Ohren.

Es wird nie wieder so klingen wie vor dem Krieg. Johannes wandte den Kopf und spähte zu dem Fort hinüber, das sich dunkel über ihnen erhob. Ganze vier Tage hatte das Neuruppiner Infanterie-Regiment Nr. 24 von seiner Ausgangsstellung am »Kap« benötigt, um hierherzugelangen. Waren die Franzosen bereit zur Verteidigung? Johannes zitterte unkontrolliert. Wie so oft. Er konnte einfach nichts dagegen tun.

21

Corinna war so schnell gelaufen, dass sie ganz atemlos war. Ihre Kehle fühlte sich wund an. Das Herz schlug ihr wie wild in der Brust und bis in den Hals hinauf. Die Hand, mit der sie das Extrablatt der *Frankfurter Zeitung* umklammerte, schmerzte. Zitternd gelang es ihr erst nach einer Weile, den Schlüssel ins Schloss zu schieben und die Tür zu öffnen. Beatrice saß am Küchentisch und blickte von ihren Notizen auf. Man schrieb den 26.2.1916.

»Sie haben Douaumont eingenommen, Beatrice!« Corinna musste tief Luft holen, weil ihre Stimme nach der Anstrengung des Laufens zu leise war. »Douaumont ist in unserer Hand, hörst du!«

»Douaumont?« Beatrice schaute sie fragend an.

»Ach, so ein wichtiges Fort …« Corinna berührte ihren immer noch schmerzenden Hals. »Nein, was sage ich, *das* Fort überhaupt eigentlich, und wir haben es eingenommen! Der Krieg ist jetzt bestimmt bald zu Ende.« Beatrice sagte nichts. Corinna runzelte die Stirn. »Hast du die Kirchenglocken denn nicht gehört?«

»Nein …«, gab Beatrice zurück. »Doch«, verbesserte sie sich dann, »ich dachte nur nicht, dass es etwas so Besonderes ist …« Sie legte das Blatt zur Seite, auf dem sie eben noch etwas notiert hatte. »Wir haben doch schon so oft gedacht, der Krieg ist zu Ende, Johannes und Ludwig kommen zurück und …« Im nächsten Moment nahm sie das Blatt wieder zur Hand und starrte darauf.

Manchmal, fiel Corinna jetzt auf, wenn Beatrice nicht arbeitete, schrieb sie dieser Tage stundenlang nur ein paar Worte und sah ansonsten aus dem Fenster. Sie hatte dann so einen abwesenden Ausdruck, den Corinna sich nicht recht erklären konnte.

»Der Sohn der Nachbarn ist gestorben«, sagte sie jetzt unvermittelt.

»Wer?«

Corinna legte den Kopf schief. Beatrice deutete auf die Wohnungstür.

»Hier bei uns gegenüber. Erwin Schultheiß. Erinnerst du dich an ihn? Ich nicht wirklich. Nur daran, dass er immer so aussah, als sei er kaum vierzehn mit seinen zweiundzwanzig Jahren.« Sie zögerte. »Und er hatte noch nie eine Freundin. Er hat es mir vor der Abreise gesagt, und ich habe gesagt, er würde eine finden, nach dem Krieg …« Beatrices Stimme verklang.

»Aber er war doch nicht erst vierzehn?«, versicherte sich Corinna.

»Nein, zweiundzwanzig, das sagte ich doch eben.« Beatrice zögerte. »Er sah nur so jung aus. Wie ein Kind. Seine Mutter hat heute Morgen die Gashähne aufgedreht. Ein Nachbar hat's gemerkt, hat mir Frau Lehmkühler erzählt. Sie haben die arme Frau in die Irrenanstalt gebracht. Sie ist jetzt ganz alleine.«

Der Krieg rückt näher, fuhr es Corinna durch den Kopf, es herrscht Mangel. Mehr und mehr Menschen mussten inzwischen durch öffentliche Speisungen versorgt werden, Beatrice und ihr ging es dabei, dank der Essenspakete aus dem *Goldenen Schwan*, noch recht gut. Trotzdem war es gut, endlich einmal von einem Erfolg berichten zu können. Allenthalben war die Stimmung in diesem Frühjahr 1916 gesunken, die Begeisterung für den Krieg hatte deutlich nachgelassen. Corinna legte die Zeitung auf den Tisch und strich sie glatt.

»Ich mache uns Tee, ja? Und dann lesen wir den Artikel gemeinsam.«

»Ja.« Beatrice klang nicht wirklich interessiert. Corinna hantierte mit dem Teegeschirr, stellte dann alles auf dem Tisch bereit: Kräutertee, sogar etwas echten Zucker, den sie sich eigentlich für die nächsten Feiertage vom Mund abgespart hatten. Heute war das hier ein Feiertag.

»Willst du vielleicht lesen?«, fragte Corinna und nickte zur Zeitung hin.

Beatrice schüttelte den Kopf, die Tasse mit beiden Händen umfassend. Corinna strich die Zeitung erneut glatt. Die ersten Zeilen las sie schweigend, dann räusperte sie sich: »Steil und unnahbar ragt der lange, kahle Rücken des Douaumont über die umliegenden Waldberge empor. Weit über die Bodenwellen der Woëvre-Ebene im Osten und das tief eingeschnittene Maastal im Westen reicht von hier aus der Blick.«

»Das hört sich fast schön an«, unterbrach Beatrice sie nachdenklich.

Corinna wartete einen Moment, suchte dann die Stelle, an der sie aufgehört hatte: »Fast vier Kilometer lang zieht sich auf dieser Höhe die Reihe der vierzehn Festungs-werke hin …« Sie ließ erneut ein paar Zeilen aus und fuhr dann fort: »Auf dem Gipfel des Douaumont liegt in 388 Metern Höhe das eroberte Panzerfort. Es ist das stärkste der Sperrforts um Verdun, ganz modern mit be-tonierten Panzerkuppeln und allen technischen Hilfsmit-teln reichlich ausgestattet.«

Beatrice stellte ihre Tasse zurück auf den Tisch. Es klirrte leise. Die beiden Freundinnen wechselten einen kurzen Blick. Dies hörte sich schon mehr nach Krieg an. Co-rinna musste sich räuspern, bevor sie weiterlas: »Unsere schweren Geschütze haben hier ebenso vernichtend und nervenerschütternd gewirkt, wie sie am Tage vorher un-seren wackeren Sturmkolonnen die Wege durch die dich-ten Waldverhaue des Gegners bahnen halfen.« Wieder ließ sie etwas aus. »Aus der Größe und Schnelligkeit dieses Erfolges, der die vorausgegangenen krönt, kann man wie-derum die absolute Sicherheit der Sturmdisziplin ermes-sen, das unvergleichliche Zusammenarbeiten aller Teile …« Sie überflog einige Zeilen. »Diese Anspannung aller Kräfte am rechten Ort ist es auch vor allem, die uns Menschenopfer erspart und die unser Vorgehen fast wie ein unabwendbares Naturereignis wirken lässt. Es lohnt sich da nicht, die ›Berge von Leichen‹ zu widerlegen, die uns die hysterischen Berichte des erschreckten Gegners unablässig zuschreiben, es lohnt sich wirklich nicht!«

Corinna ließ die Zeitung sinken. Für eine lange Zeit sagte keine von ihnen beiden etwas. »Meinst du, Ludwig und Johannes waren dort dabei?«, fragte Beatrice schließlich.

Corinna zuckte die Achseln. »Vielleicht.«

»Wie schrecklich.« Beatrice war blass geworden, schob nun ihre Teetasse etwas von sich weg, zur Tischmitte hin.

»Douaumont ist ein großer Sieg«, sagte Corinna leise und hörte doch zu deutlich die Unsicherheit in ihrer eigenen Stimme. »Vielleicht wird jetzt wirklich alles gut.«

Beatrice sah sie zweifelnd an. Corinna entschied, sich nicht beirren zu lassen. Ja, der Krieg würde zu Ende gehen. Alle würden unbeschadet nach Hause zurückkehren. Sie atmete tief durch.

»Es ist ein wirklich großer Sieg, Beatrice. Jetzt wird alles gut.«

Ludwigs Brief traf wenige Tage später ein. Corinna las ihn und versuchte verzweifelt, etwas zu spüren, das sich nicht einstellen wollte. Schon hin und wieder hatte sie sich vorgestellt, wie es wäre, wenn sie etwas für ihn empfinden würde und er für sie. Aber dem war nicht so, und das wussten sie beide. Sie liebte seinen Bruder und wusste nicht, ob Ludwig überhaupt für irgendjemanden Zuneigung empfand. Für einen Moment lang hatte sie jetzt nicht einmal mehr sein Gesicht vor Augen. Sie erinnerte nicht mehr, wie er in Uniform aussah, obgleich sie wusste, dass es ein prächtiger Anblick gewesen war. Wieder dachte sie an Johannes. Johannes, den sie nie vergessen würde und der immer in ihren Gedanken war. Johannes, der sie gerettet und dann doch vergessen hatte. Johannes, dem sie nichts bedeutete.

Warum hat er mir das Leben gerettet, wenn ich ihm doch gleichgültig bin?

Sie konzentrierte sich wieder auf den Brief – Ludwig schrieb von ihrem Infanterie-Regiment, das bei der Erstürmung der Panzerfeste Douaumont dabei gewesen war –, dann warf sie einen kurzen Blick auf Beatrice, die mit geschlossenen Augen auf dem Sofa lag, bevor sie erneut weiterlas. Über die nächsten Zeilen schrieb Ludwig so detailliert von dem Fort, als plane er einen Ausflug dorthin. Gelangweilt las Corinna von Geschütztürmen und Maschinengewehrstellungen, von stählernen Hauben über den Geschütztürmen und Beobachtungsstellungen.

War das der Krieg? War es das, was Männer begeisterte?

Sie dachte an den Sommer 1914, als Ludwig, Johannes und die anderen sich aufgemacht hatten, um in den wilden Krieg zu ziehen. So ruhig waren sie gewesen, so ernst und so willig. Sie dachte an eine Bäuerin, die Gemüse an den *Goldenen Schwan* geliefert und zwischen Tür und Angel zu Edith Kahlenberg gesagt hatte, dass ihr das alles wie ein furchtbarer Traum vorkomme, aus dem man doch aufwachen müsse, um sich bei der gewohnten friedlichen Tätigkeit zu finden. Die Nachrichten, die vorher so wichtig gewesen waren, waren in diesen Tagen bedeutungslos geworden. Einer hatte einen totgeschlagen. Im Irrenhaus feierte man ein Fest. Im Dorf war ein ungeheuer schweres Kalb geboren worden, und in der Apotheke gab es neue Tropfen für alle möglichen Leiden.

»Was schreibt er denn noch?«, riss Beatrices Stimme Corinna erneut aus den Gedanken.

»Ich, äh.« Corinna raschelte mit den Briefbögen, überflog eine Beschreibung der umfangreichen Verstärkung, die die Panzerung des Forts bereits ab 1887 erfahren hatte. »Er schreibt, der Eindruck könne entstehen, als wäre das Fort direkt in den Hügel hineingebaut. Und dass es über einen Frischwasserzugang verfügt.«

»Ein Frischwasserzugang«, wiederholte Beatrice leise. »Das hört sich gut an, nicht wahr?«

22

Die ersten Stunden des 26. Februar 1916 in Fort Douaumont vergingen friedlich. Man genoss den Sonnenschein, während man sich im Freien vor den Kasematten endlich einmal wieder den Dreck vom Leib wusch und sich gründlich rasierte. Ludwig sah noch Tage danach die Uniformröcke vor sich, die ihre Besitzer zum Lüften oder Trocknen über die Lebensbäumchen im kleinen Garten des Kommandanten geworfen hatten – ein so unschuldiger Anblick –, doch heute, nur so kurz später, war bereits nichts Grünes mehr zu sehen. Die Wasserpumpe lief Tag und Nacht unter großem Lärm, das Wasser musste gleich nach der Einnahme rationiert werden, und mangels Petroleum war die Beleuchtung spärlich. Vorerst behalf man sich mit Kerzen.

Die leichte Einnahme der Feste erschien den meisten immer noch wie ein Wunder. Soldaten des Infanterie-Regiments Nr. 24 aus Neuruppin hatten den Befehl erhalten, das Vorgehen des Grenadier-Regiments Nr. 12 gegen das Dorf Douaumont zu unterstützen, sich im Folgenden jedoch eigenmächtig bis an das Fort herangearbeitet und die französische 37. Division erfolgreich zurückgeworfen. Die Garnison des Forts selbst wiederum hatte die vorrückenden Deutschen nicht bemerkt. Ein Unteroffizier namens Kunze, so erzählte man sich, hatte schließlich einen direkt in das Fort führenden Schacht entdeckt und diesen mithilfe einer von seiner Truppe gebildeten Menschenpyramide betreten. Für die französische Besatzung kam zu diesem Zeitpunkt bereits jede Warnung zu spät.

Es hatte Ludwig nicht wirklich überrascht, dass sehr bald Streit darüber entbrannte, welcher Offizier oder sogar Unteroffizier nun mit seiner Gruppe das Fort als Erster in seine Gewalt gebracht hatte. Die Franzosen machten sich indes daran, Douaumont zurückzuerobern.

Schon am späten Vormittag des 26. Februar traf erstes mächtiges Artilleriefeuer des Gegners das Fort. Granate um Granate flog über Kehlgraben und Wall. Niemand kam mehr herein oder heraus, und auch in den nächsten Tagen ließ der heftige Beschuss nicht nach. Schleichend wurde der tägliche Kampf zu ihrem Leben, ein Hin und Her, in dem es kaum einen merklichen Fortschritt gab.

Ludwig kniff die Augen zusammen und folgte seinem kleinen Trupp Pioniere mit Blicken durch das Niemandsland. Die kleinen Trupps wurden stets vorausgeschickt, das zerschossene Terrain nach den besten und nicht mehr widerstandsfähigen Angriffslücken für die nachrückenden Spezialkräfte auszuspähen. Danach erst folgte die breite Masse der restlichen Infanterie. Ludwig unterdrückte einen Seufzer, bevor er sich wieder dem jungen Mann zuwandte, der in strammer Haltung an seiner Seite wartete.

Ein guter Soldat. Das konnte man leicht erkennen. Ein Kriegsfreiwilliger. Ein Kriegsmutwilliger, wie manch alter Soldat sagte.

Ludwig musterte ihn scharf.

»Der ausdrückliche Befehl lautete, das Gebiet zu erkunden, die vordersten Gräben der Franzosen einzunehmen und sie gegen etwaige Gegenangriffe auszubauen.«

Der junge Mann straffte die Schultern. »Auch dem 7. Reservekorps unter General Johann von Zwehl ist es gelungen, nach fünfstündigem Kampf einen Sieg zu erringen und den Bois d'Haumont zu erobern, trotz anderslautender Weisungen.«

Ludwig zog die Augenbrauen hoch. »Sie sind gut im Bilde, Gefreiter, aber Sie sind nicht General von Zwehl!«

Der junge Mann nickte. Ludwig verwarnte ihn und schickte ihn den anderen hinterher. Würde er zurückkehren? Nichts war sicher in diesen Tagen.

Nur während der kurzen Ruhepausen fand man zueinander, und dann ging auch gleich der alltägliche Trott weiter. Ohne recht zu wissen, was er tat, stolperte Johannes in die nächste Senke hinein und warf sich auf die Erde. Er fragte sich längst nicht mehr, wem die bleichen Knochen gehörten, auf denen er zu liegen kam. Der Tod war überall. Er verließ diesen Ort nicht mehr und würde ihn wohl nie wieder verlassen. Würden irgendwann Menschen hierher zurückkehren?

Seit diese unendliche Schlacht begonnen hatte, schwebte der Tod über diesem Niemandsland wie eine stete dunkle Wolke. Bevor Johannes hierhergekommen war, hatte er nicht gewusst, wie sehr sich totes Fleisch verfärben konnte. Er hoffte, dass niemand seinen Liebsten so sehen musste, und wenn man ihn einmal fragen sollte, später, zu Hause, dann würde er gewiss schweigen über das, was er gesehen hatte.

Er bemerkte, dass er die Lippen wieder einmal leicht geöffnet hatte, als könne er, indem er durch den Mund atmete, dem Geruch entgehen, aber das war ein Trugschluss. Alles schmeckte hier nach Tod und Verwesung, sogar das Essen und das Wasser.

Was tue ich, wenn ich wieder zu Hause bin und niemand wissen kann und darf, was ich erlebt habe?

Unvermittelt knurrte sein Magen. Der permanente Geschosshagel führte auch dazu, dass die Soldaten nicht ausreichend mit Nahrung versorgt werden konnten. An den ständigen Hunger hatte er sich allerdings gewöhnt.

Wer brauchte schon Nahrung? Es war Johannes, als sei sein Magen auf Walnussgröße zusammengeschrumpft. Er konnte sich auch nicht mehr vorstellen zu kochen. Gerüche, Geschmack hatten sich unauslöschlich mit etwas Schrecklichem verbunden. Das, was ihm so viel Vergnügen bereitet hatte, war in weite Ferne gerückt. Am schrecklichsten war ohnehin der Durst. Der Durst trieb viele von ihnen dazu, verseuchtes Regenwasser aus Granattrichtern oder sogar den eigenen Urin zu trinken.

Ein Befehl wurde gebrüllt. Jetzt hätte er den nächsten Abschnitt nehmen müssen, doch er blieb liegen und lauschte dem Geknatter der Schüsse. Das Zittern begann wieder. Er konnte das Gewehr kaum mehr in den Händen halten. Die letzte Deckung zu verlassen, um die nächste zu erreichen, hatte ihn nervlich wieder einmal alles gekostet. Er konnte sich nicht vorstellen, diese Deckung jemals wieder zu verlassen. Er würde einfach liegen bleiben müssen, weil ihm seine Glieder ohnehin nicht gehorchten. Seine Kehle wurde eng. Er musste sich darauf konzentrieren, Luft zu holen. Alles andere war zu viel.

Irgendwo war das laute Summen einer Fliege zu hören. Johannes keuchte. Ich werde niemals wieder das Geräusch einer summenden Mücke oder Fliege hören können, ohne mich unwohl zu fühlen. Ich werde nie wieder den grün schillernden Leib einer Schmeißfliege betrachten, ohne mich übergeben zu wollen. Dabei hatte das Gesumm früher den Sommer verheißen, träge, heiße Sommer am See, wo man die umherschwirrenden Insekten halbherzig vertrieb. Sommer mit Beatrice. Mit Corinna. Mit Ludwig.

Vor einem stinkenden Pferdekadaver stürzte er erneut in den Dreck. Ihn dauerten die armen Tiere, denn die Gespanne erlitten unter dem Beschuss besonders hohe Verluste. Johannes konnte sich überhaupt nicht mehr vorstellen, wie etwas roch, das nicht Pulver, Tod, Feuer oder Gas war. Er wusste nicht mehr, wie eine Rose duftete, frische Wäsche oder Beatrice, wenn sie aus dem See stieg und ihr nasses Haar schüttelte. Er erinnerte sich auch nicht mehr, wie sie sich anfühlte.

Wie fühlte sich warme Haut an? Wie ein atmender Mensch? Verdun war das Grauen, die »Blutpumpe«, die »Knochenmühle« oder schlichtweg »die Hölle«.

Irgendjemand brüllte wieder einen Befehl. Johannes hörte ihn nicht richtig, aber sein Körper reagierte. Sein Körper stemmte sich aus der Senke hinaus und rannte wieder, rannte durch das Zischen und Knallen von Schüssen und Explosionen. Das Geschützfeuer war allgegenwärtig, und manchmal hoffte er darauf, dass es einmal aufhören würde, doch wenn es aufhörte – selbst für einen kurzen Moment –, dann verkrampfte er sich. Weil es eben nur ein Moment war, in dem man auf den nächsten Schuss wartete. Nur der kurze Moment vor dem nächsten Knallen, vor der nächsten Explosion, vor dem nächsten Geschoss, das den Tod bringen konnte.

Anfang März setzte sich das Hin und Her ohne große Landgewinne fort. Es gab Gerüchte über große Verluste auf französischer Seite. Mehrere Sturmangriffe auf Fort Vaux scheiterten, ebenfalls mit zahlreichen Toten. Ein Teil der Höhe 304 wurde besetzt und ging wieder verloren, die endgültige Einnahme des Rabenwaldes, des *Bois des Corbeaux*, gelang, woraufhin sich die deutschen Truppen dem »Toten Mann« zuwandten. Die Verteidigung Douaumonts nahm unterdessen endlich fest umrissene Formen an. Mehrmals täglich durchstreiften Patrouillen die langen, dunklen Gänge des Forts und leuchteten jeden Winkel nach weggeworfenen Handgranaten ab, die leicht unabsehbare Unglücksfälle verursachen konnten. Auch in Folge der immer noch mangelhaften Beleuchtung – im Schnitt gab es eine Kerze für zwanzig Mann – verbrachte man die meiste freie Zeit schlafend auf der Pritsche. Das Fortlazarett war bald überfüllt. Unter ständigem Beschuss taten die Pioniere ihr Werk.

Aufgrund des Dauerbeschusses bei immer noch winterlichen Temperaturen waren die Rauchabzüge für Öfen und Kochkessel häufig verschüttet. Rauch und feinster Steinstaub reizten die Atemwege. Nicht wenige litten unter entzündeten Schleimhäuten, Reizungen und Entzündungen der Augen, der Nase und des Rachens. Bald hatte dieses Phänomen einen Namen: die Douaumont-Krankheit.

Die einzige Verbindung zur Außenwelt blieben die Melder, Wasserholer und Lebensmittelträger. Jedes Holzscheit für die großen Kochkessel musste durch Streufeuer herbeigetragen werden. Viel Material ging unterwegs verloren. Auch wenn die Trägertrupps nur nachts unterwegs waren, litten sie unter hohen Verlusten. Im ständigen Artilleriefeuer war es unmöglich, eine dauerhafte Fernsprechverbindung zu legen, sodass schließlich eine Lichtsignalverbindung eingerichtet wurde.

Da die Wasserleitungen zum Fort zerschossen waren, herrschte seit Beginn der Besetzung Wassernotstand. Die einzige Pumpe im Mittelgang des Forts musste – völlig überlastet – ständig repariert werden. Die Wasserausgabe erfolgte weiterhin nur mit Erlaubnisschein.

Trotz der schlimmen Verhältnisse genoss Ludwig die Nähe zu seinem Bruder in diesen Tagen. Nicht zum ersten Mal kauerten sie sich heute zum gemeinsamen Essen auf den Boden. Es gab eine Art Brot und etwas, das an Suppe erinnerte. Hungrig leerte Johannes seinen Becher, obgleich ihm beim ersten Anblick beinahe schlecht geworden war. Ludwigs Löffel scharrte über den Dosenboden.

Johannes fragte sich mit einem Mal, warum Ludwig hier bei ihm war. Er konnte mit den Offizieren speisen. Er musste nicht hier bei seinem älteren Bruder sitzen. Er beobachtete Ludwig beim Essen, seine so unglaublich vertrauten, anheimelnden Bewegungen. Ludwig hatte sie als Junge schon genau so gemacht. Und diese Art, wie er sich mit dem Handrücken über den Mund fuhr.

Johannes räusperte sich. »Weißt du, angeblich war Fort Douaumont bereits vor seiner Einnahme zur Sprengung vorgesehen.«

»Wirklich?« Ludwig ließ das Behältnis sinken. Johannes fühlte ein bitteres Lachen in sich aufsteigen. Es krächzte und schien auf seltsame Weise an seiner Kehle zu kratzen, als wolle es eigentlich gar nicht hinaus. Er stellte sein Geschirr ab. »Es würde mich nicht wundern, wenn das Bestreben der Franzosen, es zurückzuerobern, allein daran liegt, dass wir es eingenommen haben.«

Der Jüngere nahm den Blick nicht von ihm.

»Das würde zu diesem ganzen absurden Schauspiel hier passen«, fuhr Johannes trotz des scharfen Blicks fort, den Ludwig ihm jetzt zuwarf.

»Es ist immer eine Frage der Taktik«, sagte der Jüngere nachdrücklich.

Johannes schüttelte den Kopf. »Ist es nicht, und das weißt du. Das hier hat nichts mehr mit Taktik zu tun.«

Das Leben im Fort ging wie gewohnt weiter. Ein Volltreffer entzündete Ende März zweihundert Granaten und tötete sechs Männer. Die Fenster und Türen zur Feindseite hin wurden ständig beschossen, deshalb errichtete man Sandsackbarrieren und baute zum Schutz der Ausgänge Flammenwerfer ein. An der Nordseite arbeitete man an einem neuen Ausgang, was wegen des Felsgesteins eine mühsame Arbeit war. Kaum fertiggestellt, würde er auch schon wieder eingeschossen.

Das Lazarett im Fort verfügte dafür inzwischen sogar über elektrisches Licht. Petroleum- und Karbidlampen dienten dem Notfall. Für Frischluft sorgte ein Handlüfter. Eines Tages traf Ludwig den leicht verwundeten Bergedorf dort an, der sich, den üblichen Flachmann in der Hand, sofort vertraulich zu ihm hinbeugte.

»Nur so zwischen uns. Ich habe gehört, Kronprinz Wilhelm habe die Oberheeresleitung angesichts der Verluste um den Abbruch der Offensive gebeten, doch Falkenhayn soll abgelehnt haben. Seiner Meinung nach ist die Offensive ein Erfolg, weil die Franzmänner angeblich höhere Opferzahlen zu beklagen haben.«

Ludwig merkte, dass er nickte, während er innerlich bereits abschweifte.

Höhere Opferzahlen, hatte Johannes gestern gesagt, aber was sind höhere Opferzahlen? Für diejenigen, die ihre Liebsten verlieren, ist das alles einerlei.

23

Es war Hermann Kahlenbergs Idee gewesen, den *Goldenen Schwan* bis Kriegsende zu einem Erholungsheim für Soldaten zu machen. Zum ersten Mal seit Langem hatte er sich gegen seine Frau durchgesetzt, die die plötzliche Nähe des Krieges hasste und dem alten Hotelbetrieb nachtrauerte.

Nach dem Krieg wird wieder alles anders werden, suchte er sie zu beruhigen, doch jetzt befinden wir uns *im* Krieg. So war das eben. Sie waren die Heimatfront, sie hatten das Ihre zu leisten.

Edith schwieg, zeigte jedoch deutlich, dass sie nicht damit einverstanden war. Sie zog sich in ihr Zimmer zurück, um zu stricken. Das Ehepaar sprach nun seltener miteinander.

An einem Wochenende überredete Hermann Beatrice, ihre Arbeit im Hotel wieder aufzunehmen. Wenige Tage darauf schloss Corinna sich ihr an, um Herrn Kahlenberg, der ihr immer wichtig gewesen war, eine Freude zu bereiten. Noch nicht einmal die Aussicht, bei ihrer Mutter zu wohnen, konnte sie von der Entscheidung abbringen.

Die ersten Soldaten kamen bald, Männer, die keine Familie hatten, und solche, die ihren Lieben aus den verschiedensten Gründen in dieser Zeit nicht gegenübertreten wollten. Menschen, die körperlich so weit gesund waren, doch deren Seele litt und die in der Ruhe des Parks und des Anwesens Frieden suchten.

Nicht zum ersten Mal beobachtete Corinna die Freundin jetzt aus der Ferne. Diese ruhige Art, mit der Beatrice mit diesen Fremden sprach, ohne ein Zeichen des Ekels sogar angesichts schrecklicher Narben und Versehrtheit. Corinna hatte Beatrice diese Arbeit zuerst nicht zugetraut, aber seit die ersten Soldaten eingetroffen waren, war die Freundin von früh bis spät auf den Beinen.

Woran dachte sie wohl, wenn sie mit diesen Menschen sprach? Fühlte sie sich Johannes nah? Corinna überlegte, aber sie kam zu keinem Schluss.

Einen Moment lang stand Beatrice am Fenster und starrte nachdenklich hinaus, ohne etwas zu sehen. Dann drehte sie sich um, straffte die Schultern, um mit ihrer Arbeit fortzufahren.

»Sie sehen traurig aus«, ertönte plötzlich eine leise Stimme an ihrer Seite.

Beatrice dachte kurz darüber nach, einfach weiterzugehen und so zu tun, als habe sie nichts gehört. Auf diese Weise hatte sie noch keiner angesprochen. Die meisten waren zurückhaltend, oder sie suchten die Einsamkeit, um mit ihren eigenen Dämonen zu kämpfen.

Sie drehte sich doch um. Es gelang ihr gerade noch, ein Zusammenzucken zu verhindern. In dem Gesicht des Mannes, der sie angesprochen hatte, war einfach nichts Menschliches mehr.

»Wünschen Sie noch etwas?«, fragte sie, straffte die Schultern und ignorierte seine Bemerkung.

Der Mann starrte sie an – ihre Reaktion war ihm offenbar doch nicht entgangen, sosehr sie sich auch bemüht hatte, sie zu verbergen –, dann lachte er dumpf und etwas bellend.

»Was wünschen Sie sich denn?« Trotz der Verletzungen konnte man an seinen Augen gerade noch erkennen, dass er lächelte. Es fiel ihr leichter als erwartet, das Lächeln zu erwidern.

»Darum geht es hier aber nicht, Herr …«

»Taubner. Wirklich nicht? Worum geht es dann? Wir müssen alle für uns sorgen. Wir müssen dafür sorgen, dass es uns gut geht.«

Seine Worte rührten sie seltsam. Beatrice kämpfte gegen die Verunsicherung an, die unaufhaltsam in ihr aufstieg.

»Ich glaube, ich gehe jetzt besser.«

»Tun Sie das.« Er klang jetzt sehr ruhig und etwas resigniert. »Ich wollte Sie gewiss nicht stören oder verletzen, Fräulein …«

Beatrice blieb stehen, obgleich sie anderes vorgehabt hatte.

»Fräulein Kahlenberg. Sie haben mich weder gestört noch verletzt. Ich kenne Sie doch gar nicht.«

»Würden Sie sich dann kurz zu mir setzen?«

Flirtete dieser Herr Taubner etwa mit ihr? Nein, rief sich Beatrice zur Räson, der Mann war lediglich einsam und wünschte sich etwas Unterhaltung. Manche schwiegen. Manche redeten. So war das.

Ich bin auch einsam, schoss es ihr durch den Kopf.

Der Mann musste eine Veränderung an ihr wahrgenommen haben.

»Ist Ihnen jetzt vielleicht doch eingefallen, was Ihnen fehlt?«

Beatrice lächelte, obwohl es ihr in diesem Moment schwerfiel. Eines musste sie ihm lassen. Der Mann hatte einen guten Blick.

»Nein«, entgegnete sie. »Aber ich bleibe gerne kurz bei Ihnen.«

Eine Zeit lang sprach keiner von ihnen etwas.

»Haben Sie Familie?«, fragte Taubner dann.

Beatrice zögerte. »Nur meine Eltern. Und Sie?«

»Frau und Kind.« Er machte eine Pause. »Der Kleine wurde geboren, da war ich schon fort. Er hat mein Gesicht also noch nie gesehen, und jetzt wird er es auch nie sehen.«

Im verzweifelten Versuch, die richtigen Worte zu finden, presste Beatrice kurz die Lippen zusammen. »Aber Ihre Frau hat doch sicherlich Fotografien?«

Taubner schnaufte.

»Meinen Sie, das ist ein Ersatz? Für ein Kind, meine ich. Er wird sich immer vor mir fürchten. Ich werde ihn nie ansehen können.«

»Sind Sie deshalb hier?«

Taubner schaute Beatrice nur an und schwieg. Erneut suchte sie fieberhaft nach Worten, nichts Rechtes wollte ihr einfallen.

»Es tut mir leid«, flüsterte sie dann. »Was ich gesagt habe, war dumm.«

Wieder dieses Lächeln in seinen Augen.

»Das würde ich nicht sagen. Aber Sie sind nicht in meiner Situation. Es ist gewiss nicht leicht, sich das vorzustellen.«

Beatrice entschied, sich doch an Taubners Seite zu setzen.

»Was ist Ihnen passiert?«

Der Mann wiegte kaum merklich den Kopf. »Ich weiß es nicht. Ich kann mich an nichts erinnern, nur an diese furchtbaren Schmerzen danach.«

»Haben Sie immer noch Schmerzen?«

»Ja.«

»Das muss schlimm sein.«

»Es gibt bestimmt schlimmere Fälle als mich. Ich kann immerhin noch sehen.« Taubner blickte sich um. »Und mich erholen.«

»Ja.«

»Und mit Ihnen sprechen.«

»Das ist gut.«

»Sie könnten auch sprechen, sagen aber nicht viel.«

»Es … Es ist nicht leicht.«

»Was bedrückt Sie?«

Er war wirklich hartnäckig. Beatrice überlegte.

Warum nicht, dachte sie dann, warum nicht? Vielleicht fühle ich mich leichter, wenn ich etwas von mir erzähle.

»Mein Verlobter kämpft vor Verdun.«

Taubner nickte. »Er ist also in der Hölle.«

»Ja«, erwiderte sie. So war es wohl.

24

$\mathcal{D}$ie erste Granate schlug unmittelbar neben dem Gang des Hauptverbandsraumes ein und verschüttete den etwa ein Meter breiten Entlüftungsschacht. Starker Chlorgeruch verbreitete sich in kurzer Frist in allen Räumen des Kellergeschosses aus. Verzweifelt, mit brennenden Schleimhäuten, kämpfte Johannes kurz darauf darum, sich im Gasnebel zu orientieren. Die Übelkeit und das Kopfweh, die bereits einsetzten, hatte er schon mehrfach erlebt. Von irgendwoher brüllte jemand Anweisungen. Einige machten sich daran, Sauerstoffflaschen zu öffnen, andere legten den Entlüftungsschacht wieder frei. Alles Handgriffe, die nicht zum ersten Mal erfolgten. Kein Grund zur Beunruhigung, und doch krampfte sich Johannes' Magen zusammen.

Als sie sich endlich schlafen legen konnten, waren sie alle erschöpft. Johannes hatte den Eindruck, kaum die Augen geschlossen zu haben, als er schon wieder hochfuhr. Draußen in den Gängen waren panisches Trampeln und lautes Schreien zu hören, das sich zu einem schrillen, verzweifelten Kreischen hin steigerte. Trotz aller Erschöpfung fuhr Johannes von seinem Lager auf. Was war da los? Ein neuer Angriff?

Auch andere hatten sich erhoben und standen nun, starr in die Finsternis horchend. Dann drängten sie alle wie auf ein geheimes Wort auf den Ausgang zu.

»Die Schwarzen kommen!«, brüllte draußen jemand, und der Ruf pflanzte sich fort wie das nicht endende Tack-Tack-Tack eines Maschinengewehrs. Das Entsetzen war in diesem Augenblick geradezu greifbar. Die Schwarzen, französische Kolonialregimenter, hieß es, machten keine Gefangenen. Nur einen Atemzug später waren kurz hintereinander drei furchtbare Detonationen zu hören. Alle Lichter erloschen auf einen Schlag. Ein gewaltiger Luftdruck ließ den Raum erbeben.

Halb betäubt, bemerkte Johannes erst einen Moment später, dass ihn die Explosion quer durch den Raum geschleudert haben musste. Es kostete ihn alle Kraft, sich aufzurichten und zur Tür zu wanken. Im Türeingang drängelten sich bereits zu viele Soldaten, aber er schubste und stieß, bis er nach draußen kam.

Im Gang war es drückend heiß. Manche wichen vor der erbarmungslosen Hitze zurück. Andere drängten von hinten nach. Es herrschte ein ungeheures Durcheinander. Wieder krachte es gewaltig. Fast zeitgleich ergoss sich heißer Qualm über die Köpfe der panischen Menge. Steine prasselten von oben herab. Johannes fühlte, wie er zu Boden gerissen wurde. Die seltsame Stille, die sich danach ausbreitete, mischte sich mit Wimmern und kläglichen Jammertönen. Er nahm erneut alle Kraft zusammen und schleppte sich weiter den Gang entlang; drückte und drängte vorwärts, während die Angst unbarmherzig in seiner Brust trommelte. Die dichte Wolke aus Rauch und Schwefeldampf, die sich immer weiter ausbreitete, machte das Atmen stetig schwerer und die Sicht fast unmöglich. Johannes tastete nach seiner Gasmaske, doch seine Hände zitterten zu sehr, und es wollte ihm einfach nicht gelingen, sie aufzusetzen. An den Durchgängen schien es kein Durchkommen zu geben.

Wieder waren Befehle zu hören. Neue Sauerstoffflaschen sollten geöffnet werden. Die Gasmaske entglitt endgültig Johannes' Händen. Ein anderer bückte sich danach, verschwand damit hinter undurchsichtigen, gelben Rauchschwaden.

Johannes keuchte im verzweifelten Bemühen, Luft zu holen. Seine Lunge brannte. Die Angst, die er eben noch kurz unter Kontrolle glaubte, packte ihn sehr plötzlich erneut.

Ich will leben. Lasst mich leben …

Johannes fühlte, wie ihn mit einem Mal ein entsetzlicher Schwindel überkam. Er taumelte, fühlte sich hochgezogen, dann wieder geschoben und getreten. Mit letzter Anstrengung, mehr mechanisch, hielt er sich aufrecht. Seine Gedanken setzten aus. Er stolperte voran, ohne zu wissen, wohin, einfach dem Strom folgend. Vor ihm sank jemand zusammen, andere trampelten über ihn hinweg. Ein Stoß traf Johannes in den Rücken. Er fiel und stemmte sich rasch wieder hoch. Wie andere auch krabbelte Johannes über die Leiber der Toten und Schwerverletzten hinweg, vorwärts, nur vorwärts, ohne auf etwas anderes achten zu können, und wenn es sich um ein Lebenszeichen handelte. Leben, leben, leben, hämmerte es in ihm, ich will leben.

Ludwig konnte nicht sagen, wie viel Zeit vergangen war, bis er das Bewusstsein zurückerlangte. Minuten? Stunden gar? Er lag mit geöffnetem Rock auf der blanken Erde in einem Raum, durch Tür- und Fensteröffnungen strömte frische Luft herein. Wohl fünfzig weitere Mann hatte man auf den Boden gebettet, doch nur wenige von ihnen schienen noch lebendig zu sein.

Ludwig musste sich mit einem Mal zusammenkrümmen und würgte dann Blut hervor. Offenbar war er verletzt. Sicherlich konnte es nicht mehr lange dauern, bis er wieder das Bewusstsein verlor. Womöglich für immer. Dieses Blut konnte nur bedeuten, dass er innere Verletzungen davongetragen hatte. Er war plötzlich sehr ruhig. Dann spürte er, dass sich etwas in ihm wie unter Krämpfen zusammenzog. Wieder übergab er sich unter großen Anstrengungen. Die Angst packte ihn erneut. Er zwang sich, sich wieder zurückzulegen, schmeckte Blut … Wie von selbst wanderte seine Zunge über die Zahnreihen. Zwei Zähne fehlten. Offenbar waren sie ihm ausgetreten worden. *Vielleicht bin ich gar nicht verletzt, nicht tödlich zumindest.*

Er dämmerte weg. Als er das nächste Mal auf die Uhr schaute, war es elf Uhr, und er hatte sich tatsächlich einigermaßen erholt. Johannes, dachte er jetzt erstmals, wo bist du? Lebst du noch, bist du verletzt?

Es dauerte noch etwas, bis er sich schwankend erstmals wieder aufrichten konnte. »Thalheim«, rief ihm von irgendwoher eine Stimme zu. Ludwig wandte sich um. Sein Gehör schien nicht so gut zu funktionieren, denn es dauerte, bis er sich orientiert hatte. Unwillkürlich wanderte seine Zunge erneut über die fehlenden Zähne, einer der seitlichen Schneidezähne oben, unten sogar ein Backenzahn. Er kniff die Augen zusammen und sah Severin Bergedorf in zerfetzter Uniform auf sich zukommen.

»Bergedorf!« Ludwig umarmte den Älteren, erstaunt über die unerwartet heftige Freude darüber, den manchmal etwas aufdringlichen älteren Mann zu sehen. Dann löste er sich wieder von ihm. Bergedorf schwankte, sah aber ansonsten nicht schlecht aus. Ludwig fragte sich, ob er selbst auch diesen bläulichen Kranz um den Mund aufwies.

»Ich muss meinen Bruder suchen«, entschuldigte er sich, bevor der andere etwas sagen konnte. Der schloss den geöffneten Mund wieder und hustete dann heftig. »Tun Sie das, tun Sie das! Der Herrgott dankt uns für jeden, den wir retten.«

»Oder der Kaiser«, murmelte Ludwig, während er sich schon von ihm entfernte. Die ersten Mannschaftsräume, zu denen er gelangte, waren zum Teil leer und ohne Zeichen von Zerstörung, in den nächsten lagen die eisernen Bettgestelle zusammengedrückt und auf einen Haufen geworfen; in den Gängen davor lagen die Leiber der Toten in Schutt und Trümmern. Es kostete Ludwig mehr Überwindung, als er erwartet hatte, doch er betrachtete jeden einzelnen von ihnen.

Mehr und mehr Ärzte und Sanitäter tauchten jetzt auf, doch sie konnten wenig tun. Dazwischen bewegten sich die Mannschaften des Leib-Grenadierregiments Nr. 8, das zur Hilfe geschickt worden war.

»Helfen Sie uns!«, brüllte ihn einer der Männer an. Im nächsten Moment war Ludwig damit beschäftigt, Betäubte und Rauchvergiftete nach draußen zu schleppen, wo sich die Ärzte weiter um die Verletzten kümmerten.

Die Mehrzahl der Opfer war durch Luftdruck getötet worden.

Es brauchte seine Zeit, dann gelang es Ludwig endlich, sich wieder abzusetzen. Er musste weitersuchen. Wie viele waren wohl gestorben? Hunderte? Befand sich Johannes darunter?

25

»Es ist etwas passiert, Beatrice.« Corinnas Stimme zitterte und drohte zu brechen, sodass sie noch einmal tief Luft holen musste, bevor sie weitersprechen konnte. Die Freundin blieb reglos sitzen, sodass der Eindruck entstand, sie nehme nichts wahr. Dann hob Beatrice sehr langsam den Kopf. »Verzeihung, ich war in Gedanken … Was hast du gesagt?«

»Ist dir nicht gut?«, fragte Corinna unsicher. Beatrice war blass. Nun ja, sie alle litten inzwischen unter Anspannung und Nervosität. Das musste nichts heißen.

Beatrice schüttelte den Kopf. »Alles in Ordnung, nur eine kleine Magenverstimmung, glaube ich. Was wolltest du mir sagen? War das eben die Post? So früh?«

Corinna nickte, während sie sich über die rauen Lippen leckte. Warum war Beatrice nur so ruhig? Jede Nachricht konnte doch das Schlimmste bedeuten, und diese Nachricht … Sie bemühte sich, das Zittern ihrer Hände unter Kontrolle zu bringen, verschränkte dann die Arme vor der Brust.

»Es hat einen Unfall gegeben, in Douaumont.«

Jetzt war es heraus. Sofort hatte sie Beatrices volle Aufmerksamkeit. Von einem Moment auf den anderen waren Beatrices hübsche blaue Augen weit geöffnet. Von einem Moment auf den anderen brannte ihr die Frage schier im Gesicht. Jetzt verstand sie, und ihre Stimme bebte, als sie ihre Frage stellte: »Ist … Ist etwas passiert? Geht … Geht es ihnen gut?«

26

»Mach es.«

Mias Freundin Alexa schaute gewohnt entschlossen drein. Ihre blauen Augen funkelten. Die Sonne hinter ihrem Kopf ließ ihre lockigen hellroten Haare aufleuchten wie einen Heiligenschein. Mia seufzte. Alexa hatte ihr keine Vorwürfe gemacht, als sie nach langer Zeit einfach wieder vor ihrer Tür gestanden hatte. Dabei hatten sie sich damals nicht wirklich im Guten getrennt. Nein, der letzte gemeinsame Abend mit Florian und Alexa hatte einen durchaus bitteren Nachgeschmack hinterlassen. Die beiden hatten sich nie ausstehen können, und Alexa hatte natürlich keine Gelegenheit ausgelassen, auf eine Weise zu sticheln, die Florian ganz verlässlich auf die Palme brachte. Mia erinnerte sich sehr deutlich daran, wie sie selbst Gang um Gang des von ihr sorgsam zusammengestellten Menüs auf den Tisch gebracht hatte, und mit jedem Mal weniger Appetit verspürt hatte. Irgendwann hatte sie sich, am Tisch zwischen den beiden sitzend, dabei erwischt, die Bestandteile des Hauptgangs auf ihrem Teller hin und her zu schieben. Den Nachtisch – selbst gemachte Panna Cotta – hatte sie ganz stehen lassen.

Und jetzt konnte sie Alexas strahlendes Lächeln erwidern, als ob nichts gewesen war. Obwohl sie sich vor dem Wiedersehen gefürchtet hatte, war kein Gefühl der Missstimmung zwischen ihnen aufgekommen. Alexa hatte die Tür geöffnet, sie hatten einander angesehen, und alles war gewesen wie immer: Sie waren Freundinnen.

Und ich habe so ein verdammtes Glück gehabt, dass sie noch in ihrer alten Wohnung wohnt, fuhr es Mia durch den Kopf. Etwas später saßen sie gemeinsam bei Eistee im Schatten des alten Kirschbaums in Alexas Schrebergarten, an dem alten Tisch vom Sperrmüll, den Alexa damals in allen Regenbogenfarben gestrichen hatte. Das Gras kitzelte an Mias Füßen, unzählige Gedanken vibrierten durch ihren Kopf. Sie hatte Alexa alles erzählt, ohne Zögern, von dem Erbe, von Florians Betrug an ihr, von dem gestohlenen Geld, schlussendlich sogar von der vagen Idee, den *Goldenen Schwan* wiederauferstehen zu lassen.

»Tu's«, Alexa beugte sich vor, als könne sie ihren Worten auf diese Weise mehr Gewicht verleihen, »mach dein eigenes Hotel auf, oder dein eigenes Café, Restaurant. Was auch immer – tu's! Ich weiß, dass du das immer wolltest. Eine gute Köchin bist du schon. Deine Kuchen damals hätte man locker verkaufen können, und deine Essenseinladungen waren stets begehrt.«

»Ach …« Mia wollte abwinken. Alexa unterbrach sie mit einer Handbewegung.

»Nein, kein Zaudern und Zagen jetzt. Wenn dir das Geld fehlt, dann verkauf das Haus im Westend, das wolltest du doch ohnehin. Bei der Lage wirst du einen netten Batzen dafür bekommen. Und dann denkst du mal nicht darüber nach, was alles passieren könnte, sondern machst einfach.«

Mia schob ihren Eistee etwas vom Tischrand zurück. Für einen Moment lang folgte ihr Blick einem Zitronenfalter, der ziellos durch den Garten zu taumeln schien. Sie dachte daran, dass sie Florian auf das hatte ansprechen wollen, was sie inzwischen wusste, und dass sie es nicht geschafft hatte, weil sie keinesfalls vor ihm in Tränen ausbrechen wollte. Sie dachte daran, wie ihr abends, nachdem sie Carlotta und Florian gesehen hatte, noch einmal die Tränen kamen. Unter der Dusche waren die Bilder, die sie so entschlossen aus ihrer Erinnerung aussperren wollte, wieder da gewesen: Carlotta und Florian sich umarmend. Carlotta und Florian beim gemeinsamen Abendessen. Carlotta und Florian im Bett, Liebesschwüre säuselnd.

Sie seufzte.

»Ach, das hört sich immer so leicht an bei dir, Alexa. Man sollte sich schon genau überlegen, was man tut.«

Alexa schüttelte den Kopf. »Ja, aber du denkst immer so lange nach, bis du zu dem Schluss kommst, es nicht zu tun. Natürlich gibt es immer Gefahren. Dinge können schiefgehen, zweifelsohne …«

»Allerdings«, fiel Mia Alexa ins Wort »und deshalb …«

Alexa hob die Hand, um die Freundin erneut zum Schweigen zu bringen.

»Mia, Widerstände sind dazu da, um sie zu überwinden. Es ist ganz leicht, Du musst es nur versuchen.«

Mia zuckte die Achseln. »Ach, ich weiß wirklich nicht.«

Alexa rollte die Augen. »Himmel, was willst du denn noch? Du hast ein tolles Haus, ein prächtiges Gelände. Du bist jetzt wirklich frei, deine Träume zum Leben zu erwecken, und, ganz ehrlich, bist du nicht eigentlich gerade deshalb zu mir gekommen?«

»So würde ich das jetzt nicht nennen.« Mia versuchte, nicht an Florian und Carlotta zu denken. Sie war auch hier, weil sie Trost brauchte. »Außerdem ist das Hotel wirklich stark renovierungsbedürftig.«

»Na und? Dann renovierst du es eben. Du hast Zeit. Du kannst ja klein anfangen, erst ein Ausflugslokal, dann ein Café, später das Hotel. Ich helfe dir, und bestimmt sind auch ein paar aus der alten Clique dabei.«

Die alte Clique. Ausflüge auf den Fuchstanz und zur Saalburg kamen Mia in den Sinn, Taunuswanderungen und Nachmittage im Eschersheimer Freibad mit seinem besonderen, einem Flusslauf nachempfundenen Becken und seiner breiten Rutsche.

»Vielleicht gibt es für den Anfang ein paar historisch Interessierte, die sich das alte Hotel gern mal anschauen würden. Die könnte man anlocken, so als eine Art erster Werbung. Vielleicht sollten wir die Sache mit einem Geheimnis verkaufen. Alte Häuser haben doch oft ihre Geheimnisse, zumindest aber haben sie ihre Geschichten, nicht wahr?«

»Hm.« Mia trank von ihrem Eistee. Darüber – über ihre Familie – hatten sie noch nicht gesprochen. Bislang hatte sie ohnehin nur Puzzleteile zusammenbekommen, von denen sie längst noch nicht sagen konnte, in welcher Reihenfolge sie sich würden anordnen lassen.

Alexa lachte sie an. »Jetzt sag schon, wäre das eine Idee?«

»Vielleicht.«

Mia überlegte, ob Alexas Vorschlag wirklich brauchbar klang, und stellte fest, dass sie eigentlich nichts daran auszusetzen hatte. Vielleicht hatten die Leute vom Geschichtsverein ja tatsächlich Interesse. Alexa berührte ihre Hand.

»Glaub mir, Mia, du bist nicht allein. Okay, du hast dich ein paar Jahre etwas rar gemacht, aber was soll's! Wir sind alle da.«

Mia nickte. »Wie geht's Benny?«, fragte sie dann. Mit fünfzehn – in Neylas Alter, wie ihr jetzt auffiel – war sie mit Alexas Bruder gegangen, dann hatten sie sich nach einem Umzug und einem Schulwechsel aus den Augen verloren. »Was macht er so?«

»Er studiert VWL.«

»Benny?« Mia war erstaunt. Dann hörte sie Alexa prustend lachen.

»Ach, Quatsch. Ben – wie er jetzt genannt werden will – jobbt und arbeitet am Pulitzerpreis; du kennst ihn doch. Momentan ist er für eine Reportage in Peru unterwegs. Soll ich ihn von dir grüßen?«

Mia überlegte kurz. Dann erwiderte sie so fröhlich, wie es ihr gelang: »Ja, mach mal, und sag ruhig Bescheid, wenn er wieder im Land ist.«

»Mach ich.« Alexa legte den Kopf schief und schien über etwas nachzudenken. »Er ist aber verheiratet«, bemerkte sie dann. »Mit einer Peruanerin.«

Mia lachte. »Ich interessiere mich nur dafür, was aus ihm geworden ist. Ich suche nicht nach einem neuen Partner, nachdem mich der letzte so wenig elegant abserviert hat.«

Alexa senkte zerknirscht den Kopf. »Tut mir leid.«

»Kein Problem.«

Mia hatte den Eistee ganz ausgetrunken. Alexa tat es ihr gleich. »Und gehst du jetzt nach Hause?«

»Nein, ich gehe in mein Hotel und lege gleich los. Ich habe keine Lust mehr zu warten.«

»Und Florian?«

Mia lächelte, obwohl es sie schmerzte. »Der kann mir vorerst den Buckel herunterrutschen.«

Der Abschied von Alexa war herzlich. Mia gab ihr die Nummer ihres Handys. Alexa wollte mit ein paar aus der alten Clique telefonieren und würde am nächsten Tag selbst kommen und sich das Hotel einmal ansehen. Vielleicht hatte sie sogar bereits einen Interessenten für das Westend-Haus: Ihre eigenen Eltern suchten schon seit geraumer Zeit nach einer Bleibe in diesem beliebten Stadtteil.

In Hochstimmung holte Mia sich auf dem Weg rasch noch etwas zu essen. Ihren Schlafsack und ein paar Kleinigkeiten hatte sie spontan schon bei ihrem Aufbruch eingepackt und war jetzt froh darum. Der Gedanke, Florian noch einmal unter die Augen treten zu müssen, behagte ihr durchaus nicht.

Es war früher Abend, als sie beim *Hotel zum Goldenen Schwan* eintraf. Die Sonne schien immer noch warm. Als Mia durch die Einfahrt fuhr und wenig später auf das Haus zusteuerte, fühlte sie, wie sie eine Ruhe und Friedlichkeit überkam, die sie schon lange entbehrt hatte. Für die nächsten Tage würde sie das Haus, so gut sie konnte, weiter auf Vordermann bringen und viel nach-denken.

Sie stellte den Mercedes ab und zog den Schlüssel, die Geräusche des Autoradios erstarben. Bis auf ein paar Vögel und hier und da das Rauschen des Windes war nichts zu hören. Mia öffnete die Heckklappe und hob die Tasche mit dem frischen Baguette von Kronberger, den Oliven und dem Schafskäse, die sie beim Türken gekauft hatte, heraus. Wenig später machte sie es sich auf dem Boots-steg bequem und reihte sorgsam die Päckchen neben sich auf: Oliven mit Knoblauch, mit Chili, mit Kräutern, ein-fache schwarze Oliven, dazu der bröcklige, weiche Käse, sowie eine Gabel. Zur Abkühlung ließ sie die Füße im Wasser baumeln, dessen Oberfläche in der Abendsonne glitzerte. Mia ließ sich Brot und Oliven schmecken. Je dämmriger es wurde, desto düsterer erhoben sich die riesi-gen alten Tannen auf der anderen Seeseite in den Himmel. Die Stimmung war mit einem Mal seltsam. Doch Mia ge-fiel es an diesem Ort.

Diese Bäume hatten schon damals dort gestanden, da-mals, als der *Goldene Schwan* seine besten Zeiten gesehen hatte. Mia kannte sie bereits von einer alten Fotografie her. Auf demselben Bild hatte man auch ein Boot auf dem See erkennen können und Menschen, die auf die Entfer-nung so winzig geraten waren, dass sie an ein Aquarell in Schwarz-Weiß erinnerten. Eine Wolke zog vor die Sonne und ließ alles dunkel erscheinen. Von einem Moment auf den anderen schauderte Mia. Seltsam, was die Abwe-senheit von Licht bewirken konnte. Und was bewirkte dann die Abwesenheit von Liebe?

Es war, wie Alexa gesagt hatte. Die Freundin rief, und am folgenden Wochenende kamen alle. Am ersten Abend und die Nacht hindurch brachten sie sich gegenseitig auf den neuesten Stand. Tags darauf tauchten neue Familienmitglieder und Partner auf, und rund um den See erschallte Kindergeschrei und Kinderlachen.

»Das hätte ich nicht gedacht«, sagte Mia zu Alexa, als am Sonntagabend nur sie beide noch im Liegestuhl am Seeufer saßen und sich einen Campari Orange schmecken ließen. Die zuckte die Achseln. »Du hast gute Freunde, das hätte ich dir schon immer sagen können.«

»Ja.« Mia schauderte. Offenbar hatte sie nicht zu lange gewartet, offenbar stand sie nicht allein … Wie lange, ohne sich zu melden, wäre wohl zu lange gewesen – oder gab es dieses »zu lange« nicht? Sie stand abrupt auf und reckte die von der Arbeit schmerzenden Glieder. Florian versuchte in diesen Tagen nicht, sie zu erreichen.

27

Gemeinsam widmeten Mia und die anderen sich am folgenden Wochenende der Küche. Nach zweieinhalb Tagen entschlossener Arbeit war der Raum nicht wiederzuerkennen. Überall blitzte und blinkte es. Die alten Herde waren herausgerissen worden, einer würde im Garten als ungewöhnlicher Pflanzenkübel dienen, der andere war von einem Museum in der Nähe abgeholt worden. An ihrer Stelle stand ein moderner Herd, den Mia mit dem Geld aus dem zukünftigen Verkauf des Westend-Hauses erstanden hatte. Alexas Eltern hatte das Objekt wirklich begeistert, und sie hatten sogar einen Vorschuss geleistet. Obgleich Alexa in einem wohlhabenden Haus aufgewachsen war, war sie gut darin, Dinge aus zweiter Hand zu supergünstigen Preisen aufzustöbern. Der Herd war zwar nicht neu, aber gut in Schuss und würde seinen Zweck erfüllen. Mia freute sich schon aufs Kochen. Seit dem frühen Morgen nahmen Alexa und sie – die anderen mussten nach dem Wochenende wieder arbeiten – gemeinsam das alte Ausflugslokal in Augenschein. Es war in besserem Zustand als erwartet und könnte vielleicht schon im nächsten Sommer wieder eröffnet werden. Alexa hatte schon eine Idee, wie sie an Möbel herankamen, und sie wollte die bereits vorhandenen wenn nötig aufarbeiten.

Mia schauderte es immer wieder vor Aufregung. Waren ihre Vorstellungen wirklich schon so weit gediehen? Und wann würde sie es endlich wagen, Florian davon zu erzählen? Seit sie gegangen war, herrschte Funkstille zwischen ihnen. Er hatte immer noch nicht angerufen. Hatte er überhaupt bemerkt, dass sie fort war? Oder war er selbst nicht nach Hause gekommen und vergnügte sich mit Carlotta?

Der Gedanke versetzte Mia einen Stich. Sie beschloss, sich wieder auf das Hier und Jetzt zu konzentrieren. Auf das Ausflugslokal und ihre Pläne. Irgendwann – Mia dachte an die alten Fotos, die sie gefunden hatte – würde sie diesen Teil der Anlage allerdings wieder abreißen und den ursprünglichen Zustand herstellen lassen. Das Ausflugs-lokal war nur eine Übergangslösung.

Aber natürlich muss ich erst abwarten, wie die Sache läuft.

Ihr alter Freund Fritz hatte schon ein paar Vorschläge für Werbemaßnahmen gemacht. Fritz, der sich während des Studiums künstlerisch betätigt hatte und von dem sie nie gedacht hatte, dass er einmal in die Werbung gehen würde, entwarf heute sowohl Print- als auch Fernsehwerbung.

»Ich habe aber auch noch mein kleines Atelier«, hatte er ihr gesagt, als sie beide unten am See ein paar Minuten verschnauft hatten. »Da gehe ich am Wochenende hin, wenn ich genug habe von Marketing und dem ganzen Kram.«

Immer noch nachdenklich lehnte sich Mia rücklings gegen einen der Tische. Es waren wirklich einige hübsche Einfälle unter Fritz' Entwürfen gewesen. Sie würde ihn auch in seinem Atelier besuchen, wenn sie wieder etwas mehr Zeit hatte. Er hatte ihr erzählt, dass er fast jedes Wochenende dort mit seiner Frau und den zwei Kindern verbrachte. Mia war neugierig auf die drei.

Doch jetzt machte sie sich erst einmal erneut an die Arbeit. Es musste noch eine Menge getan werden, wenn sie bald hier kochen wollte. Alexa hatte sich eine Art »Tag der offenen Tür« für die Menschen aus der näheren Umgebung und die Mitglieder des Geschichtsvereins ausgedacht, um etwas Aufmerksamkeit auf das ehemalige Hotel zu lenken.

Ein Geräusch ließ Mia wenig später den Kopf heben. Neyla schlenderte durch den Hintereingang in die Küche hinein. Mia vermutete, dass auf der Rückseite des Hotels der Dienstboten- und Lieferanteneingang gewesen war – eine einfache Tür, die über einen engen Gang direkt an der Küche vorbei zur Eingangshalle führte. Kurz stellte sie sich schwarz gekleidete Dienstmädchen mit blütenweißen Schürzen vor, die die Speisen von hier in den Speisesaal trugen.

»Na?«, grüßte sie Neyla. Das Mädchen hatte heute Vormittag einfach vor der Tür gestanden. Sie hatte die Strecke mit Bus und Bahn zurückgelegt, und war dann den Rest die Straße entlang und durch den Wald gelaufen. Angeblich hatte sie heute keine Schule. Mia hatte beschlossen, nicht nachzuhaken. Neyla wirkte angespannt, vielleicht würde ihr ein Tag Auszeit guttun.

Mia fragte sich, ob die Anspannung der jungen Frau mit dem zu tun hatte, was zwischen Mia und Florian vorgefallen war. Neyla erlebte so etwas schließlich nicht zum ersten Mal … Vielleicht reagierte sie besonders feinfühlig auf eine solche Situation. Für einen Moment lang wurde Mia die Kehle eng. Sie suchte noch nach Worten, als Neyla etwas sagte: »Sieht besser aus als kürzlich noch.« Sie musterte ihre Stiefmutter interessiert. »Das heißt also, du willst das wirklich durchziehen? Das Hotel zum Leben erwecken, meine ich?«

Mia zuckte die Achseln. »Abwarten, ich stehe ja noch ganz am Anfang. Zunächst einmal will ich das alte Ausflugslokal wiedereröffnen. Aber ich muss sagen, ja, langsam finde ich tatsächlich Gefallen an dem Gedanken.« Sie zögerte. »Und Alexa hat mich einfach daran erinnert, dass ich das schon immer tun wollte. Ich hatte es nur vergessen.«

Neyla grinste, und Mia war erleichtert zu sehen, dass sich ihr Gesichtsausdruck etwas entspannte. »Vielleicht liegt es dir ja im Blut?«, sagte die junge Frau dann. »Wenn deine Oma Hotelbesitzerin war.«

Mit ein paar Schritten war Neyla bei den Fotos, die Mia aus der alten Zeit des Hotels mitgebracht hatte, um den Helfern einen Eindruck davon zu vermitteln, wie es hier einmal ausgesehen hatte. Eine mit Gästen voll besetzte Terrasse aus der Zeit vor dem Ersten Weltkrieg war darauf zu sehen, dann ein Foto von Kriegsversehrten – ebenfalls vor dem Hotel – und dann noch eine Auswahl weiterer Fotos. Mia erkannte nicht viele Familienmitglieder auf diesen Bildern. Nun ja, wahrscheinlich waren sie entweder hinter der Kamera oder sie arbeiteten. Eine der Küchenhilfen, die eher zufällig auf eins der Bilder geraten zu sein schien, erinnerte sie an Corinna, aber wahrscheinlich bildete sie sich das ein, zumal die Qualität der Fotos mäßig war. Mia füllte zwei Gläser mit Eistee, von denen sie eines Neyla reichte.

»Besser wär's, wenn es mir im Blut liegt. Das ist vielleicht meine letzte Gelegenheit, meinem Leben eine neue Richtung zu geben. Ich würde ungern scheitern.«

»Na ja, wer will das schon.« Neyla hielt das Glas in der Hand, trank aber nicht.

Mias Blick wanderte durch das Fenster hinaus in Richtung See, an dem sich auch einiges verändert hatte. Ein Teil des Ufers war vom Schilf befreit worden. Den Steg würde man am nächsten Wochenende vollständig instand setzen. Langsam ließ sich ahnen, wie es hier früher ausgesehen hatte. Wenn alles fertig war, würde sie genau dort drüben auf der gegenüberliegenden Seite wieder Sand aufschütten lassen. Weißen, glitzernden Sand. Sie dachte an das Bild des Mädchens in dem altertümlichen Badeanzug, das sie gefunden hatte. Dann holte sie tief Luft. »Hat … Hat Florian eigentlich nach mir gefragt?«

Neyla zuckte die Achseln. »Er geht früh, und er kommt spät. Zwischen uns läuft es gerade nicht so gut. Er schiebt es auf die Pubertät. Einmal hat er nach dir gefragt. Ich sagte, ich wüsste nichts, und er …« Neyla sprach nicht weiter.

»Was denn?«

»Ach, er war ziemlich wütend, aber er hat nicht weiter gefragt.«

Irgendwann war es so weit. Irgendwann musste sie frische Wäsche holen. Mia wählte eine Zeit, zu der sie Florian nicht zu Hause antreffen würde, doch der kam – anders als in den langen Wochen ihres Auseinanderlebens – früher nach Hause. Mia erstarrte, als sie den Wohnungsschlüssel in der Tür hörte, und stand mitten im Wohnzimmer, als Florian, den Blick auf die Akten in seinem Arm gesenkt, zur Tür hereinkam.

»Was machst du hier?«, fragte er perplex.

Mia rutschte die Tasche von der Schulter. »Ich hole ein paar meiner Sachen. Außerdem ist das hier ja auch noch meine Wohnung.«

»Auch noch? So?« Florian schaute sie abschätzig an. »Wer hat denn für das Ganze hier bezahlt, während Madame sich vor dem wahren Leben und ihrem Scheitern versteckt hat?«

Es gelang Mia, die Verletzung über Florians Worte vor ihm zu verbergen. Doch sie haderte nicht mit sich, damals ehrlich zu ihm gewesen zu sein. Ja, sie hatte ihm gesagt, dass sie den Schuldienst hasste, und er hatte ihr eine Möglichkeit gegeben, dem ungeliebten Beruf zu entkommen.

»Nun«, sie schulterte die Tasche neu, »das mag so sein. Aber in Anbetracht des Betrags, den du ohne mein Wissen von meinem Konto abgehoben hast, kann ich heute wohl mit Fug und Recht auch von *meiner* Wohnung sprechen.«

Einen Augenblick lang sah er tatsächlich betroffen aus, als schäme er sich seiner Worte. Das Wechselbad der Gefühle auf seinem Gesicht war ungewohnt, wie so vieles an seinem Verhalten in den letzten Wochen. Er trat einen Schritt zurück, legte die Unterlagen, die er immer noch im Arm hielt, auf dem Küchentisch ab. Erstmals registrierte Mia die Unordnung.

»Kommt Rosanna nicht mehr?«

»Ich kann sie momentan nicht bezahlen. Das kannst du dir doch sicher denken.«

Sie schwiegen beide. Das war also der Grund gewesen, warum Rosanna sich krankgemeldet hatte. Mia schämte sich, dass die arme Frau offenbar nicht gewagt hatte, ihr Geld lauthals einzufordern.

Sie schaute Florian an. Als er wieder sprach, klang seine Stimme leise. Er wirkte mit einem Mal hilflos, so hilflos, wie sie ihn nie gekannt hatte.

»Und, kommst du zurück?«, fragte er, die Reisetasche neben ihr am Boden ignorierend.

»Ich glaube, vorerst nicht.« Mia war überrascht, dass die Worte so leicht über ihre Lippen kamen – benötigte er nicht *ihre* Hilfe, drohte nicht *er* zu scheitern –, aber sie war wohl über das erste Stadium der Trennung hinaus. Trotzdem musste sie sich erst sammeln, bevor sie weitere Entscheidungen traf.

»Mia, ich …«

Er sprach wieder lauter. Sein kläglicher Ton schmerzte. Tatsächlich bemerkte sie, dass sie für einen Atemzug lang wieder weich zu werden drohte, und ärgerte sich darüber. Sie hatte keinen Fehler gemacht. Sie war nicht fremdgegangen – und trotzdem war doch wieder dieser nagende Gedanke in ihr: Trug nicht jeder von ihnen Schuld am Scheitern? Musste sie Florian nicht in schweren Zeiten zur Seite stehen?

Quatsch, er hätte mich einfach von Anfang an mit ins Boot holen müssen. Er hätte mich nicht einfach ausschließen und mein Geld stehlen dürfen … Sie fragte sich plötzlich, wie die Trennung von Neylas Mutter verlaufen war. Sie kannte ja nur seine Version des Ganzen. War er damals auch fremdgegangen? Er hatte ihr stets erzählt, Neylas Mutter habe ihn und das Kind sitzen lassen. Ihn und das Kind. In dieser Reihenfolge.

»Ich frage mich jetzt doch, wie das damals wirklich mit Yasemin war.«

Mia begriff erst im nächsten Augenblick, dass sie ihren Gedanken laut gesprochen hatte.

»Mit wem?« Florian klang irritiert.

»Mit Neylas Mutter.«

Mia ließ ihn nicht aus den Augen – keine Nuance seiner Reaktion sollte ihr entgehen. Florian war deutlich verwirrt.

»Was tut das denn jetzt zur Sache?«

Die Tasche drohte wieder von Mias Schulter zu rutschen, sie hielt sie gerade noch rechtzeitig fest. »Ach, weißt du, Florian, ich mache mir gerade ein Bild von allem.«

»Und was hat Yasemin damit zu tun?« Er sah sie genervt an. Der schwache Tonfall war verschwunden. »Willst du mir jetzt auch noch unterstellen, ich hätte die Unwahrheit über sie und mich gesagt?«

»Nun, du hast nie viel über sie oder euch beide gesagt.«

Und du hast mir überhaupt noch nicht viel Wahres gesagt, verlautete eine leise Stimme in ihrem Kopf. In Florians Mundwinkel grub sich ein abfälliges Lächeln.

»Ich wollte nur nett sein. Ich dachte, Frauen reden nicht gerne über ihre Vorgängerinnen, insbesondere, wenn die so scharf sind, wie es Yasemin war.«

»Das ist mir gleich«, parierte Mia, »solange man mir treu ist. Verstehst du? Ich bin nicht ›Frauen tun dies oder jenes …‹ Ich bin Mia.« Sie machte eine Pause. »Wie geht es übrigens Carlotta?«

Florian hob entnervt die Augenbrauen. »Fängst du jetzt wieder mit der Sache an? Ich war schwach, okay? Mehr war nicht. Sie bedeutet mir nichts.«

»Du warst *schwach?*« Mia zögerte mit ihrer weiteren Antwort. »Warum sollte ich dir das jetzt glauben? Und was gibt mir das überhaupt für ein Bild von dir, wenn du mit Frauen schläfst, die dir gar nichts bedeuten?«

Florian war jetzt vollkommen entnervt. »Himmel, glauben sollst du es, weil ich es bin, dein Florian, dein Mann.«

Mia schaute ihn einen Moment lang schweigend an. »Ich weiß aber eben nicht mehr genau, wer du bist.«

»Ach du Scheiße, jetzt hörst du dich an wie so eine aus diesen Frauenzeitschriften.«

»Und du hörst dich an, als ob ich dich störe«, fuhr sie scharf dazwischen. »Das ist es doch, es interessiert dich gar nicht, wie ich mich fühle. Du willst nur, dass alles wieder so ist wie früher. Du schaltest und waltest in deiner Firma, und wenn du mein Geld brauchst, nimmst du es dir einfach.«

Florians Gesicht verhärtete sich. »Meins und deins war nie ein Thema, solange ich das Geld herbeigeschafft habe, nicht wahr?«, konterte er.

»Aber darum geht es mir doch gar nicht.« Mia holte tief Luft und kämpfte gegen das Gefühl der Betroffenheit an, das sie mit einem Mal zu Tränen reizen wollte. »Ich möchte doch nur gefragt werden.«

»Habe ich das von dir erwartet? Als du mein Geld ausgegeben hast? Wollte ich da tagtäglich Rechenschaft von dir?«

»Verdammt, willst du mich etwa falsch verstehen?«

Mia war froh, dass sie nicht losheulte.

»Meine Güte, jetzt werd aber nicht theatralisch.«

Mia biss sich auf die Lippen. Wie unendlich verletzend er klingen konnte. Sie bemerkte, wie sie sich innerlich noch ein Stück weiter von ihm entfernte. Liebe ich ihn? Liebe ich diesen Mann noch?

»Nun, was ist?« Florian klang jetzt ungeduldig.

»Nichts«, sagte Mia tonlos. »Ich gehe jetzt.«

»Wohin?«

»Du weißt, wo ich hingehe und wo du mich erreichen kannst.«

»In deine Bruchbude? Wie willst du denn da allein leben, ohne mein verdammtes Geld?«

Mia blieb in der Tür stehen, drehte sich aber nicht um.

»Lass das mal meine Sorge sein.«

28

Verdun, *Sommer 1916*

Das gleichmäßige Geräusch der Räder auf den Gleisen und das Schaukeln des Waggons hatten Ludwig in den Schlaf gewiegt. Mit jedem Kilometer, den sie gen Heimat zurücklegten, war ihm die Mondlandschaft voller Krater und Trichter, in der mancher Gefallene inzwischen als Wegweiser diente, die Erinnerung an das Soldatenleben fremder. Dann fuhr er plötzlich aus dem Schlaf auf und musste sich zwingen, nicht an die zu wohlgenährten Ratten in den Gräben zu denken, sondern nur an die Tage der Erholung, die vor Johannes und ihm lagen.

Endlich einmal wieder schlafen, ohne den ewigen Geschützlärm, ohne das nächtliche Marschieren, mit dem man der Aufmerksamkeit der Franzosen entkommen wollte und doch Gefahr lief, im Schein einer französischen Leuchtrakete erkannt und von MG-Schützen erschossen zu werden. Manchmal verloren deutsche Soldaten auch die Orientierung, irrten stundenlang herum und wurden, wenn sie Glück hatten, vom Gegner gefangen genommen. Es hatte Zeiten gegeben, da hatte Ludwig sich Gedanken darum gemacht, ob Johannes nicht irgendwann die Gelegenheit nutzen würde, auf diese Weise zu verschwinden – immerhin sprach er gut Französisch, mit Sprachen hatte er sich immer leichtgetan –, doch heute tat er dies nicht mehr. Etwas hatte sich geändert seit dem schrecklichen Unglück. Johannes war da, und dann auch wieder nicht. Er machte nicht den Eindruck, als würde er noch um sein Leben kämpfen.

Für einen Moment presste Ludwig die heiße Stirn an die kühle Scheibe und schaute in den seltsam kobaltblauen Himmel hinauf. So viel Schönheit gab es, dass es schmerzte. Aus den Augenwinkeln betrachtete er Johannes, dessen Gesicht zu blass war, der Körper zu schmal und der Ausdruck in den Augen so viel älter, als er an Jahren zählte. Anfangs war der veränderte Johannes wie ein Fremder für ihn gewesen. Inzwischen hatte er sich an ihn gewöhnt.

Er dachte an Severin Bergedorf, der am Tag des schrecklichen Unglücks gestorben war, an inneren Blutungen, wohl nur kurz nachdem er den älteren Mann zurückgelassen hatte, um nach Johannes zu suchen.

Ich habe ihm einfach nichts angesehen. Ich habe nicht gesehen, dass er bereits dem Tod geweiht war.

Eine Bewegung ging durch den Älteren. Er öffnete den Mund, lange, so erschien es Ludwig, bevor er etwas sagte.

»Wusstest du, dass es Soldaten gibt, die sterben, ohne je einen Feind gesehen zu haben? Sie werden einfach gleich von Granaten zerfetzt und sind tot … Sie sehen keinen einzigen feindlichen Soldaten, keinen einzigen.«

Ludwig sagte nichts. Wer hatte schon noch Worte für diese Hölle, er nicht, jedenfalls keine, die schon gesprochen worden wären. Ja, er hatte neuere Gedichte gelesen, Kriegsgesänge, wie sie es schon seit Jahrhunderten gab, aber sie trafen nicht den Nerv dessen, was hier geschah. Das war nicht Dantes Hölle, dieser menschengemachte Schlund aus Stellungsgräben, Granattrichtern und Unterständen. Dies war die Moderne, vor der ihn sein Lehrer Buchwald auf ihren gemeinsamen Wanderungen durch die Natur gewarnt hatte. Buchwald war ein großer Naturfreund gewesen. Im Sommer 1913 hatte er begeistert von dem Treffen der freien Jugendbewegungen auf dem Meißner berichtet, an dem er teilgenommen hatte, und seine Schüler hatten mit offenen Mündern gelauscht.

Auch Buchwald war tot. Gefallen in den ersten Kriegstagen. Ludwig hatte es zufällig erfahren. Er, der er immer von der Freundschaft der Völker gesprochen hatte, hatte sich freiwillig gemeldet.

Ludwig dachte an den Morgen vor ihrer Abreise, an dem er, nach stundenlangem Beschuss, im Morgengrauen aus einem dunklen Granatloch gestiegen war. Die Türme des Douaumont ragten vor ihm im hellen Sonnenschein auf. Es hatte wie etwas ausgesehen, das man schön nennen konnte. Doch in der Nacht hatte der Tod wie immer seine Knochen ausgesät, und er würde nicht damit aufhören. Auch jetzt nicht.

$\mathscr{B}$eatrice und Johannes hatten beide Angst davor gehabt, einander wiederzusehen. Dass sie sich verändert hatten, stand außer Frage. Die Zeit der Trennung war lang, die des Wiedersehens flüchtig. Der Krieg, der nur ein paar Monate hatte dauern sollen, stand bereits in seinem dritten Jahr. Am 1. Juli hatte die große Schlacht an der Somme begonnen. Doch dieses Mal waren sie sich, trotz aller Befürchtungen, näher als während der vorherigen Urlaubstage, und irgendwann, auf dem Parkgelände des *Hotels zum Goldenen Schwan*, geschah es.

Es war lediglich eine kleine der hier nicht seltenen Felsformationen, die sie vor ungebetenen Blicken schützte, dahinter eine Mulde aus weichen Laub, doch das störte sie nicht. Noch lagen sie einander nur in den Armen, doch es würde nicht dabei bleiben. Ein jeder von ihnen wusste es. Kurz dachte Beatrice an ihren nackten, so verletzlichen Körper unter den vielen Schichten hässlicher graubrauner Kleidung. Irgendwann später, wenn der Krieg und das alles vorbei war, würden sie auf einem richtigen Ball im warmen Licht miteinander tanzen. Johannes würde einen schwarzen Smoking tragen, sie ein Kleid aus Paris, vielleicht aus dem Modehaus Worth.

Ja, sie würden tanzen, tanzen und tanzen, die ganze Nacht hindurch, und ihre Gesichter würden mit dem warmen Licht um die Wette strahlen. Sie würden nicht zu Bett gehen, und am Morgen würden sie einen langen

Spaziergang machen, sich danach lieben und dann im Arm des anderen einschlafen.

»Beatrice?«

Johannes' Stimme klang rau und immer noch etwas ungewohnt. Sie schaute ihn an. Sie konnte es nicht verleugnen: Zu Anfang hatte sie sein Aussehen erschreckt, die graue, fahle Haut, die rissigen Lippen, der müde, manchmal so leere Blick. Er hatte ihr gesagt, wie es war, sich fremd zu fühlen, dass er nichts zu sagen wusste, wenn sich Männer, die als in der Heimat unabkömmlich oder kriegsuntauglich galten, bei ihm entschuldigten. Dass er niemanden beschämen wollte, der in der Heimat am gedeckten Tisch und im gemachten Bett lag.

»Ach, unser Tisch ist auch nicht mehr so gut gedeckt«, hatte Beatrice gescherzt, »die Kartoffeln sind rar, Butter kennen wir nicht mehr, und wenn man Fleisch auf die Fleischkarte holt, muss man hoffen, dass es nicht nur Knochen sind.«

»Ich kann nicht glauben, dass ich hier bin«, war einer der ersten Sätze gewesen, die Johannes zu ihr allein gesagt hatte. »Bei dir. Ich kann es nicht glauben. Ich fürchte ständig, dass es nur ein Traum ist und ich aufwachen muss. Bist du ein Traum, Beatrice?«

»Kannst du dich gar nicht mehr freuen?«, fragte sie jetzt so leise, als wage sie sich eigentlich gar nicht, diese Frage zu stellen.

»Doch.« Johannes liebkoste sie mit seinen Augen. In seine starren Gesichtszüge kehrte etwas Leben zurück. »Bist du dir wirklich sicher, dass wir …?«, fragte er dann.

»Ich bin mir sicher.«

Beatrice knöpfte den obersten Knopf ihrer Bluse auf, ließ den zweiten folgen. Johannes hielt ihre Hand fest.

»Vielleicht sollte ich beginnen, dann bleibst du länger angezogen. Es ist doch etwas frisch.«

»Das spüre ich nicht.« Sie strich ihm über den kurzen Schopf – wie sie sein Haar vermisste.

»Sei dir sicher, ich bin entlaust worden«, sagte er.

Sie schüttelte den Kopf. »Wenn ich bei dir bin, ist mir warm.«

Ein erneutes Lächeln brachte sein Gesicht zum Strahlen. Etwas vom alten Johannes war da, kaum merklich, aber für sie erkennbar. Es war nicht zu spät … Sie begannen, sich gleichzeitig zu entkleiden, ohne den Blick vom jeweils anderen zu lassen. Irgendwann lagen sie nackt beieinander.

Beatrice verdrängte das Erschrecken darüber, wie mager er geworden war. Wenn sie ihn berührte, hatte sie den Eindruck, jeden Knochen zu spüren.

»Nimm mich in die Arme«, flüsterte sie.

Er tat es. Sie barg ihr Gesicht an seiner Schulter, atmete seinen Geruch ein wie ein Lebenselixier.

Ludwig und Corinna tauschten an diesem Abend nur einen Blick. O ja, sie erkannten beide, was geschehen war, als Beatrice und Johannes von ihrem Spaziergang zurückkehrten. Es war nicht zu übersehen. Wenn dieser Krieg vorbei ist, dachte Ludwig, wird sich nichts geändert haben. Ich kann das nicht zulassen.

30

Frankfurt am Main, *1992*

Neyla schaute auf den Bildschirm. Von der Seite konnte Mia ihre gerunzelten, dunklen Augenbrauen sehen. Die junge Frau wirkte sehr konzentriert, während sie mit Maus und Tastatur des alten Computers hantierte, den Alexa zur Verfügung gestellt hatte. Endlich lehnte sie sich in ihrem Stuhl zurück und betrachtete das Ergebnis auf dem Bildschirm skeptisch.

»Wie findest du es?«, fragte sie über ihre Schulter zurück, während sie selbstvergessen eine Haarsträhne um ihren rechten Zeigefinger wickelte.

Mia beugte sich über Neylas Schulter. »Das ist die Speisekarte für unseren besonderen Tag?«

»Ja.«

Mia stützte sich mit einer Hand auf dem Tisch ab. In wenigen Tagen würde es losgehen: offene Türen im alten *Hotel zum Goldenen Schwan* für die Mitglieder des örtlichen Geschichtsvereins und weitere Interessierte. Mia war immer noch überrascht und erfreut darüber, wie viele Leute sich zu dem Ereignis angemeldet hatten.

»So ungefähr, dachte ich«, setzte Neyla hinzu, dann saugte sie mit einem Mal ihre Unterlippe zwischen die Zähne und ließ sie mit einem leisen Schmatzer wieder los. Mia musste an Florian denken. Seit ihrem letzten Zusammentreffen hatte er sich nicht gemeldet. Laut Neyla war er selten zu Hause. Mia ärgerte sich, dass er die Fünfzehnjährige offenbar so einfach allein ließ. Die schob jetzt den Stuhl zurück und löste zum ersten Mal seit Längerem den Blick vom Bildschirm.

»Papa und du – werdet ihr euch eigentlich wieder vertragen?«

Mia zuckte die Achseln. »Das weiß ich nicht. Momentan kann ich es mir allerdings nicht vorstellen.«

»Dachte ich mir«, sagte Neyla leise. »Ist ja nicht das erste Mal.«

Mia überlegte, ob sie Neyla die Hand auf die Schulter legen sollte, hatte aber den Eindruck, dass dies gerade jetzt das Falsche war. Neyla starrte längst wieder auf den Bildschirm. Dann tippte sie erneut los, kopierte, änderte, tauschte aus, markierte endlich nochmals alles und änderte zuletzt noch Schriftart und Schriftgröße.

»Ich mag dich, weißt du, Mia?«, murmelte sie dann, noch etwas leiser. »Ich mag dich sehr.«

Ihre Stimme klang mit einem Mal kindlich. Mia legte kurz entschlossen beide Hände auf ihre schmalen Schultern.

»Das weiß ich, und ich mag dich auch. Du bist meine Tochter.«

»Und wenn Papa und du jetzt …«

»Das heißt doch nicht, dass wir beide uns aus den Augen verlieren müssen«, gab Mia zur Antwort, zugleich erschreckt über die ungewohnte Endgültigkeit ihrer Worte. War sie gedanklich wirklich schon so weit? Wollte sie sich von Florian trennen?

»Nein«, entgegnete Neyla wenig überzeugt. »Das heißt es natürlich nicht.«

»Hey.« Mia nahm die Hände von Neylas Schultern und drehte das Mädchen zu sich hin, sodass sie einander ansehen konnten. »Versteh mich nicht falsch. Wir waren jetzt fünf Jahre lang Mutter und Tochter, oder?«

»Hm«, kam zwischen Neylas geschlossenen Lippen hervor.

Mia räusperte sich. »Das werfe ich doch nicht einfach weg, Süße! Wenn du willst, kannst du mich am Wochenende immer hier besuchen.«

Neyla, die den Kopf etwas gesenkt hatte, hob ihn jetzt wieder. »Jedes Wochenende?«, versicherte sie sich.

Mia nickte. »Jedes Wochenende, wenn du Zeit und Lust hast.«

Neylas »Okay« klang gedehnt. Sie schwieg einen Moment. Ein Lächeln hellte endlich ihr Gesicht auf.

»Und wenn ich studiere, kann ich in den Ferien hier aushelfen, oder?«

Mia erwiderte ihr Lächeln. »Klar doch.«

»Noch dreimal Käsekuchen, zwei Milchkaffee, ein Espresso«, rief Alexa, als sie schwungvoll in die Küche zurückkehrte. Der »Tag der offenen Tür« hatte einen guten Anfang genommen. Kein Teilnehmer hatte abgesagt, alle zeigten sich erwartungsvoll. Mia machte sich sofort an die Arbeit – es machte solchen Spaß, die neue Kaffeemaschine zu bedienen – und schob wenig später das fertige Tablett über den Tresen.

»Eh, *per favore* … Habe ich dir schon gesagt, dass du als Bedienung ein Naturtalent bist, Alexa?«

Alexa grinste. »Ich weiß. Irgendetwas Gutes muss das jahrelange Kellnern während der Studienzeit ja gehabt haben.« Sie zwinkerte Mia zu. Obgleich es die aus wohlhabendem Haus stammende Alexa weiß Gott nicht nötig gehabt hatte, hatte sie während des Studiums, wie Mia auch, hart gearbeitet.

»Einmal Cappuccinotorte«, rief die eben hereinkommende Neyla, »und eine Weinschorle.«

Mia führte auch diese Bestellung aus. Die Kuchen, die sie für heute vorbereitet hatte – ein Käsekuchen, eine Cappuccinotorte und ein Blech Pflaumenkuchen, für das sie das Rezept in dem alten Buch gefunden hatte –, wurden gut gegessen, und es würde wohl nicht zu viel übrig bleiben. Mit den Augen folgte sie Neyla auf ihrem Weg nach draußen. Von dort drangen die Stimmen der Gäste herein. Die erste Gruppe, die sich von Fritz' Anzeige hatte anlocken lassen. Sie hatte den Leuten persönlich das alte Parkgelände gezeigt; die Mitglieder des Geschichtsvereins hatten bestätigt, was sie bereits von Trechting wusste und was sie selbst in Erfahrung gebracht hatte. Das Hotel war von einer Familie namens Kahlenberg gegründet worden. Beatrice war die einzige Tochter Hermann Kahlenbergs gewesen. Später hatten Corinna und sie das Hotel gemeinsam geführt. Dann war aber offenbar nur noch Corinna geblieben; in den Unterlagen stand sie seit Anfang der Fünfzigerjahre als alleinige Besitzerin des Hotels da. Keine Spur mehr von Beatrice.

Leider wusste auch keins der jüngeren Vereinsmitglieder, was mit Corinnas Freundin geschehen war. Der Verein war erst in den Achtzigerjahren ins Leben gerufen worden, und es gab noch viele Jahrzehnte Vergangenheit aufzuarbeiten. Mia war eingeladen, dazu ihren Beitrag zu leisten. Man hatte ihr angeboten, das Archiv des Vereins zu nutzen und dort auch ihre eigenen Fundstücke zur Verfügung zu stellen.

Später waren sie noch durch das Haus gegangen, und Mia hatte berichtet, wie sie sich die Renovierung vorstellte. Alle hatten ihr aufmerksam zugehört, und mit jedem Satz war ihre Stimme fester geworden. Es hatte ihr zunehmend gefallen, über die Geschichte des Hotels, die ja auch ihre eigene war, zu sprechen.

Trotzdem wusste sie immer noch nicht, ob Corinna und Beatrice miteinander verwandt gewesen waren. Corinna, die letzte Hotelbesitzerin, war schon seit der Zeit vor dem Ersten Weltkrieg Teil des Hotelalltags gewesen, wie Mia von Fotografien wusste.

Leider gab es offenbar keine Zeitzeugen mehr. Die meisten Teilnehmer heute waren mittleren Alters, nicht wenige, wie sie erfahren hatte, zugezogen. Mia schätzte sie allgemein auf vierzig Jahre aufwärts, nur ein Mann, schwarzhaarig mit blauen Augen, wirkte deutlich jünger. Er hatte wenig gesagt, aber umso aufmerksamer zugehört. Manchmal, wenn sie unwillkürlich in seine Richtung geschaut hatte, hatte er sie ebenfalls angesehen.

Um sich aus den Gedanken zu reißen, bereitete Mia eine neue Bestellung vor, wusch sich dann die Hände und trat ans Fenster. Acht Leute saßen noch verteilt an den von Alexa am Seeufer platzierten Tischen. Der junge Mann war nicht zu sehen. Für einen Moment fühlte Mia sich seltsam enttäuscht. Ein Klopfen am Türrahmen der Küchentür ließ sie gleich darauf zusammenschrecken.

»Entschuldigen Sie, ich wollte Sie nicht erschrecken. Sagt man so?«

Da war der Schwarzhaarige ja. Er sprach mit Akzent.

»Ja, so heißt das. Kein Problem, ich habe mich fast nicht erschreckt.«

Es gab eine winzige Verzögerung, bevor er antwortete, als müsse er zuerst die Worte suchen. »Dürfte ich mir die Küche noch einmal ansehen? Und vielleicht auch das ganze Haus? Mich interessiert das alles wirklich sehr.«

Mia blickte den jungen Mann fragend an. »Ich bin Student der Geschichte«, erklärte er sich.

»Sie studieren Geschichte?«

»Ja. Wie sagt man? Ich schreibe eine Phd?«

»Eine Doktorarbeit?«

»Genau, ich will eine Doktorarbeit schreiben.«

Er lächelte. Mia registrierte ein schmales Gesicht, freundliche Augen, sehr kurzes Haar, in dem sie bereits einige silberne Haare entdeckte.

»Sie kommen nicht von hier?«, erkundigte sie sich, im Bemühen, das Gespräch am Laufen zu halten.

»Nein, ich bin aus Wexford.«

»Irland?«

»Sie kennen es?«

»Ich war schon einmal da. Aber es ist lange her.«

»Tatsächlich?«

»Ja, nach dem Abi.« Mia betrachtete den jungen Mann mit neuem Interesse. »Und was führt Sie hierher? Sie sprechen übrigens gut Deutsch.«

»Ich habe es in der Schule gelernt.«

»Nicht alle lernen es so gut.«

»Ich habe es gern gelernt.« Er streckte ihr die Hand hin. »Mein Name ist übrigens Séan Flanagan …«

»Mia Belman.«

Sie reichte ihm ebenfalls die Hand. Sein Griff war warm und fest. Er war in diesem Moment ganz bei ihr. Es gab da Unterschiede. Sie wusste das. Beide zogen sie die Hände fast gleichzeitig zurück.

»Und was interessiert Sie ausgerechnet an dem Hotel, Mr. Flanagan?«

»Ach, eigentlich ist das ein kleines Studienprojekt, bevor ich richtig anfange. Eine praktische Fingerübung. Außerdem mache ich ein Praktikum bei die Geschichtsverein und bringe ihr Archiv, wie man sagt, auf Vordermann.« Er legte den Kopf schief. »Vordermann, ist das richtig?«

»Auf Vordermann, ja, und *der* Geschichtsverein«, verbesserte Mia lächelnd und fügte dann hinzu: »Aber ausgerechnet hier? Wie haben Sie denn in Irland von diesem Ort gehört?«

Séan überlegte. »Zufall wahrscheinlich. Irgendwann habe ich mal während eines anderen Projektes – das war noch zur Schulzeit – einen Hinweis auf dieses Hotel gefunden. Wenn ich mich recht erinnere, war es eine Anzeige in einer alten Zeitung.«

»So etwas wie ›Einladung zum Silvesterabend im *Goldenen Schwan*. Fünfgängemenü. Kapelle und Tanz‹?«

»Ja, genau so etwas.«

Die leichte Unsicherheit, die kurzzeitig zwischen ihnen entstanden war, verflog wieder. Mia legte den Kopf schief.

»Und was haben Sie schon herausgefunden?«

Séan überlegte. »Wussten Sie, dass das Hotel während des Ersten Weltkriegs eine Zeit lang so eine Art Sanatorium war?«, sagte er dann.

Mia dachte an das Bild mit den Soldaten. »Gewusst habe ich es nicht, aber das erklärt zumindest die Bilder, die ich gefunden habe.«

»Haben Sie noch mehr gefunden?« Der junge Mann sah sie neugierig an.

»Ja, einiges. Auch Schriftstücke. Ich weiß nur noch nicht mit allem etwas anzufangen. Es ist«, es fiel ihr nicht leicht, das auszusprechen, aber sie entschied sich doch dafür, »auch eine Familiensache, verstehen Sie?«

»Oh, das ist interessant.« Er zögerte, bevor er den nächsten Satz aussprach. »Vielleicht kann ich Ihnen ja helfen, Mrs. …?«

»Belman.«

Mia dachte nach. Wollte sie sich tatsächlich einem Fremden anvertrauen? Wollte sie ihn in diese Sache hineinlassen? Sie war sich nicht sicher.

»Ja, vielleicht«, hörte sie sich trotzdem laut sagen.

In diesem Moment kam Neyla durch die Tür, scannte den Raum und die Anwesenden, wandte sich dann abrupt an Mia, ohne Séan eines weiteren Blickes zu würdigen. »Draußen wartet jemand auf dich. Ist eben gekommen.«

Mia wandte den Blick von Séan ab. Sollten sie sich jetzt nicht verabreden, oder war der richtige Zeitpunkt vergangen?

»Wer ist es denn?« Sie schaute zu Neyla hin. Die verschränkte die Arme.

»Papa«, sagte sie knapp.

Auf dem Weg nach draußen schaute Mia unwillkürlich auf den See. Er war das Zentrum hier, auf ihn richteten sich fast automatisch alle Blicke. Die kleine Besuchergruppe hatte sich mittlerweile zerstreut. Der pensionierte Lehrer und seine Frau standen vorn an der Uferlinie. Der Botaniker hatte sich auf den Weg um den See herum gemacht. Eine Wolke zerfaserte vor der Sonne und nahm dem Tag vorübergehend seine Klarheit. Die Farben erinnerten nun an ein zartes Aquarell. Eine der älteren Frauen, ebenfalls eine Lehrerin, kam von der Seite auf Mia zu.

»Das war wirklich sehr interessant hier. Ich würde gern einmal hier übernachten, sollten Sie das Hotel wieder eröffnen, Frau Belman.«

Mia blieb stehen und lächelte sie an. »Sie sind herzlich willkommen. Tragen Sie sich doch einfach in mein Gästebuch ein, und kreuzen Sie an, ob Sie weitere Informationen haben wollen. Ich würde mich auch freuen, wenn ich Sie an einem weiteren Wochenende hier begrüßen dürfte. Für guten Kuchen wird gesorgt sein.«

Die Frau lächelte erfreut. »Ich bin bestimmt nicht zum letzten Mal hier. Es ist schön, sich so willkommen zu fühlen. Das muss Ihnen im Blut liegen. Das Hotel gehörte doch Ihrer Familie, nicht wahr?«

»Ja, und Sie sind jetzt die Zweite, die das sagt. Das macht Mut. Würden Sie mich jetzt trotzdem bitte kurz entschuldigen. Ich muss mich um einen weiteren Gast kümmern.«

»Natürlich.«

Die Frau schlenderte zum See. Mia ging weiter. Florian hatte seinen BMW direkt unter einer der Kiefern geparkt, die Hände in die Hosen seiner Boss-Jeans gesteckt und sich rücklings gegen die Tür gelehnt.

»Was machst du hier?«, fragte Mia, anstelle einer Begrüßung.

Ihre Schärfe verblüffte ihn offenbar. Er wurde erst rot, dann blass. »Ehm, immerhin sind wir verheiratet, Mia. Ich wollte wissen, wie es dir geht. Wir haben uns lange nicht gesehen.«

Mias Lippen wurden schmal. »Du hast dich lange nicht gemeldet. Vom Geld will ich ausnahmsweise mal nicht reden.«

»Schon wieder die alte Leier?«

»Ja, schon wieder, und zwar so lange, bis du einsiehst, dass du etwas falsch gemacht hast.«

Florian löste sich von der Autotür und verschränkte in einer unsicheren Bewegung die Arme vor der Brust. Das Lacoste-Shirt dehnte sich unter seinen Atemzügen. Florian hatte immer viel Wert darauf gelegt, seinen Oberkörper zu trainieren.

»Wir sind … Wir sind verheiratet«, stotterte er nun. »Da teilt man eben …«

»Nicht, ohne mich zu fragen«, schnitt Mia ihm das Wort ab. »Es waren meine Ersparnisse, alles, was ich mir jemals zur Seite legen konnte, seit meinem ersten verdammten Ferienjob mit fünfzehn, verdammt noch mal.«

Florians Kiefer bewegte sich, so fest presste er die Zähne aufeinander. »Du wolltest mir nicht helfen.«

»Wie sollte ich? Du hast mich vollkommen im Dunkeln gelassen. Du hast nicht gefragt, du hast einfach gemacht. Wie immer.«

»Es war mit den besten Absichten, und du hast mich ja auch sonst immer machen lassen.«

Hörte sie da einen leichten Vorwurf in seiner Stimme? Mia kämpfte mühsam darum, ruhig zu bleiben. »Wirklich? Hast du mich auch mit den besten Gedanken betrogen?«

Er schwieg. »Komm nach Hause«, sagte er dann. »Bitte, Mia.«

»Nein.« Sie schüttelte den Kopf. »Das werde ich vorerst nicht.«

Die Wolke stand immer noch vor der Sonne. Es war deutlich kühler geworden.

31

Johannes starrte auf das, was er geschrieben hatte, und konnte für einen Moment lang nur verschwommene, nicht zu entziffernde Wirbel und Linien sehen. Die Hand mit dem Stift zitterte. Mit der linken Hand strich er sanft über die Zeilen. Er hatte wieder einmal so fest aufgedrückt, dass der Bleistift sich in das dünne Papier eingedrückt und Spuren hinterlassen hatte, die er wie ein kleines Relief sogar unter seinen Fingerspitzen spürte.

In seinem Inneren wiederholte er die Worte, die er ohnehin schon auswendig konnte, weil es so lange gedauert hatte, sie auf das Papier zu setzen. Wie oft hatte er schon gedacht, er fände keine Worte mehr für das, was hier geschah, und doch schrieb er immer noch nach Hause. An Beatrice, seinen Friedensengel, an seine Hoffnung auf ein anderes Leben nach dem Krieg. *Beatrice …*

Wie immer hatte er zuerst gekämpft, doch dann waren die Worte mit einem Mal nur so herausgeflossen: »Das ist kein Schlachtfeld, das ist das Feld des Gemetzels …« Er musste sie nicht schonen. Sie hatte es ihm gesagt. Sie wollte teilhaben an seinem Leben. Sie gehörten zusammen, in guten wie in schlechten Tagen. So hatte sie es ihm versprochen, damals, als sie sich geliebt hatten.

Trauerlisten, immer neue Listen mit immer neuen Toten; so viele, viele Tote und so viel Trauer für nur einen Ort: Verdun. Längst war dieses Wort zum Synonym des Schreckens für Beatrice geworden. Sie dachte Verdun und dachte Tod. Wieder einmal schloss sie die Augen, während ihre Hand auf dem rauen Zeitungspapier liegen blieb.

Ich kann es nicht mehr ertragen. Ich kann diese Angst nicht mehr ertragen, diese elende Furcht davor, eines Tages Johannes' Namen dort zu lesen.

Und doch durchstöberte Beatrice jeden Tag aufs Neue diese verdammten Listen, studierte Traueranzeigen, in denen man den Tod des Sohns beklagte, des Ehemanns, des Verlobten. Sie dachte, sie könne sich auf diese Weise auf alle Schrecken vorbereiten, und wusste doch, dass das unmöglich war. Nichts konnte einen auf den Verlust eines geliebten Menschen vorbereiten, nichts und wieder nichts.

Auch dieses Mal fand Beatrice Johannes' Namen nicht und bebte doch am ganzen Körper, als sie den Brief aufnahm, den Vater ihr auf den Schreibtisch gelegt hatte. Ihr Herz schlug einen wilden Trommelwirbel, als sie den Brieföffner ansetzte. Wenn sie gestanden hätte, wäre sie zusammengesunken, denn auch im Sitzen spürte sie, wie ihre Knie weich wurden. Ihre Finger zitterten, aber es gelang ihr, den Brief zu öffnen. Bevor sie ihn las, beugte sie sich dicht darüber, schnupperte, als gäbe es auf diese Weise eine Möglichkeit, dem Geliebten nahe zu sein. Wann kommst du zu mir zurück, Johannes, wann? Wann wird unser Leben wieder überschaubar und friedlich sein?

Anfangs hatte er sie geschont, doch inzwischen ließ er sie näher heran an das, was ihm widerfuhr. Damals, als sie einander geliebt hatten, hatte sie ihm gesagt, dass er sie nicht schonen dürfe. Sie wollte für ihn stark sein, einen Teil der Last von seinen Schultern nehmen. Es war nicht leicht, doch sie wollte es. Sie musste es. Sie wusste ja, wie sehr er litt, und sie liebten sich doch. Sie mussten füreinander da sein. Sie gehörten einander, auch ohne Trauschein.

Damals, als Johannes' Urlaub zu Ende gegangen war, hatte sie sich einige Wochen lang davor gefürchtet, schwanger zu sein, aber je mehr sie diese Möglichkeit überdacht hatte, desto ruhiger war sie geworden. Ihr Vater würde sie immer lieben, und Mutter würde nichts sagen, solange man nichts von der Sache erfuhr. Endlich hatte sie der Gedanke nicht mehr geängstigt. Warum sollte es einen ängstigen, Leben in sich zu tragen? Als ihre Blutungen eingesetzt hatten, war sie darüber fast in Tränen ausgebrochen.

Unwillkürlich fielen Beatrices Augen auf einen Abschnitt mitten im Brief, der irgendwie hervorsprang, denn an dieser Stelle hatte Johannes noch fester aufgedrückt als üblich: »Das ist kein Schlachtfeld, das ist das Feld des Gemetzels. Alles ist zerstört, und viel mehr als das. Man kann sich nicht vorstellen, dass hier jemals wieder etwas wächst. Für einen Moment scheint einem alles totenstill, dann bricht der Höllenlärm von Neuem los.«

Im Sommer hatte Johannes den Regen herbeigesehnt. Im September 1916 war der Boden so schlammig, dass die

Trichterstellungen auf beiden Seiten voll Wasser liefen und versumpften. Auf der gegnerischen Seite gab es einen neuen Kommandanten: Nivelle übernahm die 2. Armee. Unter Nivelles Führung veränderte sich der Krieg in den nächsten Monaten. Immer wieder ließ der französische General seine Divisionen aussichtslos und brutal gegen die deutschen Stellungen anstürmen, ohne damit größere Bewegungen in die Linie zu bringen.

Johannes sah zu Ludwig hinüber, der mit der einen Hand einen Stecken aufgenommen und wieder einmal begonnen hatte, Linien und Muster in den Schlamm zu zeichnen, während die andere Hand die Zigarette hielt und sie ganz mechanisch zum Mund führte.

Wenn das alles hier zu Ende ist, dachte Johannes, wird nichts so sein wie zuvor. Nie wieder. Sie waren längst alle zu anderen geworden … Man war sich selbst fremd …

Was wird mit Beatrice und mir geschehen?

Bislang hatte Johannes vor allem der Gedanke an die junge Frau aufrecht gehalten, aber würden sie nach dem Krieg wirklich dort weitermachen können, wo sie vor dem Krieg aufgehört hatten?

Dass Beatrice nicht schwanger war, hatte sie ihm in einem ihrer letzten Briefe geschrieben. Er hatte zur gleichen Zeit Bedauern und Erleichterung darüber verspürt. Doch warum auch sollte aus dem Tod, der sie alle umgab, Leben entstehen? Warum sollte ausgerechnet er Leben bringen können?

32

𝒟en Winter von 1916/17 nannte man bald den Kohl-
rübenwinter. Lebensmittel und Brennstoffe waren knapp.
Es war eine harte Zeit, auch im *Goldenen Schwan*. Die
Vorräte wurden weniger, aller Sparsamkeit zum Trotz.
Beatrice und ihre Mutter machten sich auf Hamster-
fahrten in die Umgegend. Von Eiern und Butter konnte
man nur noch träumen. An Bahnhöfen waren wiederholt lautstarke Auseinandersetzungen zu beobachten, wenn
Polizisten hamsternden Frauen und Kindern ihre Beute
abzunehmen trachteten. Der Krieg, so konnte es einem
erscheinen, näherte sich unaufhaltsam, ohne Schüsse und
Explosionen zwar, dafür mit seinen Versehrten, die zur
Erholung hierher in das ehemalige Hotel an diesen friedlichen See kamen. Das Ausmaß der Verwundungen hatte
im Laufe der Zeit zugenommen, vielleicht, weil der Krieg
noch brutaler geworden war, vielleicht, weil mehr Menschen von diesem Ort erfahren hatten, der zunehmend
einem Lazarett ähnelte.

Beatrice sah von den Schriftstücken auf und schaute
zu ihrem Vater hinüber, der am Fenster stand und reglos
auf den See hinausblickte. Sie kannte es nicht anders. Seit
sie denken konnte, hatte er sich am liebsten dort in Gedanken verloren. Er wirkte bedrückt, seit Tagen schon,
konnte oder wollte sich aber nicht helfen lassen. Früher, das wusste Beatrice, war es der Erfolg des Hotels
gewesen, der ihrem Vater die Kraft gegeben hatte. Heute,
in Zeiten, in denen das Geld knapper wurde, erinnerte

immer weniger an die eigentliche Bestimmung des Hauses, und manchmal hatte Beatrice den Eindruck, der Vater könne sich eine Zeit nach dem Krieg gar nicht mehr vorstellen.

»Glaub mir, Beatrice, es wird nicht so weitergehen wie vor dem Krieg«, hatte er erst heute Morgen gesagt, und Beatrice hatte den Eindruck gewonnen, dass ihm das Angst machte. »Es wird sich einiges ändern. Du wirst sehen. Wir verlieren alle.«

»Dinge ändern sich immer wieder«, hatte sie leise entgegnet.

Hermann hatte die Achseln gezuckt. Es schmerzte Beatrice, ihren Vater so zu sehen, so müde, so hoffnungslos. Er, der ihnen stets allen Halt gegeben hatte, war heute selbst nicht mehr in der Lage dazu. War er früher aufmerksam jedem Gast gegenüber gewesen, hob er jetzt kaum den Kopf, wenn jemand ihn ansprach. Er lachte auch nicht mehr. Dass sie diesen Krieg verlieren könnten, dass diese ganzen jungen Männer umsonst gefallen waren, bedrückte ihn sehr, wie er ihr einmal anvertraut hatte. Beatrice versuchte dagegenzuhalten, aber ihr Vater lächelte nur müde.

»Ach, Beatrice«, hatte er gesagt und ihren Arm gestreichelt, »ach, Beatrice … Gut, dass ich dich habe.«

Früher war es Mama, die mich mit ihren düsteren Stimmungen beunruhigte, fuhr es Beatrice durch den Kopf.

Leise trat sie an Hermanns Seite. Er drehte sich zu ihr. »Und, hat Johannes wieder geschrieben?«

Beatrice nickte, dachte an die Wochen der Pein und des Wartens, die auf die Zerstörung des Lazaretts und die

Rückeroberung der Festung von Douaumont durch die Franzosen gefolgt waren. So lange hatten sie nicht gewusst, ob sich Johannes und Ludwig nun doch unter den Toten befanden. Als die erlösende Nachricht endlich gekommen war, hatte sie so sehr weinen müssen, dass die Buchstaben vor ihren Augen verschwommen waren. Seitdem lebte sie wieder von Brief zu Brief.

Johannes' Briefe hatten sich erneut verändert, aber der Krieg veränderte wohl alles. Johannes und sie würden sich wirklich neu kennenlernen müssen, wenn er endlich zu ihr zurückkehrte. Hoffentlich genehmigte man den Brüdern bald wieder ein paar Urlaubstage. Die letzten Erholungstage hatten die beiden in ihr Elternhaus geführt. Beatrice wollte es ihnen nicht verdenken und musste jetzt doch wieder mit den Tränen kämpfen. In ihrem Rücken raschelte es. Der Vater war an seinen Schreibtisch zurückgekehrt und hielt nun die Zeitung in der Hand: »In Frankfurt hat es einen Fliegerangriff gegeben«, sagte er nachdenklich.

»Einen Fliegerangriff?«

Beatrice schauderte. Wie nahe würde ihnen der Krieg wohl noch kommen?

Während der erste Fliegerangriff nur relativ wenige Schäden anrichtete – wenn er auch für große Aufregung sorgte und zu einen Verkehrsstau führte –, forderte der nächste im Sommer 1917 vier Menschenleben und verletzte zwölf weitere schwer.

»Zwei Frauen wurden getötet«, wusste eine Kundin vor Corinna in der Schlange beim Bäcker zu berichten,

»außerdem ein Radfahrer und ein Soldat. Der arme Kerl, auf Heimaturlaub – und dann das …«

»In der Günthersburgallee ist's passiert«, wusste eine Frau weiter hinten zu ergänzen. »In der Luisenstraße kam auch was runter.«

»Ich hab im *General-Anzeiger* gelesen«, sagte die erste Kundin wieder, und in ihrer Stimme hörte man deutlichen Unwillen darüber, unterbrochen worden zu sein, »dass man bei solchen Angriffen keinesfalls aus dem Fenster blicken oder gar auf dem Balkon stehen bleiben soll. Gefahr für Leib und Leben besteht ja auch durch Schrapnells und solcherlei.« Die Frau schaute in die Runde und nickte dabei entschlossen.

»Meinen Sie, es wird auch bei uns in Bad Homburg zu solchen Angriffen kommen?«, erkundigte sich eine andere Frau.

»Wenn«, sagte die Erste, »dann werde ich in jedem Fall im Haus bleiben.«

»Ja, ja«, murmelte die Schlange einhellig. Die meisten hatten sich mittlerweile wohl die Hinweise zum »Verhalten bei Fliegerangriffen« durchgelesen: Ruhe war die erste Pflicht, Panik gefährlicher als der Angriff selbst. Man sollte, wenn möglich, Schutz suchen im nächsten Haus, oder sich in Gräben oder Vertiefungen werfen, wenn kein Gebäude in der Nähe war …

»Man fühlt sich, als wäre man selbst an der Front, nicht wahr?«, plapperte jetzt die zweite Frau wieder los.

Corinna biss sich auf die Lippen, um nicht gleich wütend herauszuplatzen. Auch die anderen Kundinnen schwiegen. Ludwigs letzter Brief kam ihr in den Sinn, und sie fragte sich, wie es ihr möglich sein sollte, Beatrice diese Nachricht zu überbringen. Wie sagte man so etwas? Johannes wird nicht zu uns zurückkehren, Beatrice. So etwa?

Corinna war so in Gedanken, dass die Bäckerin sie zweimal ansprechen musste, als sie endlich an der Reihe war. Immerhin bekam sie heute noch Brot. Manchmal standen hundert Menschen an, und die letzten bissen dann die Hunde.

Corinna war froh, dass der Weg zu Fuß zurück seine Zeit brauchte. Beatrice war in der Küche, als sie eintraf, redete mit einem der Küchenmädchen und lächelte dann zur Begrüßung. Corinna registrierte den Duft der Suppe, die das Mädchen bewachte, und wusste plötzlich, dass sie ihn für immer mit diesem Tag verbinden würde. Sie sah Beatrices Lächeln, ihr Magen krampfte sich zusammen. Sie legte das Brot auf dem Tisch ab.

»Hast du tatsächlich noch eines bekommen?«, rief Beatrice.

»Ja … Beatrice?«

Beatrice rührte wieder. »Was ist denn?«

»Komm her und setz dich bitte.« Corinna streckte die Hand aus. »Vielleicht sollten wir besser nach draußen gehen, vielleicht in den Garten …«

»Aber warum …?«, gab Beatrice in fröhlichem Tonfall zurück, gehorchte dann aber angesichts Corinnas ernster Miene.

Einen Moment lang saßen sich die beiden Freundinnen schweigend gegenüber. Warum muss ich ihr diese Nachricht überbringen, schoss es Corinna durch den Kopf, dann griff sie nach Beatrices Händen. Die Haut fühlte sich warm an, ein anheimelnder Duft nach Essen ging von ihr aus. Sie musste sich länger in der Küche aufgehalten haben. Corinna suchte weiter nach Worten.

»Johannes ist vermisst«, entschloss sie sich endlich zu sagen.

Keine Reaktion. Beatrice, die direkt ihr gegenüber Platz genommen hatte, starrte sie an. Ihre Lippen bewegten sich. Corinna griff unsicher nach ihren Unterarmen, um sie festzuhalten. Beatrice sank in sich zusammen. »Aber er stand auf keiner Liste«, krächzte sie dann.

Corinna war perplex. Aber Ludwig hatte geschrieben, dass … Sie musste sich sehr konzentrieren, um ruhig mit der Freundin weiterzusprechen.

»Vielleicht hast du seinen Namen überlesen?«

»Ich kann seinen Namen nicht überlesen haben.« Beatrice schüttelte heftig den Kopf. »Nicht seinen … Gewiss nicht!«

Corinna schien diese Möglichkeit auch unwahrscheinlich, aber Ludwig hatte ihr geschrieben. Sie überlegte.

»Ludwig hat mir die Nachricht geschrieben. Vielleicht wollte er, dass wir es zuerst wissen … Ich kann dir den Brief …«

»Sie stehen alle auf den Listen, alle, auch die, die vermisst sind«, fuhr Beatrice fort, als habe sie Corinna gar nicht gehört.

»Vielleicht stand er noch nicht auf der Liste, weil sie noch warten wollen. Vielleicht ist ja doch noch Hoffnung …«

Beatrices Antwort ließ Corinna zusammenzucken: »Nein.« Sie setzte sich sehr abrupt auf. »Ich wusste immer, dass es einmal so weit kommen würde. Er kommt nicht zurück. Ludwig würde dir nicht schreiben, wenn noch Hoffnung bestünde … Oder?« Ihre Stimme zitterte. In ihren Augen standen Tränen.

Corinna schluckte. »Ich weiß es nicht.«

Beatrice starrte sie an. Sie bewegte die Lippen, aber sie sagte nichts mehr. Für lange Zeit.

33

»Eine Sopwith!« Corinna, Beatrice und andere Neugierige drehten auf den Ausruf des Jungen hin die Köpfe. »Das Flugzeug da«, präzisierte der etwa Zehnjährige, »ist eine Sopwith.«

Im nächsten Moment ließ ein Krachen die Umstehenden zusammenfahren. Der angreifende Flieger hatte begonnen, seine Ladung auf die Gleise des Hauptbahnhofs und benachbarte Fabrikanlagen abzuwerfen. In den umliegenden Häusern tauchten noch mehr Menschen auf, die wohl das Spektakel aus Fliegerangriff und Abwehrfeuer der Flugabwehrkanonengruppe zu verfolgen gedachten.

Corinna war schon einige Schritte vorausgerannt, als sie bemerkte, dass Beatrice stehen geblieben war und immer noch nach oben starrte. Das Motorengeräusch kam deutlich näher.

Es war keine gute Idee, heute einen Ausflug nach Frankfurt zu machen, fuhr es Corinna durch den Kopf. Sie hatte Beatrice doch nur auf andere Gedanken bringen wollen. Das hatte sie jetzt davon.

»Beatrice«, rief sie, doch die schien sie nicht zu hören.

Es hatte lange gedauert, bis Corinna sie zu diesem Ausflug hatte überreden können. Nach der Meldung, dass Johannes vermisst war, hatte die Freundin tagelang geschwiegen.

»Beatrice, wir müssen hier weg!«

Beatrice rührte sich nicht. Noch immer blickte sie bewegungslos zu dem Flugzeug im Himmelsgrau über den Häusern hinauf.

Wir müssen weg, schoss es Corinna durch den Kopf, wir müssen uns in Sicherheit bringen! Allerdings war der Anblick tatsächlich so unglaublich, dass sie für einen Moment selbst wie erstarrt war. Das Flugzeug über ihren Köpfen flog eine weite Kurve. Das Sonnenlicht berührte eine Flügelspitze des Doppeldeckers. Für einen flüchtigen Moment meinte Corinna das Gesicht des Piloten zu erkennen. Was hatte er vor?

Dann konnte sie sich endlich wieder regen. Es gelang ihr, Beatrice beim Handgelenk zu greifen und sie mit sich fortzuziehen. Die wehrte sich nicht. In einem großen Bogen kam das Flugzeug ein weiteres Mal zurück, kreiste über ihnen. Dann war es mit einem Mal verschwunden.

Beatrice blieb erneut stehen. Corinna fühlte, wie plötzlich Wut in ihr aufstieg, und riss sie einfach weiter mit sich. Schweigend liefen sie eine Weile lang nebeneinander.

»Was sollte das eben, Beatrice?«, fragte Corinna aufgebracht, als sie schließlich im Zug auf dem Weg nach Hause saßen.

Beatrice zog die Schultern hoch und schaute schweigend aus dem Fenster. »Ich wollte sterben«, flüsterte sie dann. »Ich will sterben, seit ich weiß, dass er nicht zurückkommt.«

Corinna zögerte einen Moment lang, dann setzte sie sich an Beatrices Seite und nahm sie in die Arme. Der Körper der Freundin bebte unter ihrer Berührung. Sie wollte sie trösten, doch es fühlte sich nicht richtig an. Es würde sich nie wieder richtig anfühlen. Sie hatte zu viel Schuld auf sich geladen.

Zurück im *Hotel zum Goldenen Schwan*, waren ihnen die Nachrichten vom neuerlichen Angriff schon voraus. Beatrice antwortete einsilbig und schwieg schließlich. Es war sinnlos, über derlei zu sprechen, und man ließ sie schließlich auch in Ruhe. Sie war diejenige, die ihren Geliebten verloren hatte. Alle wussten das. Seit Johannes verschwunden war, hatte man ihre Welt angehalten, und doch ging alles weiter. Sie wollte schreien und wusste, dass niemand sie hörte.

»Willst du gar nichts sagen, mein Mädchen?«, fragte ihr Vater hin und wieder und tätschelte ungelenk ihre Hand.

Beatrice schüttelte den Kopf. Was sollte sie noch sagen? Johannes war tot. Er kehrte nicht zurück. Sie war allein. Allein mit ihren Wünschen, ihren Vorstellungen, den Träumen, die sie doch gemeinsam hatten träumen wollen. Sie würden niemals heiraten. Nichts würde ihr von ihm bleiben, außer verblassender Erinnerung. In ihrem Zimmer auf dem Bett liegend, vergrub Beatrice das Gesicht in den Händen und weinte hemmungslos.

Auch 1917 kam es vor Verdun noch mehrfach zu Gefechten, wenngleich diese nicht dieselben Ausmaße wie im Vorjahr erreichten. Im November 1918 endete der erste große Krieg. Keiner wusste, dass etwas über zwei Jahrzehnte später ein neuer beginnen würde, und vielleicht hätte es auch keinen bekümmert. Die Zeiten waren schwierig, alte Gewissheiten wankten. Veränderungen lagen in der Luft. Man selbst war mit dem Überleben beschäftigt. Am 9. November 1918 dankte der deutsche Kaiser ab. Von nun an lebten sie in einer Demokratie.

34

Motorengeräusch riss Mia aus den Gedanken. Dann knirschte auch schon Sand unter Reifen. Ein Auto kam drüben beim Parkplatz zum Stehen, der Motor verstummte. Mia stand rasch von ihrer Liege auf, wickelte den Sarong fest um ihre Hüften und reckte den Hals. Sie erwartete keinen Besuch und hatte dementsprechend nach einem spontanen Bad im See keine Zeit aufs Haarekämmen verschwendet. Ihr Bad bedauerte sie trotzdem nicht. Es hatte sie angenehm erfrischt.

Sie sah in Richtung des Parkplatzes. Durch das Schilf am Seeufer hindurch sah sie den jungen Iren aus einem klapprigen, orangefarbenen Ford Fiesta steigen. Nach kurzem Zögern steuerte er auf die Eingangstreppe des Ausflugslokals zu. Teils überrascht, teils erfreut hob Mia die Hand und rief zu ihm hinüber. Séan blickte sich erst suchend um, dann ließ ein Lächeln sein Gesicht aufleuchten.

»Hi, Mrs. Belman!«, rief er ihr zu, während er zu ihr herüberkam. Dann blickte er sich um. »Sind Sie heute alleine? Wo sind Ihre Stieftochter und Ihr Mann?«

»Neyla ist in der Schule, hoffe ich doch. Mein Mann …« Mia zuckte die Achseln.

Séan lachte leise. »O ja, ich vergaß, die Schule … Es scheint mir irgendwie schon so lange her.« Er ließ die

Tasche von einer Seite zur anderen wechseln. »Ich wollte mir heute gern einmal anschauen, was Sie gefunden haben«, sagte er dann. »Dann habe ich auch einen besseren Überblick darüber, was uns aus dem Archiv interessieren könnte. Ich hoffe, ich störe Sie nicht?«

Mia schüttelte den Kopf. »Nein, natürlich nicht.«

Séan und sie hatten ein paarmal in der letzten Woche telefoniert. Sie hatte beschlossen, sich ihm anzuvertrauen, ihn in *ihr* Geheimnis zu lassen. Vielleicht würde er ihr helfen können. Er wusste sicherlich besser, wie man an solche Sachen heranging. Er hatte Geschichte studiert. In jedem Fall wirkte er weiterhin sehr interessiert.

»Warten Sie«, sagte Mia also, »ich hole die Sachen und etwas zu trinken für uns. Es ist doch recht warm, nicht wahr?« Sie deutete auf einen Tisch in der Nähe. »Setzen Sie sich doch schon einmal.«

Eilig lief sie in die Küche, suchte eine gekühlte Flasche Mineralwasser aus der Eisbox und war kurze Zeit später zurück. »Wo ist denn Ihr Fahrrad?«, erkundigte sie sich, während sie die Mineralwasserflasche öffnete und ihnen beiden einschenkte.

»Ein Platten.« Séan runzelte die Stirn, während er auf seine Tasche sah, an der der Trageriemen gerissen war. »So nennt man das doch, oder? Platten.«

Er sprach das Wort sorgsam aus.

Mia nickte. »Und das Auto?«

»Von Gustl, meinem Boss.«

»Nett von ihm.«

»Ja, mein erstes Mal mit Auto auf der rechten Straßenseite.« Séan grinste. »Hab's ihm aber nicht gesagt.« Neugierig betrachtete er den Stapel Unterlagen, den Mia mitgebracht hatte. Er zögerte kurz. »Darf ich?«, erkundigte er sich vorsichtig.

Mia nickte. In den nächsten Minuten beschäftigte sich der junge Ire konzentriert damit, Papiere, Fotos, Anzeigen und Zeitungsausschnitte auf dem Tisch auszubreiten und sie nach und nach in eine Ordnung zu bringen, die sie nicht gleich nachvollziehen konnte. Wie versunken wirkte er dabei, sodass sie ihn vorerst nicht zu fragen wagte. Manchmal runzelte er die Stirn. Seine Lippen bewegten sich.

»Verstehen Sie alles?«, fragte Mia.

Séan hob den Kopf. »Wenn ich lese, das meiste, aber nicht alles. Es reicht jedoch aus. Wenn Sie mich jetzt allerdings nach einzelnen Wörtern fragen …«

Er grinste kurz, schüttelte den Kopf und vertiefte sich darauf wieder in die Unterlagen. Mia, die nicht wusste, was sie tun sollte, goss ihm und sich selbst Mineralwasser nach, trank und wagte es dann endlich zu fragen.

»Ist denn etwas Interessantes dabei?«

»Sicher«, erwiderte er. »Solche Dinge sind doch immer interessant, oder etwa nicht?«

Zwei Tage später war das Fahrrad repariert, und Mia konnte durch das Fenster neben der Haustür beobachten, wie Séan den Kiesweg vom Tor herüberradelte. Er kam früher als erwartet, sodass sie das Tablett mit Tee und Keksen noch in der Hand hielt, das sie jetzt kurzerhand auf dem Tisch vor dem Fenster abstellte. Obwohl sie es nicht hatte tun wollen, hielt sie inne, um zu beobachten, wie er das Fahrrad neben dem Aufgang zum alten Ausflugslokal abstellte und sich dann nach allen Seiten umschaute. Besonders lange verharrte sein Blick auf dem See. Erst am Vorabend hatte Mia die nahe dem Hotel gelegene Uferregion, im Bedürfnis, sich zu bewegen und den eigenen Gedanken zu entkommen, schwitzend weiter von Schilf befreit. Jetzt glich der Anblick noch mehr den alten Bildern, die sie gefunden hatte. Als Séan sich unvermittelt wieder umdrehte, den Kopf in den Nacken legte und am Haus entlang nach oben schaute, zog Mia sich rasch einige Schritte zurück. Nein, er sollte nicht denken, dass sie ihn beobachtete, und sie hatte das ja auch eigentlich nicht tun wollen. Sie hatte lediglich irgendwie den Moment verpasst, sich zurückzuziehen.

Kurz zögerte sie, dann bewegte sie sich wieder an das Fenster heran. Séan kam eben die Eingangstreppe hinauf. Bevor sie sichs versehen hatte, fegte Mia quer durch die Halle zurück und die halbe Treppe hinauf. Dass sie das Tablett neben dem Eingang hatte stehen lassen, würde ihm hoffentlich nicht auffallen. Sie hatte ihren Platz kaum eingenommen, als der junge Ire die Eingangstür aufstieß. Wieder nahm er sich Zeit, sich umzuschauen. Als er sie etwas später entdeckte, grüßte er fröhlich.

»Ein wirklich schönes Gebäude, Mrs. Belman. Sie können es sicherlich kaum erwarten, das alles hier wieder zum Leben zu erwecken, nicht wahr?«

Mia nickte. Für einen Moment nahm sie sich Zeit, alles mit seinen Augen zu sehen. Er hatte recht. Der Eingangsbereich war wirklich beeindruckend: die großzügige Empfangshalle, die geschwungene Treppe …

»Ich habe etwas zu essen und zu trinken für uns vorbereitet«, sagte sie und schickte sich an, die Stufen herunterzukommen. Séan beobachtete sie dabei, wie sie feststellte, mit einem leichten Lächeln auf den Lippen.

»Das ist jetzt ein bisschen wie in einem Film«, sagte er, während sich sein Lächeln noch weiter vertiefte.

»Sie meinen, ich bin Vivien Leigh oder so jemand?«, gab Mia zurück. »Haben Sie solche Filme denn gesehen?«

Sie hatte die unterste Treppenstufe erreicht und stand nah genug, um das Schmunzeln in seinen Mundwinkeln zu sehen.

»Trauen Sie mir das nicht zu?«, fragte er zurück.

»Es ist …« Sie zögerte. »Es sind eher Frauenfilme, oder?«

»Hm, vielleicht. Aber ich habe natürlich auch eine Mutter.« Er sah jetzt sehr fröhlich aus. Einen Moment lang schwiegen sie beide, dann klopfte er auf die Tasche, die er quer über der Schulter trug. Ihr fiel auf, dass er den Riemen repariert hatte.

»Ich habe ein paar Sachen zum Hotel mitgebracht und einiges zum Ersten Weltkrieg. Wir können also sofort mit dem weniger romantischen Kram weitermachen, wenn es Ihnen recht ist.«

Mia bemerkte erst, dass sie ihn angestarrt haben musste, als er sich räusperte.

»Ja, äh.« Sie zögerte, gab sich dann einen Ruck. »Wie wäre es, wenn Sie du und Mia zu mir sagen?«, fragte sie dann.

»Klar doch.« Er reichte ihr die Hand. »Séan.«

»Mia.« Sie schüttelten einander die Hände, wichen dann kaum merklich voneinander zurück. »Und«, fuhr Mia nach einer kurzen Verzögerung fort, »wir können natürlich auch einmal Englisch sprechen.«

»Das ist schon okay. Ich mag es, mein Deutsch zu bessern.«

»Okay.« Mia fixierte einen Riss auf einer Kachel zu seinen Füßen. »Tee?«, fragte sie dann und hoffte, dass er das Zittern in ihrer Stimme nicht hörte. Sie konnte sich ihre plötzliche Befangenheit selbst nicht erklären. Séan nickte.

»Tee ist für einen Iren sicherlich immer in Ordnung.«

»Ist das kein Klischee?«

»Nein, durchaus nicht«, erwiderte er mit gespieltem Ernst. »Jedenfalls in den meisten Fällen.«

Mia nickte, trat dann an ihm vorbei, um ihm heute den Gang, der vom Haus zum Ausflugslokal führte, der früher einmal die Terrasse und der Wintergarten des *Goldenen Schwans* gewesen war, zu zeigen. Bevor Séan sich setzte, trat er noch einmal kurz an die Treppe heran und spähte nach unten.

»Ich habe mein Fahrrad da unten abgestellt. Das ist doch okay, ja?«

»Natürlich … Ist das eigentlich sehr anstrengend, den ganzen Berg hochzuradeln?«, fragte sie, während sie Tee eingoss und das Milchkännchen zurechtrückte. Sie hatte das Geschirr in einem der Schränke gefunden. Es sah wirklich schön aus, und sie fand, dass es etwas über diesen Ort hier aussagte. Es musste ein schönes Hotel gewesen sein, in dem man solches Geschirr benutzt hatte. Wieder verlor sie sich in Gedanken. Sie stellte sich vor, wie die Gäste in diesem Raum ihren Tee eingenommen und Kuchen dazu gegessen hatten. Sicherlich hatte es besonders guten Kuchen gegeben; schließlich hatte die Küche des Hauses einen guten Ruf, wie sie bereits in Erfahrung gebracht hatte. Mia blickte zu einem Tisch, von dem aus man eine besonders gute Sicht auf den See hatte. Vor ihrem geistigen Auge sah sie zwei Damen in langen Kleidern der Jahrhundertwende dort sitzen. Eine trug einen wagenradgroßen Hut, die andere reichte den ihren gerade einem Bediensteten.

»Mia?«

»Äh ja …« Mit einem Ruck riss sie sich wieder aus ihren Tagträumen.

»Wollen wir uns das Material weiter ansehen?«

»Ja.« Mia schauderte plötzlich, aber sie hatte sich doch vorgenommen, mehr über die Zeit zu erfahren, in der Corinna aufgewachsen war.

Und Beatrice. Sie durfte Beatrice nicht vergessen.

Mia fröstelte. Was auch immer es war, sie durfte keine Angst davor haben. Aber warum sollte ich überhaupt Angst haben?

Unwillkürlich fröstelte sie erneut.

Ein Mann, der seine Arbeit gerne tut, fuhr es Mia wenige Tage später durch den Kopf, während sie beobachtete, wie Séan den Mikrofilm vorsichtig vorwärtsrollte.

»Es ist etwas mühsam«, sagte er über seine Schulter zu ihr hin. Offenbar hatte er ihren forschenden Blick bemerkt. »Aber wir bekommen unsere Ergebnisse. Irgendwann, so stelle ich mir das vor, werden wir den ganzen Kram im Computer haben, und dieses Zeug hier gehört der Vergangenheit an, aber bis dahin …«

»Hm«, entgegnete Mia.

Heute war ihr erstmals aufgefallen, dass Séan wohl zu den Mannern gehörte, die sich zu Anfang des Sommers das Haar kurz schoren, um es im Jahresverlauf wieder lang wachsen zu lassen. Im Hintergrund surrte weiterhin das Mikrofilmgerät. Ab und an beugte er sich etwas vor, studierte eine Nachricht und schüttelte dann wieder den Kopf.

Mia, die lange danebengestanden hatte, setzte sich schließlich doch auf den einfachen Holzstuhl, den der junge Mann für sie geholt hatte, und blätterte wieder einmal in den Unterlagen. Mit einem Mal musste sie an Florian denken. Was machte er wohl jetzt gerade? Hatte er noch Spaß an seiner Firma, die ihm doch immer alles bedeutet hatte? Eine Zeit lang hatte sie gedacht, die Spannungen zwischen ihnen hätten erst mit dem Streit um ihr Geld angefangen, doch jüngst war ihr aufgefallen, dass sich schon vorher etwas geändert haben musste. Früher war Florian jedem neuen Tag mit Tatkraft, Optimismus und einem Lachen begegnet. Doch das hatte sich geändert.

Warum ist mir das entgangen? Mia runzelte die Stirn. Vielleicht hätte ich aufmerksamer sein sollen, vielleicht hätte ich einiges auffangen können, und dann hätte er mich nicht belügen müssen. Sie starrte ihre Hände an, die nun ruhig auf den Dokumenten lagen. Es ist nicht deine Schuld, dass er gelogen hat, sagte nicht zum ersten Mal eine leise, mahnende Stimme in ihr. Es ist nicht deine Schuld. Doch ein Zweifel blieb.

Am nächsten Morgen erwachte Mia sehr früh. Noch bevor die Sonne aufgegangen war, hatte sie bereits eine Kanne

Kaffee gekocht und sich dann mit ihrem Thermobecher, eingehüllt in ihre älteste, kuscheligste Strickjacke, an den See gesetzt, um den Sonnenaufgang zu bewundern. Danach streifte sie lange durch das verwilderte Parkgelände. Mit jedem Spaziergang entdeckte sie hier etwas Neues, dieses Mal einen verfallenen Tempel, offenbar die kleine Kopie eines römischen oder griechischen Vorbilds, der ihr aber gut gefiel und der sich wunderbar in die Landschaft einfügte.

Nach ihrer Rückkehr zum Haus brachte sie Séans Materialien an ihren gemeinsamen Arbeitsort – inzwischen einer ihrer Lieblingsplätze –, trank weiter Kaffee und aß einen Müsliriegel. Gegen Mittag machte Mia eine kurze Pause, bevor sie den Stapel Bücher und Unterlagen erneut näher zu sich heranrückte.

Vielleicht war es eine Ahnung, doch es erschien ihr wichtig, sich noch tiefer in die Zeit des Ersten Weltkriegs einzuarbeiten, jene Zeit, in der ihre Großmutter Corinna eine junge Frau gewesen war. Jene Zeit, in der junge Männer für Ehre und Vaterland in den Krieg gezogen und gestorben waren, während die, die überlebt hatten, bei ihrer Rückkehr nicht mehr dieselben gewesen waren. Sie vermutete, dass diese Zeit auch Corinnas Leben nicht unberührt gelassen hatte.

Gab es damals eigentlich schon so etwas wie das posttraumatische Belastungssyndrom?, fuhr es ihr rasch wie ein Lidschlag durch den Kopf. Irgendwo hatte sie doch kürzlich etwas von Neurasthenie gelesen … Wenn sie sich recht erinnerte, war das wohl das Burnout-Syndrom des frühen 20. Jahrhunderts gewesen.

Mia beschloss, sich vorerst auf den Kampf um Verdun zu konzentrieren. Einige Feldpostbriefe, die sie gefunden hatte, zeigten, dass Freunde von Corinna und Beatrice dort zum Einsatz gekommen waren. Sie war auf die Namen Johannes und Ludwig gestoßen. Es gab sogar ein unscharfes Bild der beiden aus früheren Zeiten, in denen sie offenbar die Ferien im *Hotel zum Goldenen Schwan* verbracht hatten. Dann waren sie in den Krieg gezogen …

Die deutschen Vorbereitungen für den Angriff auf die französische Stadt Verdun, so wusste Mia von Séan, hatten bereits 1915 begonnen, als Geschütze nach und nach auf engstem Raum zusammengezogen worden waren. Das Einschießen erfolgte über einen langen Zeitraum, um den Gegner nicht auf die Angriffspläne aufmerksam zu machen. Bis zum Zeitpunkt des Angriffs war der Frontabschnitt um Verdun sogar relativ ruhig geblieben.

Mia lehnte sich in ihrem Stuhl zurück und trank erneut etwas Kaffee. Das Geräusch sich nähernder Schritte ließ sie aufblicken. Séan tauchte auf der äußeren Treppe auf. »Bin ich zu spät?«

»Nein, ich bin einfach früh aufgewacht. Mir ging heute Nacht viel durch den Kopf.« Mia lachte. »Dabei kann ich jetzt gar nicht sagen, was genau mich geweckt hat.« Sie hob die Kanne hoch. »Kaffee? Du müsstest dir nur einen Becher aus der Küche holen.«

»Ich hatte schon drei. Kann ich mir einen Tee machen?«

»Klar doch.« Mia machte eine lässige Handbewegung, froh, dass Séans Gegenwart sie nicht mehr so verunsicherte wie noch zu Anfang. »Du weißt ja, wo die Küche ist.«

Er verschwand. Mia vertiefte sich erneut in ihre Unterlagen und blickte erst wieder auf, als der junge Ire mit einem Tablett, einer Kanne, zwei Tassen, Tee und Milch zurückkehrte. Es klirrte leise, während er alles auf einem Tisch abseits platzierte, dann mit einer Tasse in der Hand zum großen Tisch kam und sich auf einen der Stühle setzte.

»Ich habe dir auch eine Tasse mitgebracht«, merkte er an. »Nur falls du mal Abwechslung brauchst.«

»Danke.« Mia deutete auf eine Seite, mit der sie sich heute als Erstes beschäftigt hatte. »Unglaublich, diese Schlacht um Verdun. Mehr als 41 000 Soldaten sollen allein zwischen Februar und Juni 1916 dort gefallen sein.«

Séan nickte. »Für Verdun geht man davon aus«, ergänzte er, »dass bis zum Ende auf beiden Seiten jeweils etwa 100 000 Mann fielen.«

»Das hört sich jetzt aber sehr mathematisch an, oder?«

»Ja, schon.« Séan lehnte sich in seinem Stuhl zurück. »Aber vielleicht ist es ja etwas anderes, wenn man sich vorstellt, dass ein guter Teil dieser Männer Mütter, Väter, Geschwister, Geliebte, Verlobte, Ehefrauen und auch Kinder hatte?«

Mia versuchte, sich einen riesigen Platz mit einer unvorstellbaren Menge an Menschen vorzustellen, die jemanden verloren hatten, den sie liebten. Sie dachte an Erwin Schultheiß und andere, die in Beatrices und Corinnas Briefen Erwähnung gefunden hatten. Sie dachte an Johannes und Ludwig, die sich mit den jungen Frauen geschrieben hatten. Waren es die Verlobten der beiden gewesen? Hatten sie den Krieg überlebt, und was war danach mit ihnen geschehen?

»Wir sprechen hier aber nur von sogenannten Direktverlusten, nicht wahr?«, versicherte sie sich leise. »Die, die im späteren Verlauf und nicht an der Front in Verdun ihren Verwundungen erlegen sind, fallen heraus, oder? Und die, die ihrem Leben womöglich ein Ende setzten, weil sie keinen Weg zurück aus dem Krieg fanden, sicherlich auch.«

Séan, der seine Tasse aufgenommen hatte, stellte sie ab, ohne etwas zu trinken. »Es gibt Historiker, die sprechen tatsächlich von insgesamt 350 000 Gefallenen.«

Mia fröstelte. Und in diesem Krieg musste etwas geschehen sein, das alles geändert hatte. Da war sie sich sicher. Dieser Krieg war der Angelpunkt. Hier mussten sie ansetzen.

Gute zwei Stunden später stand Séan erstmals wieder auf, reckte und streckte sich. Mia schloss sich ihm an. Mit den Worten »Ich mache neuen Tee« verschwand sie in der Küche und kehrte nach zehn Minuten zurück. Séan stand vor der dem See am nächsten gelegenen Fensterfront und spähte hinaus.

»Ich muss die Scheiben erst noch richtig sauber machen«, entschuldigte Mia sich. »Ich habe es schon einmal gemacht, aber im Laufe der Jahre ist einfach zu viel Dreck hängen geblieben.«

Vielleicht sollte ich auch einfach wieder die Clique zusammentrommeln und die nächste Restaurierungsrunde angehen, überlegte sie.

»Es lohnt sich bestimmt – der Blick ist wunderschön«, hörte sie Séan sagen.

Dann setzten sie sich wieder an den Tisch. Mia goss sich Tee ein und gab Milch dazu. Séan tat es ihr gleich.

»Wahrscheinlich wird sich die genaue Zahl der bei Verdun Getöteten nie ganz klären lassen«, nahm Séan den alten Faden auf.

Mia behielt die Teetasse zwischen den Händen, die sich trotz der Wärme plötzlich eiskalt anfühlten. In ihrem Magen zog sich unwillkürlich etwas zusammen. Wie konnte sie das nur herausfinden? Hatte Corinna ihren Geliebten dort verloren? War sie vielleicht schwanger gewesen und noch unverheiratet? Konnte es so gewesen sein? Corinna hatte dem Geliebten angesichts des drohenden Krieges nachgegeben, sicher, dass er zurückkehren würde, doch er war gefallen? Was war dann aus dem Kind geworden? Ihre Mutter Lore war ja erst 1921 geboren worden. Und Beatrice? Beatrice hatte vielleicht als Lazarettschwester gearbeitet und war dann in den Kriegswirren untergegangen? Der Krieg schonte keinen, so war es doch.

Mia räusperte sich.

»Aber das klingt unglaublich«, brachte sie heraus. »Dann gab es also Menschen, deren Angehörige nie zurückkehrten, und keiner konnte sagen, was mit ihnen geschehen war?«

Séan stieß den Stapel an den Kanten sorgsam zurecht, legte dann vorsichtig eine Hand darauf. »Das gibt es in jedem Krieg. Für solche Menschen wird dann das Mahnmal für den unbekannten Soldaten errichtet … Du kennst das sicher.« Er grinste schief.

»Ja …« Mia hielt kurz inne. »Es ist trotzdem furchtbar. Stell dir vor, dein Vater, Freund, Ehemann, Geliebter verschwindet einfach«, kurz erschien es ihr, als ziehe ein Schatten über Séans Gesicht, »und du hörst nie wieder etwas von ihm …«

»Schrecklich, ja«, bestätigte Séan sie. Eine steile Falte tauchte auf seiner Stirn auf. »Mein Großvater war auch im Ersten Weltkrieg. Damals hat er wohl auf der britischen Seite gekämpft; da waren wir ja noch Kolonie. Am Zweiten Weltkrieg waren wir nicht beteiligt, aber das tut hier nichts zur Sache … Grandad spricht sogar ganz passabel Deutsch. Als Kind hat er wohl ein paar Jahre mit seiner Familie in Deutschland verbracht. Das hat er mal gesagt. Angeblich haben wir durch ihn sogar Engländer in der Verwandtschaft. Ist das nicht schrecklich?« Séans Grinsen zeigte, dass er die letzte Äußerung nicht ganz ernst meinte, dann sprach er nachdenklich weiter: »Wahrscheinlich klingt sein Englisch deshalb immer so vornehm. Vom Ersten Weltkrieg hat er jedenfalls nicht gern geredet, und manchmal träumt er noch heute davon. Vielleicht beschäftige ich mich deshalb mit alldem, um zu erfahren, wie er zu dem Mann geworden ist, der er heute ist.«

»Er lebt noch? Er muss sehr alt sein.«

Séan lächelte. »Ziemlich alt, ja, aber durchaus fit. Er sagt, das macht die viele Bewegung an der frischen Seeluft. Er lebt am Meer, weißt du, hat sogar einen direkten Strandzugang.«

»Beneidenswert.«

Séan schaute wieder auf das Recherchematerial.

»Für die Kriegsführung war es jedenfalls nur wichtig zu wissen, wie viel menschlicher Nachschub insgesamt benötigt wurde. Der einzelne Tote war bloß eine Zahl ir-gendwo.«

»Aber das ist unmenschlich«, platzte Mia heraus.

Séan seufzte. »Krieg ist keine sehr *menschliche* Angele-genheit.«

Mia lehnte sich in ihrem Korbsessel zurück, zog ein Bein an, umfing es mit beiden Armen und versenkte sich einen Moment lang in dem Gefühl ihrer eigenen Wärme. Dieses Mal bemerkte sie rechtzeitig, dass sie Séan anstarrte, doch sie entschied sich, nichts dagegen zu tun. Es gab Schlimmeres, als einen anderen Menschen zu mögen, und ihre Ehe … Ach, sie wusste einfach nicht, was damit war. Florian war vielleicht nie ganz ehrlich zu ihr gewesen. Aus irgendeinem Grund hatte er sie geheiratet, und ja, viel-leicht war es tatsächlich Liebe gewesen, aber letztendlich gab es nur eine Person, die Florian wirklich liebte – sich selbst.

Neyla hat recht gehabt.

Mia stellte beide Füße wieder auf den Boden. Sie trug nur Flipflops, die sie nun mit einer leichten Bewegung abstreifte. Sie genoss es, den Dielenboden unter ihren Fuß-sohlen zu spüren. Es war ein fester Boden, und doch war er nicht kalt. Er hielt sie. Dieses Mal nahm sie sich Zeit, Séan eingehend zu betrachten: das durchaus starke Kinn, die etwas schmalen Lippen, wobei die untere Lippe etwas dicker als die obere war, die leicht krumme Nase, die blauen Augen unter dem kurz geschnittenen schwarzen Haar. Sie beugte sich vor.

»Was ist eigentlich mit deiner Nase geschehen?«

»Eine Prügelei in der Schule.«

»So heftig?«

Er erwiderte ihren Blick mit einem schelmischen Lächeln.

»Nö, eher ein unglückliches Treffen eines Ellenbogens mit meiner Nasenwurzel. Eigentlich bin ich ja eher der weiche Typ.«

Jetzt grinste er schon wieder. Mia musste lachen. Dann schauten sie sich über längere Zeit einfach an, beide mit einem nachdenklichen Ausdruck auf dem Gesicht, beide stumm.

»Ich glaube, wir haben heute lange genug geforscht, oder?«, gab sich Mia endlich einen Ruck. »Sehen wir uns morgen?«

»Klar«, erwiderte Séan sofort, »morgen. Vielleicht finde ich ja noch mehr im Archiv, aber eigentlich haben wir auch jetzt schon eine ganze Menge durchzugehen.«

»Ja.«

Mia stand auf und streckte ihm reflexartig die Hand entgegen, zog sie dann, selbst perplex, wieder zurück. Darüber waren sie doch längst hinaus … Séan trat näher an sie heran. »Darf ich?«, fragte er.

Sie nickte, unsicher und nur halb entschlossen. Er küsste sie auf die Wange. Sie wollte den Kuss erwidern, doch zu viele Gedanken gingen ihr durch den Kopf. Sie war verwirrt, spürte seine Lippen immer noch auf ihrer Haut, obgleich er schon von ihr weggetreten war. »Bis morgen«, sagte er.

»Bis morgen«, gab sie zurück, froh, dass ihre Stimme einigermaßen klar klang. Aber sie begleitete ihn nicht hinaus, wie sie es in den letzten Tagen getan hatte. Sie blieb stehen und sah zu, wie er die Treppe hinunterging, sich zum Fahrradschloss beugte und endlich mit einem letzten Gruß davonradelte. Es war ihr, als spüre sie immer noch die Berührung seiner Haut auf ihrer, als poche ihre Wange leicht an dieser Stelle. In ihrer Magengegend war dieses seltsame Gefühl, dieses Verlangen, zu lachen und gleichzeitig zu weinen. Bin ich verliebt?

35

Eine neue Zeit, *1920*

Kurz nach dem Krieg zog Corinna wieder in die Stadt, nach Frankfurt am Main. Ihre Mutter suchte sie auch bei ihren Besuchen im *Goldenen Schwan* nicht auf. Die Zeiten waren nicht leicht. Die Männer, die einmal Soldaten gewesen waren, kehrten zurück und besetzten die alten Arbeitsstellen. Corinna arbeitete nicht mehr als Telefonistin, sondern kochte für eine wohlhabende Familie von ehemaligen Uniformfabrikanten, die nun, da der Krieg vorbei war, wieder Zivilkleidung herstellte. Manche Leute fielen eben immer auf die Füße; doch auch sie, Corinna, würde nicht aufgeben. Am Wochenende half sie zuweilen im *Goldenen Schwan* aus. Dafür erbat sie sich eine eigene Kammer und bekam Gemüse aus dem hoteleigenen Garten oder Eingekochtes aus den großen Vorratskammern.

Wie es sich für eine gute Tochter gehörte, schrieb Corinna ihrer Mutter zumindest von Zeit zu Zeit. Vielleicht würde Irene sich den Brief ja vorlesen lassen, eine Antwort erwartete sie nicht. Sie war ihrer Mutter immer gleichgültig gewesen, Beatrice und Herr Kahlenberg hatten ihr stets so viel nähergestanden. Sie waren ihre Familie, auch heute noch. Dass Beatrice und sie sich ähnelten – Corinna hatte das jedenfalls immer so empfunden –, wenngleich Beatrice hell-, und sie selbst dunkelhaarig war –, hatte ihre Träume von jeher beflügelt. Einzig Frau Kahlenberg betonte stets, dass Corinna wie ihre Mutter aussehe, und hatte sogar einmal hinzugefügt: »Weißt du, dass das Fräulein Mayer einmal eine große Schönheit war, Corinna? Unsere Irene war das schönste Mädchen weit und breit, nur ihre Moral … Nun ja, die war nicht so weiß wie ihre Haut.«

Edith Kahlenberg musste nicht weiter ausführen, was sie dachte und was alle wussten: Die junge, lebenslustige Irene Mayer hatte öfter die Beine breit gemacht für Dinge, die sie zu erlangen hoffte.

Und heute, damit man nichts Hässliches über die Tochter sagte, die die alte Mutter alleine ließ, war der Tag gekommen, an dem Corinna ihre Mutter seit Langem wieder einmal besuchte.

Corinna stieß die Tür auf. Irene wohnte immer noch in ihrem eigenen kleinen Häuschen außerhalb der Mauer, die das Hotelgelände umschloss. Sie hatte all die Jahre darauf bestanden hierzubleiben, auch wenn das hieß, dass sie früher aufstehen musste und abends ein gutes Stück zu laufen hatte, bevor sie in ihr Bett fallen konnte.

Ein Mensch braucht seine Freiheit, hatte sie gesagt. Manche sagten »das Mensch« zu ihr. Als Corinna es das erste Mal gehört und verstanden hatte, was dieser Ausdruck bedeutete, hatte sie sich sehr geschämt.

Heute schämte sie sich nicht mehr. Heute wusste sie, dass diese Frau sie vielleicht geboren hatte, mehr aber auch nicht.

Corinna stieß die Tür auf und stockte in der Bewegung. Der Geruch, der sich in dem kleinen Haus ausgebreitet hatte, war mehr als unangenehm. Unwillkürlich hielt sie sich ein Taschentuch vor die Nase, um dem Gestank zu entgehen, während sie gleichzeitig gegen ein Würgen ankämpfte. Sie machte ein paar Schritte, versuchte das Dämmerlicht, die vereinzelten Sonnenstrahlen, in denen Staub tanzte, zu durchdringen. Irgendwo, aus einer dunklen Ecke des Zimmers, krächzte eine Stimme.

»Wer ist da?«

»Ich bin's, Corinna.«

Corinnas Stimme klang gedämpft hinter dem Taschentuch hervor. Sie atmete flach, trotzdem entging sie dem beißenden Geruch nicht. Es roch nach Zigarettenqualm, ungewaschenem Körper, Alkohol und billigem Parfüm.

»Meine Corinna, tatsächlich …«, krächzte es erneut. Dann ließ Irene ein tiefes Grummeln hören, hustete polternd, bevor sie sich schlurfend näherte.

Der Alkoholgeruch verstärkte sich. Als Irene endlich aus den Schatten trat, musste Corinna sich sehr beherrschen, nicht zusammenzuzucken. Seit ihrer letzten kurzen Begegnung wirkte ihre Mutter noch hagerer. Ihre ehemals weiße Haut sah grau aus, dann hustete sie heftig, wobei sie sich einen schmutzigen Lappen vor den Mund hielt.

»Warum bist du hier? Hat man der lieben Tochter gesagt, dass ich krank bin? Dass ich wohl bald sterben werde … Wolltest du mich vielleicht vorher noch einmal sehen? Ich habe dir das Leben geschenkt, vergiss das nicht.«

Corinna runzelte die Stirn. Als ob du mich je gewollt hättest, Irene, fuhr es ihr durch den Kopf. Sie straffte den Rücken.

»Du bist krank? Nein, davon wusste ich nichts.«

»Hab die Tuberkulose, wie das Weib oben auf dem Schloss.«

Jetzt, da ihre Mutter so nahe war, war der Gestank noch drückender. Corinna bewegte sich zum Fenster hin, schob einen Fensterflügel auf, ließ ihr Taschentuch sinken und atmete vorsichtig die frische Luft ein, die von draußen hereinkam.

»Auf dem Schloss? Im Hotel, meinst du?«

Ihre Mutter lachte trocken.

»Natürlich, wo denn sonst. Aber Madame führte sich doch immer auf, als sei sie eine Schlossherrin. Dabei konnte sie es noch nicht einmal ihrem Mann richtig besorgen. War sich ja immer zu fein für alles, und dann, als sie schwanger war … Du mein Gott, der arme Herr Kahlenberg.«

Corinna ignorierte den letzten Satz.

»Heißt es nicht, frische Luft und Reinlichkeit …«

»Paperlapapp!« Irene schnitt ihrer Tochter mit einer Handbewegung das Wort ab. »Was soll das schon helfen! Eine Tochter brauche ich, die mir in meinen schweren Tagen zur Seite steht. Du gehörst hierher, zu mir. Was treibst du dich in der Stadt herum?«

Corinna sah wieder nach draußen in das dichte Waldgrün. Was sollte sie jetzt tun? Sie hatte gedacht, dass ihr die Entscheidung leichtfallen würde, aber Irene war doch ihre Mutter.

Es ist wichtig, auf seinen Ruf zu achten, fuhr es ihr durch den Kopf. Eine wie ich muss immer hundertprozentig sein, sonst hängt man ihr ganz schnell etwas an.

»Na, denkst du darüber nach?« Irene hustete bellend. »Darüber, was sie sagen, wenn du deine arme Mutter alleine lässt? Ja, ja, denk an deinen Ruf. Der war dir doch immer wichtiger als die eigene Mutter. Aber sie werden es dir nicht verzeihen, wenn du so ein Weib wie mich einsam sterben lässt. Und du hast doch noch so viel vor, nicht wahr? Du hast Ziele. Ich weiß das.«

»Ach, sei still, Mutter«, zischte Corinna, als sie sich umdrehte.

Ein kurzes Schweigen breitete sich zwischen ihnen aus.

»Geht es Frau Kahlenberg eigentlich wieder gut?«, fragte Irene dann mit einem seltsamen Ausdruck in den Augen.

Corinna nickte. Wieder war es still.

»Ich habe sie gepflegt, wusstest du das?«, sagte Irene dann. »In den Wochen, bevor sie in dieses Sanatorium für feine Leute ging. Herr Kahlenberg kam zu mir und hat mich quasi angefleht, mich um seine Frau zu kümmern. Ich kann das, und ja, ich war immer zur Stelle, wenn mich diese Familie brauchte. Und dafür hat man mich jetzt vergessen.«

Corinna verharrte immer noch am Fenster, doch sie sah nicht mehr hinaus.

»Herr Kahlenberg hat dich nicht vergessen. Es ist sehr viel zu tun – die Zeiten sind schwer. Es gibt weniger Gäste, und die, die kommen, wollen doppelt umsorgt werden.«

Sie hatte tatsächlich nicht gewusst, dass Frau Kahlenberg in einem Sanatorium gewesen war. Niemand hatte sie davon in Kenntnis gesetzt, auch Beatrice nicht, aber die hatte sich seit Johannes' Vermisstenmeldung ohnehin

verändert. Sie sprachen zwar wieder miteinander, aber …
Corinna trat ein paar Schritte in den Raum zurück, versuchte erneut, flach zu atmen, und wusste doch gleich, dass man nichts gegen diesen Gestank tun konnte.

»Ich mache uns einen Tee«, sagte sie.

»Du weißt, wo alles ist«, erwiderte ihre Mutter und kehrte zu dem alten, verschlissenen Sessel zurück, in dem sie offenbar geruht hatte, bevor Corinna aufgetaucht war. Einen Moment später saßen sie Seite an Seite und tranken Tee aus angeschlagenen Bechern. Corinna bemühte sich, die Gedanken an die hochansteckende Krankheit zu verdrängen.

»Warum hast du mich eigentlich Corinna genannt?«, fragte sie unvermittelt.

Irene schaute sie von der Seite an. »Warum nicht?« Sie nippte an ihrem Tee. »Ist es einfachen Köchinnen vielleicht verboten, ihren Töchtern schöne Namen zu geben?«

Corinna starrte in ihre Teetasse. Hell schimmerte der Boden durch den kläglichen Rest Flüssigkeit hindurch.

»Nein, natürlich nicht. Er ist nur sehr außergewöhnlich. Ich frage mich, was mein Vater …«

»Der hatte jedenfalls nichts dagegen.«

»Er wusste also von mir … Hat ihm der Name gefallen?«

»Hm.«

»Lebt er noch?«

Wie immer antwortete die Mutter nicht. Als Kind hatte Corinna sich vorgestellt, Hermann Kahlenbergs verlorene Tochter zu sein. Das hatte genügt. Aus Angst vor der Antwort hatte sie nie gefragt, doch mit dem Älterwerden, musste man sich vielleicht auch von lieb gewonnenen Vorstellungen befreien. Sie räusperte sich und schaute ihre Mutter dann fest an: »Ist es Hermann Kahlenberg? Ist er mein Vater?«

Irene brach in schallendes Gelächter aus.

Schon früh hatte Corinna begonnen, über ihren Namen zu rätseln. Welche einfache Frau gab ihrem Kind schon einen solchen Namen? Corinna, hatte sie schließlich irgendwo gelesen, kam sogar aus dem Griechischen. Mit Griechisch beschäftigten sich nur gebildete Menschen. Sie beugte sich vor und wusch den Fensterlappen sorgfältig im Eimer aus, bevor sie den nächsten Abschnitt der Scheibe sauber wischte. Sie hatte die Arbeit in der Stadt gekündigt, nachdem Hermann Kahlenberg sie wieder einmal um Hilfe gebeten hatte. Er liebte das Hotel, und sie liebte ihn, den Vater, den sie nie gehabt hatte. Zur gleichen Zeit konnte sie sich auf diese Weise auch um ihre Mutter kümmern, ein Einsatz, für den Hermann sie überschwänglich lobte.

»Du bist eine gute Tochter«, sagte er, und kurz sah es so aus, als würde er ihre Wange tätscheln, doch dann ließ er die Hand sinken. Für solcherlei Vertraulichkeiten waren sie beide zu alt geworden.

Während Corinna das Häuschen aufräumte, putzte und wienerte, bis es in allen Ecken frisch roch, während sie alte Bettwäsche entsorgte und die von Hermann Kahlenberg geschenkte auf das Bett zog, versuchte sie weiter, ihre Mutter auszufragen.

»Dein Vater, dein Vater … Was willst du denn jetzt noch von dem? Er war nicht da, als ich dich aufgezogen habe. Er hat dich nicht anerkannt. Er hat nur deine Mutter geschwängert, und fort war er. Hat er mir Dinge versprochen? Ja, er hat mir Dinge versprochen … Hat er sie gehalten? Nein, nichts …«

Corinna schwieg und wartete. Noch nie zuvor hatte ihre Mutter so viel über den Vater gesagt. Also arbeitete sie weiter im Hotel, half die wenigen Gäste zu umsorgen und pflegte ihre Mutter. Irene war nun sauber und stank nicht mehr. Irgendwann würde sie sprechen. Gesundheitlich ging es ihr schlecht. Sie schlief viel und hustete immer mehr Blut.

Warum hat sie mich nicht Ilse genannt, überlegte Corinna, während sie auf den Knien den Boden eines Gästezimmers schrubbte, oder vielleicht Annemarie? Warum heiße ich nicht Minna oder Dorothee? Warum habe ich diesen seltsamen Namen? Es war auch dieser Name gewesen, der sie irgendwann hatte glauben lassen, dass sie nicht nur die einfache Tochter einer Köchin sein konnte.

Und dann, eines Abends, saß Irene in ihrem Sessel, dessen Verschlissenheit Corinna mit einer Häkeldecke überdeckt hatte, und sah ihrer Tochter entgegen. Sie hatte getrunken. Man roch den Alkohol. Sie hatte auch wieder gespuckt und gehustet und den blutigen Auswurf um den längst Fliegen schwirrten, stehen lassen. Corinna entfernte ihn, teilte dann die Suppe aus dem Blechbehältnis aus, die sie sich aus der Küche hatte mitnehmen dürfen. Als Irene den Teller zur Hälfte geleert hatte, legte sie den Löffel aus der Hand. Ihr ganzer Körper war in den letzten Tagen noch schmaler geworden. Eine Schweißschicht ließ ihr Gesicht glänzen. Sie fing so unvermittelt an zu sprechen, dass Corinna zusammenzuckte.

»Dein Vater war ein Gast, ein Künstler ohne Regeln oder Einkommen. Er hatte Geld im Casino in Bad Homburg gewonnen, und das gab er in diesen Tagen aus. Danach habe ich ihn nie wiedergesehen.«

Corinna spürte die Enttäuschung wie eine eiserne Faust in ihrem Magen. Zuerst wusste sie nicht, was sie denken sollte.

»Und die Schuhe?«, fragte sie dann.

»Habe ich dir geschenkt, du undankbares Ding. Du bist meine Tochter.«

Mit einem Schauder fuhr Corinna aus den Gedanken, warf den Lappen ins Wischwasser, trocknete die Fensterscheibe und polierte sie sorgfältig mit Zeitungspapier nach. Beatrice. Freundin. Schwester. Nein, nicht Schwester, das hatte sie sich wohl nur zu sehr gewünscht.

Sie waren zusammen aufgewachsen, hatten viel Glück und Leid miteinander geteilt. In den ersten Jahren ihres Lebens hatte es Beatrice und Corinna nur im Doppelpack gegeben – die siamesischen Zwillinge, so hatte mancher gesagt, auch wenn das Edith Kahlenberg missfallen hatte.

Corinna sah nach draußen. Wäre sie meine Schwester, würde ich ihr dann sagen, dass sich Johannes bei seinen Eltern aufhält? Sie hatte es von Anfang an geahnt, und Ludwig irgendwann auf den Kopf zugesagt, damals,

als er auf dem Weg nach Hause einen kurzen Abstecher ins *Hotel zum Goldenen Schwan* gemacht hatte. Darüber, warum er kam, hatte sie natürlich zuerst gerätselt und bald erkannt, dass er sich vor der Heimkehr ins Elternhaus fürchtete. Sie hatte erkannt, dass er nicht erwartet wurde, jedenfalls nicht so, wie sein Bruder erwartet worden war. Die Jahre des Krieges, in denen sie sich geschrieben hatten, hatten sie einander gewiss auch nähergebracht. Offiziell hatte er natürlich dem Hotel und seinen Besitzern einen Besuch abgestattet, in Erinnerung an schöne Zeiten, doch Corinna hatte erkannt, dass er eigentlich nur kam, weil er sonst nichts hatte. Sie hatte auch erkannt, dass er nicht aussah wie jemand, der seinen Bruder verloren hatte. Manche Dinge spürte man einfach. Irgendwann hatte sie es ausgesprochen, auf einem Spaziergang um den See. Sie hatte ihm auf den Kopf zugesagt, dass sie wusste, dass Johannes noch lebte. Die Wut, die in diesem Moment in seinem Gesicht aufgeschienen war, hatte sie kurz erschreckt. Er hatte es nicht geleugnet.

Aber Johannes war nicht mehr derselbe. Beatrice und er würden niemals zusammenkommen. Der Krieg hatte ihn zerstört, wie so viele. Manchmal, berichtete ihr Ludwig, war er wie in sich versunken, dann wieder tobte er wie ein Berserker. Es war, als habe er die Zeit vor dem Krieg vergessen. Kurz gesagt, er hatte den Verstand verloren.

Ich könnte es Beatrice also sagen, überlegte Corinna, denn so würde sie ihn trotzdem nicht kriegen können, genauso wenig wie ich. Doch sie zögerte.

In den ersten Zeiten des Verlustes hatte Beatrice sich bemüht, nichts Schönes mehr an sich heranzulassen. Sie hatte auch nicht mehr gesprochen, denn sie war sich nicht sicher, was es überhaupt noch wert war, erwähnt zu werden. Zuerst hatte sie sich verkrochen, dann hatte sie ihre Arbeit getan, mechanisch, wie eine Maschine, ohne darüber nachzudenken. Sie war froh gewesen, dass ihr Vater das Sanatorium für die Kriegsversehrten geschlossen und den reinen Hotelbetrieb wieder aufgenommen hatte. Ein Jahr ohne Johannes war vergangen. Sie hatte Wut empfunden. Sie hatte an Ludwig geschrieben, doch der hatte nicht geantwortet. Irgendwann war er zu Besuch gekommen, doch sie hatten einander nichts zu sagen gehabt.

Nach etwas über einem Jahr machten Corinna und sie zum ersten Mal wieder zusammen einen Spaziergang. Sie gingen zum alten Strand, sahen die Trauerweide und das Seil, doch keine der jungen Frauen sagte etwas. Beide schwiegen sie. Beatrice überlegte, ob Ludwig noch an Corinna schrieb, wollte aber nicht fragen.

Wie immer war Beatrice heute Morgen früh aufgestanden. Sie mochte es, wenn ihr Tag einen straffen Zeitplan hatte, der ihr keinen einzigen Moment zum Nachdenken ließ. Wenn ihr Vater erwägte, wieder mehr Personal einzustellen, entgegnete sie, dass das unnötig war.

Beatrice schaute den Brief an, der auf ihrem Tisch auf sie wartete. Unwillkürlich dachte sie an Corinna, die mit Papas Erlaubnis in dem kleinen Nähzimmer zwei Türen weiter nächtigte, denn auch ihre Arbeitskraft wurde natürlich mit dem bescheidenen neuen Erfolg gebraucht.

Sie fragte sich, ob sie die Schrift kannte, und wusste es nicht. Plötzlich verspürte sie eine ungewohnte Ungeduld. Mit dem Finger riss sie ein Loch in den Umschlag und zerrte endlich einen Briefbogen hervor. Viel stand nicht darauf.

Mit ihrem Namen und nur mit ihrem Namen begann das Schreiben. Sie drehte den Bogen um und starrte den Namen an, der am Ende stand: Johannes. Er lebte.

36

Im Winter 1920 war der Krieg, der so lange allgegenwärtig gewesen war, schon zwei Jahre vorüber. Spät eines Abends stand Cornelius von Thalheim hinter seiner Frau im Schlafzimmer und löste den Verschluss ihres Diamantencolliers. Sie hatten den Tag bei Freunden verbracht, über alte Zeiten geredet und Geschäftliches besprochen. Gesine war müde und auch etwas nervös. »Sei doch vorsichtig damit«, herrschte sie ihren Mann ungehalten an, als der sich einfach zu ungeschickt anstellte. »Wer weiß, ob wir das nicht auch noch versetzen müssen.«

Die Geschäfte gingen schlecht seit dem Krieg. Die alte Ordnung war zusammengestürzt wie ein Kartenhaus, Cornelius ließ die Gutsverwaltung schleifen. Manchmal schmerzte es Gesine, ihre Welt schwinden zu sehen und nichts und wieder nichts dagegen tun zu können. Nun, immerhin waren beide Söhne zu ihnen zurückgekehrt – sie hatten Glück gehabt –, auch wenn Johannes und Ludwig nicht mehr dieselben waren. Aber wer war das schon noch? Keiner von ihnen war mehr der, der er vor dem Krieg gewesen war. Die ganze Welt hatte sich geändert.

»Sitzt er immer noch unten?«, fragte sie ihren Mann, nachdem der den Verschluss endlich gelöst hatte. Cornelius nickte. »Seit heute früh? Unverändert?«, hakte sie nach.

»Ja.«

Gesine zögerte, bevor sie sich langsam zum Fenster hinbegab. Johannes saß wie jeden Tag unten am Brunnenrand, viel zu schmal für seine Größe, reglos und eingewickelt in eine Decke. Es schmerzte sie, ihren Ältesten so zu sehen, und es tat ihr auch nicht leid zu wissen, dass sie Ludwig hundertmal lieber so gesehen hätte.

Aber Ludwig war der Soldat. Er hatte den Krieg ohne größere Schäden überlebt.

Und vielleicht sollte ich ihm wenigstens dafür danken, dass er Johannes zu mir zurückgebracht hat …

Trotzdem machte sie ihm Vorwürfe; sie konnte nicht anders. Er hatte Johannes schützen sollen und kläglich versagt. Sie sprach es nicht laut aus, aber sie sorgte dafür, dass er ihre Haltung kannte. Und natürlich wusste sie, was er dachte, und hasste es, wenn er sie daraufhin so bedürftig umschwänzelte wie eine Töle.

Warum kann ich ihn nicht lieben? Wäre das nicht viel einfacher?

Gesine schauderte. Vielleicht war es der schwierige Start ins Leben gewesen, der ihre gemeinsame Beziehung auf immer verdorben hatte, dieses Gefühl der Bedrückung, das sie nach seiner Geburt über ein Jahr lang gefangen gehalten hatte.

Ich muss es akzeptieren. Ich muss mein Schicksal annehmen.

Gesine schloss die Augen, dachte an die Zeit vor dem Krieg, als alles anders gewesen war und sich die Schwierigkeiten so viel kleiner angefühlt hatten.

»Du hast dieses Collier zur …«, sagte Cornelius jetzt, als habe er ihre Gedanken gelesen.

»Ja, zur Hochzeit von Prinzessin Viktoria Luise von Preußen mit Herzog Ernst August von Hannover in Berlin habe ich es getragen.«

Warum musste er ausgerechnet jetzt davon sprechen.

»In Berlin«, echote Cornelius.

Gesine hielt die Augen weiterhin geschlossen. So war das Leben vor dem Krieg gewesen, sorgenfrei und voller gesellschaftlicher Ereignisse … Sie dachte an die Leute, die dem Brautpaar zu Tausenden zugejubelt hatten und die nun nichts mehr von der Monarchie wissen wollten. Das Berliner Tageblatt hatte damals von dem herzzerreißenden Anblick geschrieben, wie einmal der demokratische Autobus vor dem vorbeifahrenden Galawagen habe warten müssen und dann wieder der Galawagen den Autobus habe passieren lassen müssen.

Gesine öffnete die Augen mit dem Gedanken, dass ihr diese Beschreibung schon damals missfallen hatte. Damals hatten sie auch alle von Frieden geredet. Sie hatte geahnt, dass das Unsinn war. Ihr Blick fiel erneut auf Johannes, ihren verlorenen Sohn, und das Herz zog sich ihr zusammen.

In den nächsten Tagen kündigte ein Brief den Besuch einer jungen Frau an, von der Gesine gehofft hatte, sie nie wiederzusehen.

37

An einem der nächsten Tage machte Mia erstmals eine Radtour vom Hotel hinüber ins Dorf und hielt schließlich, ohne sich dessen recht bewusst zu sein, vor dem Gebäude, in dem sich der Geschichtsverein befand. Eine bekannte Stimme riss sie aus den Gedanken. »He, waren wir verabredet? Tut mir leid, aber heute geht leider nicht.«

»Was?« Mia blickte sich um, entdeckte Séan, der eben aus dem Gebäude gekommen sein musste und jetzt dabei war, das Schloss seines Fahrrads zu öffnen.

»Oh, tut mir auch leid«, lachte sie. »Eigentlich wollte ich nur einen kleinen Ausflug machen, aber ich bin es wohl inzwischen so sehr gewohnt hierherzukommen, dass ich ganz automatisch angehalten habe.«

»Na, das freut mich aber zu hören.« Séan grinste. Mia blieb ernst. Über den von ihr nicht erwiderten Kuss hatten sie kein Wort mehr verloren. Da sie ihn nicht anstarren wollte, wandte sie sich kurz ihrem Fahrrad zu und tat so, als müsse sie etwas überprüfen.

Ich sollte nicht ständig mit ihm flirten, schoss es ihr durch den Kopf, immerhin bin ich noch verheiratet. Noch? Sie errötete. Aber war das überhaupt flirten? Sie sprachen miteinander. Das war doch ganz normal. Sie versuchten, zusammen etwas herauszufinden. Sie musste plötzlich an Neyla denken.

»Wenn du Zeit und Lust hast, dann komm doch später noch ins Hotel«, hörte sie sich sagen. Es war schließlich nichts dabei, gemeinsam mit einem Mann etwas zu trinken, oder? Das hatte sie früher öfter gemacht. Séan sah erfreut aus. Wahrscheinlich hatte er noch nicht viele Kontakte hier – Deutsche waren da ja viel zurückhaltender – und fühlte sich bestimmt auch mal allein.

»Gern.« Er hob die Hand. »Bis später dann.«

Mia wartete, bis er aus ihrem Blickfeld verschwunden war, dann schwang sie sich wieder auf ihr Rad.

Bin ich deshalb hierhergekommen, fragte sie sich, während sie energisch in die Pedale trat, um ihn zu sehen und einzuladen?

Der Weg zum Hotel zurück zog sich wegen der Steigung in die Länge. Die Sonne stand bereits tiefer, die schmale Straße zwischen dichtem Baumbestand wirkte mit einem Mal so düster, dass Mia ein Schauer über den Rücken lief. Sie stellte sich in die Pedale, um den Hügel besser zu bewältigen, und keuchte bald leise. Das kam davon, wenn man keinen Sport trieb. Trotzdem war sie fest entschlossen, nicht abzusteigen. Sie hatte es ja auch fast schon geschafft. Sie konnte die Hügelkuppe schon sehen. Hinter ihr heulte plötzlich ein Motor auf.

Wer war das denn? Mia runzelte die Stirn. Besuch? Séan jedenfalls nicht, der hatte sicherlich noch zu tun und fuhr außerdem Rad.

Ein kleines Stück weiter hinten begann das Privatgelände. Nein, Mia wusste von niemandem, der sie heute hier besuchen würde, nicht unter der Woche. Auch Alexa war beschäftigt. Der Unbekannte würde also bald feststellen, dass das hier für ihn eine Sackgasse war.

Mia horchte erneut. Jetzt beschleunigte der Wagen. Langsam kam ihr das gleichmäßige Surren des Motors bekannt vor. Im nächsten Moment schon sauste der BMW so dicht an ihr vorbei, dass Mia das Gleichgewicht verlor und seitwärts ins Gebüsch stürzte. Der Schreck und der erste Schmerz raubten ihr vorübergehend den Atem. Dann rappelte sie sich hoch, krabbelte aus dem Gebüsch heraus und klopfte Ästchen, Erde und Laub von ihrer Kleidung. Verletzt war sie offenbar nicht, einige Schrammen, aber sonst hatte sie sich nichts getan. Mia atmete tief durch, doch anstatt sich zu beruhigen, begann sie zu zittern. Tränen schossen ihr in die Augen und liefen bald über ihre Wangen. Was war das eben gewesen? Hatte der Fahrer, hatte Florian, denn sie war sicher, dass sie sein Auto erkannt hatte, überhaupt nicht bemerkt, dass er sie vom Weg abdrängte?

Mia untersuchte ihr Fahrrad und stellte fest, dass es so in Mitleidenschaft gezogen worden war, dass sie den Rest des Weges laufen musste. Die Kurven zogen sich ihrem Gefühl nach noch länger durch den dunklen Wald als auf dem Hinweg, doch sie wusste, dass das nicht stimmen konnte. Während sie langsam Schritt um Schritt vorwärtslief, fröstelte sie immer stärker. Hatte Florian sie wirklich wissentlich von der Straße abgedrängt?

Séan war in Gedanken versunken, als er wieder von der gelben Telefonzelle wegfuhr, von der aus er Ma und Joe angerufen hatte. Ma und er hatten bei seiner Abreise abgemacht, dass er sich in regelmäßigen Abständen meldete. Joe war zufällig zu Besuch bei seiner Mutter gewesen und hatte ins Telefon geknurrt, dass Janice eben den besten *stew* mache.

»Das habe ich von dir gelernt«, hatte Ma sich aus dem Hintergrund zu Wort gemeldet. Danach hatte Joe den Hörer an seine Schwiegertochter weitergegeben.

Janice erkundigte sich, ob es Séan gut ging und ob die Deutschen denn nett zu ihm waren. Dann hatte Séan sich noch einmal Joe geben lassen, um ein paar Worte mit ihm zu wechseln. Er hatte ihm gesagt, was er herausgefunden hatte. Joe hatte nicht mehr getan, als es zur Kenntnis zu nehmen.

Während er in die Hauptstraße einbog und das Fahrrad eine Steigung herunterrollen ließ, dachte Séan an den Tag, an dem er erstmals versucht hatte, seinen Großvater, dem es gesundheitlich inzwischen wieder viel besser ging, über die Vergangenheit auszufragen. Er hatte ihm die Rezeptblätter gezeigt, die er gefunden hatte, den Mantel, den Koffer …

Joe hatte noch nicht einmal versucht zu behaupten, dass er all das Zeug vom Trödler habe. Er leugnete nicht, dass es ihm gehörte. Allerdings war das Einzige, was er sagte: »Ich habe dieses Leben hinter mir gelassen.«

»Welches Leben hast du hinter dir gelassen?«

»Das musst du schon selbst herausfinden.«

Séan hatte entdeckt, dass eine von Joes Spuren nach Deutschland führte. Es war immer noch schwer, sich das

Wie und Warum zu erklären. Was konnte sein Großvater mit einem alten deutschen Hotel zu tun haben? Hatte er hier kochen gelernt? Dass er den Kontinent kannte und mochte, wusste Séan. Offenbar hatte Joe gute Erinnerungen an seinen Aufenthalt dort. War er also nicht nur als Kind in Deutschland gewesen, sondern später noch einmal? War es möglich, dass er im *Hotel zum Goldenen Schwan* kochen gelernt hatte? Dann hatte er damals sicherlich auch diese deutsche Schrift gelernt; alle Deutschen hatten schließlich so geschrieben. Im Krieg war er dann heimgekehrt, nach Irland. Er hatte Grandma kennengelernt.

Immer noch tief in Gedanken, verpasste Séan die richtige Abbiegung und musste wenden. Hier begann die Steigung, die zu Mias Waldhotel hochführte. Séan nahm sie und verlor sich erneut in Gedanken.

Passte das mit der Rückkehr nach Irland? Wenn ja, hatte es eine ganze Weile gedauert, bis er und Grandma zusammengekommen waren. Terry war Ende der Vierziger geboren worden, und da Joe nicht sein leiblicher Vater war, musste er bereits Anfang Fünfzig gewesen sein, als er Grandma kennengelernt hatte. Wie hatte Joes Leben bis zu diesem Zeitpunkt ausgesehen? Wo hatte er gelebt und wen hatte er geliebt? Vielleicht waren die zwei Weltkriege ja auch an den Flanagans nicht spurlos vorbeigegangen? War es das, worüber Joe nicht reden wollte? Schmerzliche Erinnerungen?

Florian hatte es sich in Mias Liegestuhl bequem gemacht, als Mia endlich schwitzend oben ankam. Neben ihm auf dem Boden stand eine Cola. Er trug seine Ray Ban, hatte die Beine locker von sich gestreckt. Als er ihre Schritte hörte, wandte er den Kopf. »Ach, da bist du ja endlich …« Er brach ab, wurde offenbar in diesem Moment auf ihr zerbeultes Fahrrad aufmerksam. »Himmel, was ist das denn?«

Die Wut kochte so plötzlich in Mia hoch, dass ihre Stimme unangenehm schrill klang.

»Was wohl?«, blaffte sie. »Du hast mich von der Straße gedrängt.«

»Ich habe was?« Florian sah sie empört an. »Jetzt mach aber mal halblang. Ja, ich bin an dir vorbeigefahren, aber da war noch genügend Platz.«

Für einen Moment hielt sie inne. Hatte sie sich vielleicht doch geirrt? War sie einfach selbst ins Schwanken geraten, weil ihre Kraft für den Anstieg nicht genügte?

Florian schaute sie in der ihr bekannten Mischung aus Verletzung und Trotz an. Mia biss sich auf die Lippen, während sie das Ereignis erneut rekapitulierte. Nein, sie hatte sich nicht geirrt; er hatte sie von der Straße abgedrängt, ob wissentlich oder … Ach, verdammt, jetzt hatte er sie schon wieder dazu gebracht, an sich zu zweifeln. Dabei wusste sie genau, was geschehen war. Er hatte sich nicht beherrschen können und ihr einen Denkzettel verpassen wollen, was ihm jetzt wieder leidtat. Es war nicht das erste Mal, dass er so etwas tat.

Sie sah, wie er eine weitere Flasche Cola aus einer Eisbox nahm.

»Was Kühles für zwischendurch?«

Sie nahm die kleine Flasche entgegen.

»Ich dachte mir, dass du keinen Kühlschrank hier hast.« Er schaffte es, sogar in diesem Moment großmännisch zu klingen.

»Doch, den habe ich mittlerweile.« Mia setzte die Flasche an und trank. Besser, sie sagte jetzt nichts und beruhigte sich erst einmal.

»Tatsächlich?« Florian machte eine wegwerfende Handbewegung. »In diesem verfallenen Ding hier?«

»Meinen Kühlschrank von früher. Er stand noch bei uns im Keller. Alexa hat mir geholfen, ihn hierherzubringen.«

»So, so, Alexa.«

Mia gab keine Antwort, drehte sich um und blickte an dem Gebäude hinauf, dem die Nachmittagssonnenstrahlen eben ein Stück seiner früheren Schönheit wiedergaben.

»Es ist nicht verfallen«, sagte sie leise.

»Na ja, ein wenig schon«, beharrte Florian. »Aber«, fügte er dann gönnerhaft hinzu«, »es ist ein Liebhaberstück, und wenn wir nicht so knapp bei Kasse wären, dann könnten wir es uns wirklich gestatten …«

Wir, echote es in ihr, jetzt heißt es wieder wir.

»Ich habe bereits mit der Renovierung begonnen«, fiel sie ihm ins Wort. Sollte er nur gleich wissen, dass sie ihre Meinung nicht geändert hatte.

»Von welchem Geld?«

»Von meinem Erbe. Ich habe aber auch noch anderes Geld, soweit ich weiß. Du musst es mir nur zurückgeben.«

»Fängst du schon wieder damit an?«

Mit einem Klirren warf Florian seine leere Flasche zurück in die Eisbox. Er wirkte jetzt ärgerlich.

Mia verschränkte die Arme. »Ich will mir etwas Eigenes aufbauen.«

»Du hast zu Hause alles, was du brauchst.«

»Darüber entscheidest nicht du.«

»Himmel«, er hob halb genervt, halb belustigt die Augenbrauen, »andere Ehefrauen suchen sich einfachere Hobbys. Frag doch mal meine Mutter. Die kann dir alles zu *charities* und so etwas sagen.«

»Ich will kein Hobby. Ich werde hiermit wieder mein eigenes Geld verdienen.«

»Bislang hast du gut von meinem gelebt.«

»Genau, und das will ich nicht mehr. Ich bin ein eigenständiger Mensch, keine Ehefrau aus dem 19. Jahrhundert, die wie ein Schmuckstück zu Hause sitzt. Ich bin nicht wie deine Mutter. Und ich will auch nie so sein.«

Florian grinste. »Wer sagt denn, dass ich dich wie meine Mutter will.« Kurz sah es so aus, als wolle er sie berühren, dann schüttelte er den Kopf: »Meine Mutter ist eine großartige, kultivierte Frau, aber ich will gewiss nicht mit ihr verheiratet sein. Meine Traumfrau bist du. Das weißt du doch, Süße.«

Für einen Moment war Mia so perplex, dass es sie verunsicherte. Sie bemerkte gar nicht, dass sich inzwischen eine dritte Person dem Geschehen näherte. Florian entdeckte Séan als Erster.

»Was macht der denn hier?«, fragte er scharf.

38

Friedensjahre, 1920

Johannes hatte sich nicht vorstellen können, dass sich das Leben irgendwann einmal wieder so anfühlen würde, wie früher, doch jetzt, weit über ein Jahr nach Kriegsende, gab es zumindest Tage, an denen er sich zu erinnern meinte, wie es einmal gewesen war. Es gab Tage, da quälten ihn keine Albträume mehr, und Tage, an denen er sogar den Haferbrei ansehen konnte, ohne an Gehirnmasse zu denken, die aus einem Schädel quoll.

Wenn er sich Bilder von früher ansah, blieb ihm der lachende junge Mann darauf trotzdem fremd. Er kannte diesen Jungen nicht mehr, der unbekümmert auf einem Bootssteg saß und die Beine im Wasser baumeln ließ. Er erinnerte sich auch nicht daran, wie er mit Corinna und Beatrice in einem Boot gesessen hatte, genauso wenig wie er sich an den gemeinsamen Schiffsausflug auf dem Rhein erinnerte, von dem andere Bilder erzählten.

Seit er aus dem Krieg heimgekehrt war, fiel es ihm schwer, zuzunehmen. Er verspürte einfach keinen Appetit. Er konnte auch nicht mehr kochen. Er schmeckte einfach nichts mehr, und auch sein Geruchssinn wollte nicht mehr funktionieren wie früher. Er konnte sich nicht mehr an den Geschmack von frischen Kirschen erinnern oder an den von im Feuer gebackenen Kartoffeln mit frischem sahnigem Quark. Essen war eine Pflicht. Er musste es tun, wenn er weiterleben wollte – und das wollte er.

Er wollte leben, seitdem Beatrice auf Gut Thalheim aufgetaucht war. In einem seiner ersten klaren Momente hatte er ihr auf gut Glück geschrieben. Er hatte den Brief einem ehemaligen Knecht mitgegeben, der dafür Johannes' alte Uhr bekommen hatte, und damit war der Stein ins Rollen gebracht worden.

Das Warten auf ihre Antwort war ihm unendlich lang erschienen. Immer wieder hatte er daran gezweifelt, dass sein Bote den Brief überhaupt aufgegeben hatte, doch sie war gekommen und geblieben. Beatrice hatte sich nicht verjagen lassen, noch nicht einmal von seiner Mutter, was ihm mehr als alles andere imponierte. Mit ihr war es ihm endlich gelungen, seinen Liegestuhl zu verlassen, etwas, wovor er sich entsetzlich gefürchtet hatte, seitdem er nach Hause zurückgekehrt war.

Inzwischen genoss er es, mit Beatrice spazieren zu gehen. Sie war der Engel, der ihn vom Rand des Abgrunds zurückgerissen hatte. Sein Engel. Er hatte inzwischen wieder eine Idee, wie es sich anfühlte, sie zu lieben wie ein normaler Mann.

Ich liebe ihn, durchfuhr es Beatrice, ich liebe ihn immer noch. Sie erinnerte sich, wie ihre Knie zu zittern begonnen hatten, als Gut Thalheim vor ihr am Horizont aufgetaucht war. Das Brandenburger Hofgut sah prächtiger und beeindruckender aus, als Johannes es ihr beschrieben hatte. Es war das erste Mal, dass sie so hoch im Norden war. Was mache ich jetzt, hatte sie sich gefragt, was soll ich tun?

Ihre Füße hatten einfach einen Schritt vor den anderen gesetzt. Sie war durch das Torhaus gegangen und in den Hof gelangt. Eine Taube war gurrend über ihr aufgeflogen und hatte sie zusammenzucken lassen. Es war keine Menschenseele zu sehen gewesen. Beatrice hatte ein paar feste Schritte getan, als könne sie sich so versichern, dass der Boden unter ihr nicht nachgeben würde.

Er ist hier, hatte sie sich Mut zugesprochen, er wartet auf mich.

Sie war ums Haus herumgegangen, auf die Seite, die ganz offenbar der Repräsentation diente. Hier waren die Treppenstufen breit, der Garten mit Sichtachsen gestaltet. Hier war ein großzügiger Springbrunnen, neben dem ein Liegestuhl stand.

Johannes hatte sie bemerkt, sobald sie um die Hausecke gekommen war, und die Augen nicht von ihr gewandt, bis sie vor ihm stand.

»Du bist es«, hatte er dann gesagt.

»Johannes.« Sie war vor ihm auf die Knie gegangen.

»Beatrice.«

Sie hatten einander angesehen und im Gesicht des anderen nach Bekanntem gesucht.

»Ich wollte sterben«, hatte er endlich gesagt.

»Du darfst nicht sterben«, hatte sie erwidert, »ich liebe dich.«

Gesine von Thalheim stand nun schon seit einer guten halben Stunde am Fenster ihres privaten Salons und beobachtete die beiden. Johannes und Beatrice saßen wie so oft am Rand des großzügigen Springbrunnens, wo die

Jungen früher ihre Segelboote hatten fahren lassen. Das Wirtshausmädchen, wie Gesine die junge Frau insgeheim nannte, hielt eine Hand ins Wasser und bewegte sie hin und her. Johannes starrte auf die Bewegung, während sie sprachen.

Gesine hätte viel darum gegeben zu hören, was die beiden sich zu erzählen hatten. Es war leichter gewesen, als Johannes sich noch zumeist in seinem Zimmer aufgehalten hatte. Manchmal hatte sie sich einfach vor die Tür gestellt und gehorcht. Manchmal hatte sie eines der Dienstmädchen mit Getränken oder Kleinigkeiten zu essen hineingeschickt und sie beauftragt, die Ohren offen zu halten, während sie den Tisch eindeckten.

Viel zu berichten hatte es nicht gegeben. Die beiden hatten sich über Belanglosigkeiten unterhalten, aber am meisten hatte Gesine ohnehin interessiert, wie sie sich zueinander verhielten. Waren sie Freunde, oder gab es Anzeichen, dass die alte Liebe wieder aufflammte?

Gleich zu Anfang hatte sie versucht, das Wirtshausmädchen fortzuschicken, aber Johannes hatte darauf bestanden, dass sie bleiben müsse, und auch der Arzt hatte eine deutliche Besserung im Verhalten seines Patienten bemerkt. Er aß mehr, er war bereit, das Bett zu verlassen, und er schlief besser. Innerhalb weniger Wochen änderte sich sein Aussehen. Er war nicht mehr so hohlwangig wie zu Ende des Krieges, seine Gesichtsfarbe nicht mehr grau.

Natürlich hatte Gesine sich da bereit erklären müssen, diese Frau hier bei sich wohnen zu lassen. Natürlich wollte sie, dass es ihrem Sohn besser ging. Sie hatte immer nur das Beste für ihn gewollt. Sie liebte ihn. Sie hatte ihn geliebt, seit er in ihr Leben gekommen war. Sie liebte ihn mehr als ihren Mann und natürlich mehr als Ludwig. Ja, sie liebte Johannes mit jeder Faser ihres Herzens, aber heute schämte sie sich dessen nicht mehr. Man konnte seine Liebe eben nicht teilen.

Warum musste es dieses Weib sein? Gesine von Thalheim zog sich der Magen zusammen, als sie nun beobachtete, wie Johannes unsicher die Hand nach der Hure ausstreckte. Wie schmal er doch aussah in seinem Feldmantel! Er hatte sich geweigert, das Ding aus der Hand zu geben. Es erinnere ihn an die Kameraden, die er im Stich gelassen habe, hatte er einmal sehr klar zu ihr gesagt, an die, denen er nicht zur Seite gestanden hatte.

»Ich hätte sterben sollen, Mama, aber ich habe mich feige zurückgezogen.«

»Du warst sehr krank. Wir mussten dich heimholen.«

»Wir waren alle krank. Nur Wahnsinnige können in einem solchen Krieg bestehen.«

Sein bitteres Lachen klang ihr noch in den Ohren. Das war jetzt über vier Wochen her. Inzwischen hatte er sich erholt. Es war Zeit, die Hure loszuwerden.

Am liebsten hätte Gesine das Wirthausmädchen zum Essen in die Küche verbannt, aber natürlich wusste sie sich zu benehmen.

Ach, was waren das überhaupt für Zeiten, in denen man solche Leute an seinen Tisch lassen musste …?

Der Pöbel regierte. Der Kaiser war im Exil. Die Welt stand kopf. Aber sie hatte entschieden, alles zu tun, damit sich die Welt wieder geraderückte. Das hieß, sie musste die Sache in die Hand nehmen, anders als ihr Mann, der sich aus dem öffentlichen Leben zurückgezogen hatte, gar nicht mehr für Ordnung sorgte und sich die Zeit mit der Jagd, seinen Pferden und seinen Hunden vertrieb. Nein, sie, Gesine, würde die Dinge nicht auf sich beruhen lassen. Sie nahm die Dinge in die Hand. Einer musste das tun.

Corinna hatte sich verändert, seit Gesine sie das letzte Mal gesehen hatte. Der Kleinmädchenzopf war verschwunden, das Lächeln maskenhaft. Die lockigen Haare gingen ihr jetzt bis zum Kinn, und sie trug eins dieser modernen, losen und furchtbar weit geschnittenen Kleider, deren Rock zum Saum hin schmal wurde und etwa in Höhe der Waden endete. Ihr Mantel war so groß, dass Corinna sich fast in ihm zu verlieren schien. Sie war hell geschminkt, der Lippenstift, den Gesine abscheulich fand, war zu dunkel.

Gesine hatte sie mit dem Wagen vom Bahnhof abholen und direkt zu sich bringen lassen. Sie wollte die Erste sein, die mit der jungen Frau sprach, die Erste sein, die davon erfuhr, dass Corinna Mayer hier war.

Als sie jetzt versuchte, sich an die jüngere Corinna zu erinnern, wollte es ihr nicht mehr gelingen. Die neue Corinna hatte die alte tatsächlich vollkommen abgelöst.

Gesine straffte sich innerlich und bleckte die Zähne zu einem Lächeln. Das uneheliche Kind einer Köchin … Mit so jemandem hätte ich früher noch nicht einmal gesprochen …

»Guten Tag, Frau Mayer«, sagte sie dann, »wie schön, dass Sie hier sind! Wie war Ihre Fahrt?«

»Angenehm.«

Gesine von Thalheim bemerkte, dass Corinna die Einrichtung des Zimmers eingehend taxierte. Es gelang ihr dabei nicht vollkommen, ihre Neugier zu verbergen.

»Setzen Sie sich doch«, forderte Gesine die junge Frau auf und deutete auf einen der Stühle bei einem Tischchen, auf dem Tee bereitstand.

Corinna nahm Platz und behielt ihre elegante Haltung bei. Allerdings wirkte sie steif dabei. Nun ja, sie war niemand, dem die richtige Haltung von Anfang an eingebläut worden war. Vielmehr hatte sie sie mühsam erlernen müssen, aber sie machte sich nicht schlecht.

Seltsam, ich habe sie gar nicht so in Erinnerung. War Corinna nicht eher ein unbeholfenes Mädchen gewesen, das sich meist im Hintergrund gehalten hatte? Dafür war sie jetzt eine junge, wohl auch ehrgeizige, recht hübsche Frau, wenn man nach dem heutigen Geschmack ging.

Ehrgeiz ist sicherlich zuträglich für das, was ich vorhabe.

Gesine zwang ein neues Lächeln auf ihr Gesicht.

»Tee?«

»Bitte.«

Gesine nahm die Kanne und schenkte ein. »Sie wundern sich bestimmt, wo das Personal ist, aber ich denke, wir sollten ungestört bleiben.«

Corinna nickte, nahm sich dann ein Biskuit vom dargebotenen Teller, hielt es zwischen zwei Fingern und knabberte daran. Gesine schenkte sich selbst ein und trank die ersten paar Schlucke Earl Grey, während sie sich ihre nächsten Worte zurechtlegte. Sie hatte lange darüber nachgedacht, wie sie beginnen sollte, aber nun, da sie sich gegenübersaßen, fühlte es sich doch anders an. Würde Corinna sich von ihrem Plan überzeugen lassen?

Es klirrte, als Gesine ihre Tasse etwas zu heftig absetzte. Sie hoffte, dass man ihr nichts von ihrer plötzlichen Nervosität anmerkte.

»Noch etwas Tee?«, fragte sie mit Blick auf Corinnas leere Tasse.

Corinna nickte nur. Gesine wartete noch einen Augenblick ab.

»Ich möchte Ihnen einen Vorschlag unterbreiten«, sagte sie dann. Ihre Stimme klang rau. Sie hatte sich ihre Worte hundertmal zurechtgelegt und war froh, sie einigermaßen ohne Stottern herauszubringen. Ja, es war ein ungewöhnlicher Vorschlag, den sie vorzubringen hatte, aber es waren auch ungewöhnliche Zeiten. Sie konnte gewiss nicht zulassen, dass ihre Familie zerstört wurde.

Abends saß Corinna in ihrem Zimmer und betrachtete sich lange im Spiegel. Es war immer noch ungewohnt, dass ihr Haar kaum mehr bis zum Kinn langte. Früher hatte sie beim Kämmen Schultern und Oberarme berührt, heute hingegen …

Beatrice und sie hatten sich heute zum ersten Mal beim Abendessen gesehen. Beatrice war erstaunt über Corinnas Besuch gewesen. Gesprochen hatten sie nicht wirklich miteinander. Corinna hatte das auch nicht erwartet. Es war zu viel geschehen. Sie hatten einiges zu klären. Sie fragte sich, ob die Freundin mittlerweile wusste, was sie, Corinna, ihr so lange verschwiegen hatte.

Dann dachte sie wieder an Gesine von Thalheims Plan. Die ganze Fahrt über hatte sie darüber gegrübelt, warum Frau von Thalheim sie wohl hierher eingeladen hatte. Damals im Hotel hatte Frau von Thalheim schließlich jeden Kontakt vermieden. Zuweilen war Corinna sich wie unsichtbar vorgekommen.

Jetzt braucht sie mich.

Corinna löste sich endlich von ihrem Spiegelbild, stand auf und ging zum Bett hinüber, um sich darauffallen zu lassen. Mit einer Hand streichelte sie über den feinen Baumwollstoff des Bettbezugs und des Lakens. Ein Federbett, so weich, so zart. Sie ließ sich zur Seite sinken. Ein weiches, frisch duftendes Federbett. Hatten hier Fürsten und Herzöge genächtigt? In jedem Fall bislang sicherlich keine unehelichen Töchter von Hilfsköchinnen. Indem sie die Augen schloss, durchlebte sie das Gespräch noch einmal von Beginn an: »Und was soll ich tun, Frau von Thalheim?«

»Ich möchte, dass Sie meinen Sohn beschuldigen, übergriffig geworden zu sein.«

Corinna erinnerte sich, in diesem Moment geschwiegen zu haben. Zu viele Dinge waren ihr durch den Kopf gegangen. »Sie meinen Johannes?«, hatte sie sich versichert.

»Ja.« Gesine von Thalheim räusperte sich. »Und Sie müssen überzeugend sein.« Für einen Atemzug lang war da etwas zwischen ihnen gewesen, dann hatte sich Frau von Thalheims Gesichtsausdruck wieder verschlossen. »Das wäre alles, Frau Mayer. Ich werde später Ludwig zu Ihnen schicken, um alles Weitere zu besprechen.«

Corinna fragte sich, was Ludwig mit ihr besprechen sollte.

»Es muss echt aussehen«, hatte Gesine von Thalheim noch einmal wiederholt, bevor sie selbst die Tür hinter ihr geschlossen hatte. »Vergessen Sie das nicht.«

Besprechen Sie alles Weitere mit meinem Sohn … Corinna richtete sich wieder auf. Nun, sie musste sich jetzt wohl Gedanken darum machen, wie sie vorgehen sollte. Welche Möglichkeiten gab es, das vorzutäuschen, was Gesine von ihr verlangte? Würde es genügen, Johannes der Tat zu bezichtigen? Unter Tränen vielleicht?

Langsam setzte sie sich an den Frisiertisch und betrachtete sich im Spiegel. Nach der anstrengenden Fahrt sah sie müde aus. In ihrer Tasche suchte sie nach der Creme, die sie immer bei sich trug, tupfte sich etwas davon auf Wangen und Stirn. Elfenbeinweiß – die Creme machte den Teint heller, der nie hell genug sein konnte. Dann tupfte sie sich einen Hauch Rouge auf und zog ihren Lippenstift nach. Kurz dachte sie an Gloria Swanson. Seit sie den ersten Film mit der Amerikanerin gesehen hatte, wünschte Corinna sich, so auszusehen und alles hinter sich zu lassen: die Kindheit, die Unehelichkeit, ihre Mutter …

Aber dafür musste und würde sie Erfolg haben. Mit dem Geld, das ihr Gesine von Thalheim angeboten hatte, war das endlich möglich. Dieses Geld würde ihr ermöglichen, das zu tun, was sie sich wünschte. Eine kleine Lüge genügte. Eine Lüge, die ein paar Leben veränderte, ja … Aber das Leben war Veränderung, und hatte sie nicht ein Recht auf ein wenig Glück?

Sie musste nur vorgeben, dass Johannes sie zum Geschlechtsverkehr gezwungen hatte. Eigentlich war das ganz einfach. Jeder wusste vom seltsamen Verhalten des älteren Thalheim-Jungen, seit er aus dem Krieg zurückgekehrt war. Jeder wusste von seinen Anfällen, von seinen plötzlichen Aggressionen, unter denen viele im Haus schon einmal zu leiden gehabt hatten. Sie hatte Johannes verloren – es war nur recht, wenn er ihr zu einem neuen Leben verhalf.

Nur eine Lüge, es war so einfach … Es würde auch keinen Prozess geben, denn die Thalheims würden einen Skandal in jedem Fall vermeiden, etwas, was auch Johannes verstehen musste, denn er war hier aufgewachsen. Wenn sie entschieden, ihn zu Verwandten zu schicken, würde er sich gewiss nicht wehren. Es würde ganz einfach sein. Hatte Gesine von Thalheim gesagt.

Nur eine Lüge – und sie, Corinna, würde endlich das Leben haben, das sie sich wünschte. Das Leben, das ihr zustand. Und Beatrice bekam Johannes nicht. Sie beide würden ihn nicht bekommen. Alles würde seine Richtigkeit haben.

Der nächste Tag verging in einer seltsam angespannten Ruhe, von der aber vielleicht nur Corinna etwas bemerkte. Es gab Frühstück auf der Terrasse, gefolgt von einem gemeinsamen Spaziergang. Beatrice und sie gingen danach noch ein wenig in den Gärten spazieren. Es fiel ihnen noch schwer, miteinander zu reden. Für einen kurzen Moment verspürte Corinna ein schlechtes Gewissen darüber, was geschehen sollte, aber Beatrice musste sie verstehen … Jetzt war ihre Zeit. Jetzt musste sie, Corinna, an sich denken. Beatrice würde immer das Hotel haben, zu dem sie zurückkehren konnte. Corinna aber musste sich ihren eigenen Platz erst schaffen.

Für einen Moment blieb sie etwas zurück. Beatrice und Johannes, der zu ihnen gestoßen war, liefen vor ihr. Johannes stützte sich auf Beatrice – nicht umgekehrt, das fiel ihr sofort auf. Zum ersten Mal tat er ihr ein wenig leid, aber sie durfte sich nicht hinreißen lassen. Sie musste weitermachen, ihre Augen klar auf das Ziel gerichtet.

Hufgetrappel war mit einem Mal zu hören, dann schloss Ludwig zu ihnen auf. Corinna bemerkte, dass er gut aussah. Männlicher. Er hatte den Krieg wirklich so viel besser bewältigt als sein Bruder. Er litt nicht unter Schlafstörungen oder ähnlichen Verhaltensauffälligkeiten. Aber sie liebte ihn nicht. Sie hatte ihn nie geliebt.

Vielleicht wäre vieles einfacher gewesen, wenn ich ihn hätte lieben können. Und doch sind wir jetzt aneinander gebunden. Auf unsere Art. Er wird wissen, was ich getan habe.

Ludwig hieß sein Pferd langsamer werden, ließ es dann im Schritt neben den anderen drei herlaufen. Für einen Moment musste Corinna daran denken, wie es früher gewesen war, damals, während der Ferienzeiten im *Goldenen Schwan*. Für einen Moment wünschte sie sich in die Zeit zurück, als alles leichter gewesen war und man keine Entscheidungen hatte treffen müssen. Ludwigs Schimmel schnaubte. Johannes trat einen Schritt zur Seite und verzog sein Gesicht zu einer schmerzvollen Maske. Beatrice zog ihn noch weiter zurück. Corinna runzelte die

Stirn. Was war geschehen? Wieder eine Erinnerung aus dem Krieg? Offenbar war die Gegenwart voller schmerzvoller Erinnerungen.

Während Ludwig und sie jetzt weitergingen, blieben Beatrice und Johannes zurück. In ihrem Rücken hörte sie die beiden leise reden. Auch Ludwig musste sie hören, und erstmals fiel ihr auf, wie seine Schultern steif wurden. Er hatte es bislang geschickt verborgen, aber es war ihm wohl nicht gleichgültig.

»Ludwig«, sagte sie leise.

»Was?«

Seine Stimme klang harsch, und für den einen Moment, als er sie nun anblickte, spiegelte sich auf seinem Gesicht sein ganzer Schmerz und seine ganze Verlorenheit. Dann wandte er ihr abrupt den Rücken zu, hieb seinem Pferd die Fersen in die Seite und sprengte davon.

Beatrice sah, wie Johannes wieder einmal gegen seine Wut ankämpfte, und fühlte die Verzweiflung darüber fast wie er selbst. Ja, es erschreckte sie, wenn er seine Faust gegen die Wände oder die schweren Möbel schlug, bis die Fingerknöchel bluteten, und sie hoffte jedes Mal, dass ihn seine Wut nicht überwältigen würde. Seine Wutanfälle waren gewiss das, woran sie sich am schwersten gewöhnte, schwerer noch als an die tiefe Traurigkeit, aber all das gehörte zu Johannes, und sie wollte nicht davor weglaufen. Sie wollte da sein, so lange, bis er ins Leben zurückkehrte. Doch sie musste zugeben, dass sie manchmal nicht sicher war, wozu er fähig sein mochte, und dann fragte sie sich, was er im Krieg wohl getan hatte? Klebte Blut an seinen Händen, war er tatsächlich verroht, wie er einmal selbst sagte?

Johannes atmete angestrengt ein und aus. Dann räusperte er sich. Offenbar war es ihm gelungen, seine Wut zu bezähmen, was ihm in letzter Zeit öfter, wenn auch nicht immer, gelang.

»Ich bin mir immer noch fremd«, sagte er leise.

Beatrice schüttelte den Kopf in dem Versuch, jedes Misstrauen in sich im Keim zu ersticken.

»Es wird besser werden.«

»Vielleicht.« Johannes legte den Daumen an die Lippen und begann an seinem Fingernagel zu knabbern. »Was tun wir, wenn wir scheitern?«

»Wir scheitern nicht.«

Er starrte sie für einen Moment lang an und stand dann auf.

»Ich muss raus. Ich muss laufen.«

»Gut.« Sie zögerte, stand dann auf und drückte ihm einen Kuss auf die Lippen. Irgendwann, dachte sie, während sie ihm im Gang hinterherblickte, wird er meine Berührung wieder erwidern.

Am Abend war Corinna früh auf dem Zimmer, ungeachtet des kühl dargebrachten Angebots, noch ein wenig im Salon zu bleiben. Ludwigs Blick war ihr den ganzen Tag über nicht aus dem Kopf gegangen. Sie hatte sich ihm nie verbundener gefühlt. Er war ein Seelenverwandter, das spürte sie jetzt. Sie waren die, die immer übersehen wurden, die, ganz gleich, was sie taten, nie die Anerkennung bekamen, die anderen ohne Mühe zuteilwurde.

Bevor sie zum Abendessen ging, erwischte sie ihn noch einmal allein. »22 Uhr, in meinem Zimmer.«

Er nickte nur und schob sich an ihr vorbei.

Corinna nahm ihre Armbanduhr auf und studierte das Zifferblatt. Sie hatte sich die Uhr damals von ihrem ersten Lohn zusammengespart. *Wie lange das jetzt her war.*

Die Uhr bedeutete ihr viel.

Es war kurz nach 22 Uhr. Ludwig verspätete sich also. Corinna war irgendwie nicht überrascht.

Sie trat noch einmal vor den Spiegel und musterte sich eingehend. Beatrice hatte sie heute für ihr Kleid gelobt, und Corinna musste ihr recht geben. Es stand ihr wirklich ausgesprochen gut. Die Taille saß tiefer als in den vergangenen Jahren, der Rocksaum war gewagt. Zuerst war sie sich deswegen unsicher gewesen. Inzwischen hatte sie sich daran gewöhnt.

Rund um den eckigen Halsausschnitt fand sich eine aufwendige Perlenstickerei. Der Schnitt des Kleides war insgesamt eher weit und lose, was Corinnas zarter Gestalt seltsamerweise schmeichelte. Die neue Mode hob das in den Himmel, womit Corinna immer schon gesegnet gewesen war: einen flachen Bauch und vor allem flache Brüste. Zwar forderte die neue Mode nicht unbedingt ein Korsett, und sie hatte eigentlich noch nie eines benötigt, aber auf einen der neuen Büstenhalter, den sie mit einem Hüfthalter aus robustem Baumwollstoff kombinierte, wollte sie trotzdem nicht verzichten.

Corinna war so in Gedanken versunken, dass sie zusammenfuhr, als es klopfte. Doch Ludwig wartete nicht auf ihre Antwort, sondern trat einfach ein. Ein Hauch von

Unbehagen durchfuhr sie deswegen, aber der verschwand genauso schnell, wie er gekommen war. Ludwig sah genauso verloren aus wie am Nachmittag. Und er hatte getrunken, stank nach Alkohol und Zigarettenqualm. Mit einem Ruck zog er die Tür hinter sich zu und schaute sich um. Kurz war es ihr, als befände er sich ganz woanders, als bemerke er sie gar nicht. Dann schaute er sie an. »Und?«

»Und?«

»Was machen wir jetzt?«

Sosehr er sich um Überlegenheit bemühte, so blieb doch dieser verlorene Ausdruck in seinem Gesicht. Verwirrt leckte sich Corinna über die Lippen.

»Vielleicht«, stotterte sie ihren Vorschlag heraus, »vielleicht solltest du ein wenig an meinen Kleidern reißen?«

Ludwig antwortete nicht sofort, bleckte nur die Zähne, zupfte an ihren Schultern, als wolle er sie wie einen Gegenstand zurechtrücken.

»So etwa?«

»Ich, äh …«

Ich weiß es nicht, fuhr es ihr durch den Kopf, ich weiß es doch nicht.

»Oder doch so?« Ludwig riss plötzlich mit einem solch gewaltigen Ruck an ihrem Kleid, dass der Stoff sich zuerst in ihr Fleisch bohrte und dann von der Schulter abwärts zerriss. Mit einem leisen, kaum hörbaren Klick, Klick, Klick fielen ein paar Perlen zu Boden. Corinna unterdrückte den Entsetzensschrei. Ludwig drehte sie grob zum Spiegel hin.

»Sieht doch viel überzeugender aus, oder? Schließlich soll dir mein Bruder ja etwas angetan haben.«

Er lachte hohl. Seine Wut überraschte und ängstigte sie, dann zerrte er sie auch schon wieder zu sich herum, packte sie beim Kinn und zwang sie, ihn anzublicken. Seine Augen glitzerten. Mit einem Mal war er ihr fremd. Da war nichts mehr von dem Ludwig, den Corinna kannte. Er ließ sie abrupt los. Sie wollte instinktiv weg von ihm, aber das ließ er nicht zu. Eine schallende Ohrfeige. Ihr schossen die Tränen in die Augen. Ihre Wange brannte wie Feuer, aber sie war zu verängstigt, um ihre Hand gegen den Schmerz zu drücken, stand nur da und schaute ihn fassungslos an.

»Ich finde, man sollte dir auch ansehen, was er dir angetan hat.«

Er schaute sie prüfend an. Das seltsame Glitzern verschwand aus seinen Augen, aber die plötzliche Starre ließ ihn noch unheimlicher wirken. Der Geruch von Alkohol und Zigarettenqualm ließ sie würgen.

»Ludwig …«, keuchte sie.

Er runzelte nur die Augenbrauen, dann schlug er wieder zu. Corinna fand sich im nächsten Moment auf dem Boden wieder, schmeckte Blut, sah stumm zu ihm hoch. Sie wollte etwas sagen, doch sie kam nicht dazu. Ludwig riss sie wieder hoch und schleuderte sie aufs Bett, schob die Hand unter ihr Kleid, zerriss ihre Strümpfe und vergrub seine Hand dann in ihrem Schoß. Corinna war wie gelähmt. Sie wollte vor Schmerz schreien, aber der Schrei blieb in ihrer Kehle stecken. Sie suchte fieberhaft nach einem Ausweg und drohte doch von Panik übermannt zu werden. Ludwig war wieder über ihr und sah auf einmal genau wie der Junge aus, mit dem sie damals am See gespielt hatte. Sie schnappte nach Luft, aber es war ihr, als drücke ihr jemand die Kehle zu. *Das ist falsch. Er muss aufhören.*

Aber Ludwig riss weiter an ihrer Kleidung, an ihrem Rock. Sie hörte den Stoff erneut schleißen. Eine Hand war an ihrer Unterwäsche. Tränen quollen aus ihren Augen und ließen sie fast blind werden. Für einen Moment hatte sie den seltsamen Gedanken, wie schön es wäre, sich jetzt wegen des zerrissenen Stoffes grämen zu können. Die Angst ließ sie kaum atmen. Ihre Kehle schmerzte.

»Ludwig«, krächzte sie.

Er sagte nichts, verschloss ihr lediglich den Mund mit seiner breiten Hand. Sie kämpfte dagegen an, zappelte, mit einem Mal noch panischer. Er beugte sich tiefer über sie. Sein Mund lächelte, seine Augen nicht. Sein Atem streifte ihre Haut. Noch mehr Alkohol. Noch mehr Zigarettenrauch.

»Soll es echt aussehen? Es soll doch echt aussehen, Täubchen. Wie sollen sie dir glauben, wenn dein Kleidchen ein bisschen zerrissen ist und du dazu deine Krokodilstränen vergießt? Du bist keine Schauspielerin, Corinna.«

Sie starrte ihn an. Sein Lächeln war bösartig.

»Das war ein Kompliment, meine Süße. Du bist ein gutes Mädchen. Ich hoffe, du hast das nicht anders empfunden.«

Nein, er hoffte nicht, das wusste sie. Er wollte sie verletzen.

»Nein, ich«, stotterte sie, wollte sich aufsetzen, doch er hielt sie mit seinem Gewicht fest.

»Wir sind noch nicht fertig.« Er sprang plötzlich auf, zerrte sie vom Bett und vor den Spiegel. »Oder glaubst du, das ist überzeugend?«

Corinna starrte sich an: das zerzauste Haar, das blasse, verweinte, wie versteinerte Gesicht. Sie konnte sich gar nicht daran erinnern, dass er an ihren Haaren gezogen hatte. Nein, hätte man sie gefragt, hätte sie keinesfalls schildern können, was in den letzten Minuten geschehen war … Minuten, Stunden …

Er packte sie brutal beim Nacken, zwang sie weiter auf den Spiegel zu. »Und? Überzeugend?«

»Ich …«

Er ließ ihren Nacken los, beugte sich über ihre Schulter.

»Ich weiß, wie Frauen aussehen, denen man alles genommen hat. Ich war in der Hölle und bin wieder zurückgekommen. Was glaubst du, was man im Krieg mit den Weibern macht?«

Und dann packte er sie wieder, schleifte sie zurück zum Bett und warf sie darauf. Sie konnte später nicht sagen, was dann geschehen war, aber das war auch nicht wichtig. Sie musste ohnehin eine andere Geschichte erzählen. Die Wahrheit war nicht wesentlich. Niemand wollte die Wahrheit wissen. Die Thalheims hatten entschieden, was daraus gemacht werden sollte. Sie, Corinna, würde ihr Geld bekommen. Das Geld, das alle Wunden heilte.

Also lag sie nur reglos auf dem Rücken und starrte gegen die Decke, während es geschah und auch lange noch, nachdem Ludwig gegangen war. Irgendwann begann sie zu weinen und konnte gar nicht mehr aufhören. Sie schluchzte auch noch, als sie sich aufsetzte.

Ich gehe jetzt zu Beatrice, sagte sie sich, so wie wir es besprochen haben. Beatrice muss meine Geschichte erfahren, sonst ist alles umsonst.

Es war mitten in der Nacht, und Beatrice gelang es nicht sofort, das Klopfen einzuordnen. Zuerst war es Teil ihres Traumes gewesen, doch es hatte sich so hartnäckig gehalten, dass sie schließlich davon aufgewacht war. Als sie sich aufsetzte, rutschte die Federdecke von ihrem Körper. Beatrice fröstelte unwillkürlich. Die Wärmpfanne, die vor dem Einschlafen noch für wohlige Wärme gesorgt hatte, war erkaltet. Im Zimmer war es kühl. Wieder klopfte es.

Beatrice schüttelte den letzten Rest benommenen Schlafs ab, machte das Licht an und blinzelte in die Helligkeit. Zwei Uhr morgens zeigte ihr Wecker an. Wer, um Himmels willen, konnte das sein?

Sie stand auf, nahm sich nicht die Zeit, in die Hausschuhe zu schlüpfen, denn das Klopfen wurde dringlicher. Die Tür knarrte leise, als sie sie öffnete.

»Corinna!«, entfuhr es ihr im nächsten Moment. Dann schlug sie die Hand vor den Mund. Corinna drängte sich an ihr vorbei, ohne etwas zu sagen oder abzuwarten. Sie stolperte geradezu auf den einzigen Stuhl zu, fiel darauf, stützte dann die Ellenbogen auf den kleinen Damentisch und vergrub das Gesicht in den Händen.

»Corinna«, wiederholte Beatrice leiser.

Erst nach einer Weile ließ Corinna die Hände sinken. Beatrice erstarrte.

»Was ist passiert? Wer war das?«

»Er …«

Corinnas Stimme klang tonlos.

Er, wiederholte Beatrice stumm bei sich. Sie hatte sofort eine Ahnung, wen Corinna meinte, aber nicht benannte, und es war schmerzhaft, sich das einzugestehen.

Er war nicht in seinem Bett, bohrte eine leise Stimme in ihr. Als ich um 23 Uhr noch einmal an Johannes' Zimmer vorbeigegangen und nachgesehen habe, war er nicht in seinem Bett.

Sie wusste natürlich, dass er manchmal nachts spazieren ging, wenn er nicht schlafen konnte. Sie wusste aber auch von seinen Wutanfällen. Dieser Krieg hatte ihn verändert, und sie konnte noch immer nicht sagen, wie weit und wie tief diese Veränderungen gingen. Manchmal war er ihr fremd. Manchmal hatte er sie selbst schon in Angst und Schrecken versetzt. Sie starrte Corinna an. Und was war jetzt geschehen? Was hatte er ihr angetan? Ihr Blick glitt an Corinna herunter.

Corinnas Kleid war zerrissen, ebenso ihre Strümpfe. Die Freundin hatte Druckstellen am Hals und im Gesicht. Das waren nur die Stellen, die Beatrice sehen konnte. Sie konnte also nicht sagen, ob die Freundin auch an anderen Stellen verletzt war.

»Du musst zur Polizei«, brachte sie heraus.

Corinna schüttelte den Kopf, begann wieder zu weinen.

»Dann gehen wir zu Frau von Thalheim«, brachte Beatrice heraus.

Corinna zog die Nase hoch, Beatrice reichte ihr ein Taschentuch.

»In Ordnung? Wir gehen zu Frau von Thalheim.«

Corinna lächelte mit einem Mal schief.

»Wir kämen ohnehin nicht weg, ohne ihre Hilfe.«

»Ja.« Beatrice streckte die Hand aus, streichelte über Corinnas Handrücken. »Ich helfe dir. Ich bin an deiner Seite. Ich … Was hat er … Was hat er getan?«

Corinna schüttelte den Kopf.

»Nein, ich kann nicht.« Sie schluchzte auf. »Ich kann das nicht sagen.«

Johannes blieb die ganze Nacht weg und stieß erst am frühen Morgen zu ihnen. Er sah zerzaust aus, müde, als sei er die ganze Nacht über gelaufen. Striemen und tiefe Kratzer zeichneten sein Gesicht.

Stammten sie von Ästen und Gestrüpp auf dem Gelände, oder hatte Corinna ihren Angreifer in ihrer Verzweiflung gekratzt?

Je mehr zutage trat, desto präziser wurde das Bild in Beatrices Kopf. Bald hatte sie eine Vorstellung davon, was in der vergangenen Nacht geschehen war.

»Wir müssen die Sache aus der Welt schaffen«, war Frau von Thalheims Stimme zu hören.

Das müssen wir, dachte Beatrice und fühlte Eiseskälte in sich. Ja, das müssen wir. Wir müssen die Sache aus der Welt schaffen.

Er konnte sich selbst nicht mehr trauen. Das war es, was er sich eingestehen musste. Johannes stand am Fenster und starrte nach draußen. Er hatte sich Normalität vorgegaukelt, aber für ihn gab es keine Normalität mehr. Trotzdem würde es seine Familie niemals zulassen, dass er für seine Taten büßte. Sosehr er sich das auch wünschte. Sein Vater hatte verfügt, dass er das Zimmer nicht verlassen durfte. Es war ein wenig so wie damals, als er noch ein Junge gewesen war. Es behagte ihm durchaus, keine Entscheidungen treffen zu müssen. An das, was er getan hatte, konnte er sich nicht erinnern. Hatte er tatsächlich …? Er rieb sich die Stirn. Er hatte so viel Schreckliches erlebt im Krieg, so viel Schreckliches getan. Er war nicht mehr der, der er früher einmal gewesen war. Er hatte Dinge getan, zu denen er sich nicht fähig geglaubt hatte. Er musste büßen. Das fühlte sich richtig an.

Der zweite Tag nach den Ereignissen war angebrochen. Vielleicht würde er einfach wahnsinnig werden, wenn er weiterhin nicht schlafen konnte. Er sah dem feinen Nebel zu, der frühmorgens über den Vorplatz waberte. Alles lag verlassen da. Ein paar Spatzen hüpften auf den Rand des Springbrunnens. Er dachte daran, wie Ludwig und er dort früher immer mit ihren Booten gespielt hatten. Dann wandte er den Kopf zur Seite. Ein erster blasser Sonnenstrahl hatte die Scheibe seines Zimmerfensters getroffen. Auf dem Stuhl lagen die Kleidungsstücke, die seine Mutter ihm ausgesucht hatte. Wie damals, als er ein Junge gewesen war. Ja, er war froh, sich um nichts kümmern zu müssen.

Er zog sich aus, wusch sich mit kaltem Wasser in dem angrenzenden kleinen Bad, kleidete sich an und wartete. Er fragte sich, ob er zu Corinna gehen sollte und zu Beatrice, um sich zu erklären. Aber er konnte nichts erklären. Er wusste nichts. Er wollte sagen, dass es ihm leidtat, doch war das nicht unsinnig angesichts dessen, was er offenbar getan hatte?

Gegen 8 Uhr hörte er die ersten lauteren Geräusche im Haus, den festen Schritt seines Vaters, etwas später die Stimme seiner Mutter. Kurz danach lief jemand die breite Treppe zum Garten hinunter. Noch etwas später war Hufgetrappel zu hören. Ludwig machte sich an seinen morgendlichen Ausritt. Mit straffem Rücken saß er auf dem Pferd, so wie immer, als sei nichts geschehen. Und war das nicht das Entsetzlichste: Die Welt sah tatsächlich aus, als sei nichts geschehen. Die Sonne nahm ihren üblichen Weg. Im Haus wurden die üblichen Tätigkeiten verrichtet. Um 9 Uhr klopfte es an seiner Tür. Seine Mutter trat ein, ohne abzuwarten.

»Guten Morgen, Mutter.«

»Guten Morgen.«

Sie blickte sich um, als wolle sie sich versichern, dass alles war wie immer. Alles war wie immer. Er hatte nichts verändert.

»Wir sind in einer schwierigen Lage.«

Sie räusperte sich. Für einen Moment musste Johannes ihrem Blick ausweichen. »Wie … Wie geht es ihr?«

Gesine schaute ihn kurz starr an.

»Den Umständen entsprechend. Dr. Welz ist jetzt bei ihr.«

»Hat sie …. Hat sie etwas gesagt?«

»Nicht viel.« Seine Mutter fixierte ihn. »Wer kann es ihr verdenken?«

Johannes starrte seine Mutter an. Etwas drückte seine Kehle zu. Er fragte sich, ob sie ihre Worte mit Absicht gewählt hatte. Sicherlich hatte sie das getan. Gesine von

Thalheim tat nichts ohne Bedacht. Er senkte den Blick, hörte ein Seufzen.

»Ach, mein Schatz, es tut mir leid, ich hätte so etwas nicht sagen sollen.«

Er nahm alle Kraft zusammen, um den Kopf zu heben und sie anzuschauen.

»Sie haben doch recht, Mama, ich …« Er holte tief Luft. »Man muss mich vor Gericht stellen. Ich muss büßen.«

»Johannes …«

Er kannte diese Stimme und wusste, dass er etwas dagegen sagen musste, doch er schluckte nur und wartete ab.

»Corinna«, zum ersten Mal fiel der Name, und es war, als fahre ein Messer durch ihn hindurch, »Corinna möchte keine Gerichtsverhandlung. Sie hat der Zahlung einer Geldsumme zugestimmt.« Gesine von Thalheim machte eine kurze Pause. »Wie natürlich zu erwarten war.«

»Sagen Sie so etwas nicht.«

Gesine hob das Kinn höher, ihr Rücken wurde noch gerader.

»Du hast recht, ich sollte das nicht sagen. Sie ist eben …« Sie schüttelte den Kopf. »Ach nein, das sollte ich nicht sagen.«

Für einen Moment schaute sie sich in seinem Zimmer um und machte den Eindruck, sie müsse sich sammeln. Dann schaute sie ihn fest an.

»Ich habe Onkel Edward in London angerufen. Du wirst für einige Monate die Thurlows besuchen.«

»Warum hast du das getan, Johannes? Ich habe dir vertraut. Ich dachte …«

Beatrice brach ab. Die Verzweiflung auf ihrem Gesicht berührte ihn schmerzhaft. Er stand auf, um sie zu berühren, doch sie schlang abweisend die Arme um sich.

»Ich weiß … Ich weiß nicht«, stotterte er.

Es war nicht die Antwort, die sie erwartet hatte. Er sah es an ihrem Gesichtsausdruck, doch es war die Wahrheit. Er konnte nicht sagen, wie geschehen war, was geschehen war. Sie würde ihr Leben nicht mehr mit ihm teilen können. Es war unmöglich.

39

Für Ludwig war es immer noch verwirrend, seine Mutter reden zu hören, wenn sie sich doch eigentlich allein im Zimmer befand, doch er war sicher, sich irgendwann an das neue Telefon zu gewöhnen. Auf Strümpfen schlich er näher und kam sich dabei vor wie der Junge, der er doch schon lange nicht mehr war. Er hatte die von Lehm verklebten Reitstiefel im Flur stehen lassen, dort aber seine Pantoffeln nicht gefunden, die ein übereifriges Dienstmädchen offenbar aus dem Weg geräumt hatte. Jetzt legte er die Reitgerte auf den nächsten Beistelltisch und ging näher an die Tür heran. Gesine von Thalheim saß in ihrem Lehnsessel, hielt den riesigen Hörer des Telefonapparats gegen das rechte Ohr und redete und lachte abwechselnd. Mit wem sprach sie? Ludwig hielt den Atem an.

»Langsam ist wieder Ruhe eingekehrt, und wir vermissen dich wirklich alle furchtbar, Schatz«, hörte er sie jetzt sagen.

Johannes … Sie spricht mit ihm.

In Ludwig zog ein Gefühl der Kälte auf. Er hatte gar nicht gewusst, dass Mama mit seinem Bruder in Kontakt stand. Vor ein paar Wochen, nach seiner Abreise, hatte sie gesagt, sie brauche Abstand und wolle den Älteren vorerst weder sehen noch sprechen.

Johannes ist jetzt seit kaum vier Wochen fort. Sie wird ihn nie vergessen, niemals. Sie wird mich nie lieben. Ich werde ihr immer gleichgültig sein.

Ludwig schob vorsichtig die Tür weiter auf, als Gesine von Thalheim schon weitersprach. Sie sah nicht zu ihm hin.

»Natürlich, natürlich. Es freut mich zu hören, dass es dir gut geht. Wir vermissen dich alle … Ja, du brauchst Zeit, das weiß ich …«

Ich sollte gehen, dachte Ludwig, ich sollte mir das nicht anhören, aber er konnte nicht, also blieb er stehen, starr und steif wie eine Statue. Gesine hatte ihn immer noch nicht bemerkt. Er dafür hörte, wie sie tief Luft holte, um Ruhe und Kraft für ihren nächsten Satz zu sammeln. Trotzdem bebte ihre Stimme leicht.

»Du, du bist doch mein einziger Liebling, Johannes.«

Und dann drehte sie sich um und schaute Ludwig genau in die Augen.

Corinna zeigte keine Furcht, das hielt er ihr zugute. Als sie ihn auf sich hatte zukommen sehen, blieb sie stehen.

Sie mied ihn nicht, auch nicht nach dem, was geschehen war. Sie behandelte ihn wie immer. Ludwig verdrängte den Gedanken daran, dass er hier an dem Springbrunnen des Öfteren Beatrice und seinen Bruder beobachtet hatte.

Beatrice war kurz nach Johannes' Abreise selbst fortgegangen.

Ich halte es hier nicht mehr aus, hatte sie nur gesagt. Mit Corinna hatte Frau von Thalheim in den letzten Tagen noch einige Details besprechen wollen, doch es würde nicht mehr lange dauern, dann ging auch sie fort aus seinem Leben. Er räusperte sich.

»Heirate mich«, sagte er dann.

»Was?« Zum ersten Mal wirkte Corinnas Gleichmut erschüttert. Einer leichten Blässe des Gesichts folgte eine zarte Röte der Wangen. Er holte tief Luft, im Versuch, für die weiteren Worte Kraft zu sammeln.

»Heirate mich. Unsere Hochzeitsnacht hatten wir ja schon.« Er wusste, dass er versuchte, kalt zu klingen, und fand, es gelänge ihm recht gut. »Jetzt heirate mich, oder willst du mit deinem dicken Bauch in ein paar Monaten allein sein?«

Er sah es an ihrem entsetzten Gesichtsausdruck und wusste, dass er ins Schwarze getroffen hatte.

»Woher …«, stotterte sie.

»Dann habe ich also recht?« Blitzschnell berührte er ihren Bauch. Kein Außenstehender hätte es bemerken können. »Ich wusste es nicht, aber ich habe recht. Corinna Mayer trägt einen kleinen *Thalheim* in sich. Vielleicht wird er der Einzige bleiben, und die Familie geht unter, wie sie es verdient. Mama wird sich freuen.«

»Deine Mutter wird nicht einverstanden damit sein.«

»In der Tat, das wird sie nicht, aber ich frage sie nicht, ich frage dich.« Corinna schwieg. Ludwig glitt geschmeidig an ihr vorbei und lehnte sich gegen die Brunnenumrandung. »Komm – ist es nicht so, dass du dir das immer gewünscht hast? Du eine Frau von Thalheim, ein Mädchen aus der Gosse, aufgestiegen in unsere Kreise. Ich finde, das ist ein gutes Angebot für deine Unannehmlichkeiten.«

Er sah, wie es in ihrem Gesicht arbeitete, und wusste doch längst, dass er sie am Haken hatte. Sie war käuflich. *Wie alle diese Mädchen.*

Zur standesamtlichen Hochzeit kamen, bis auf Beatrice und Hermann Kahlenberg, keine Gäste. Irene Mayer war während Corinnas Aufenthalt auf Gut Thalheim verstorben. Edith Kahlenberg war nach einem langen Sanatoriumsaufenthalt erst vor Kurzem ins Hotel zurückgekehrt. Sie verweigerte die Teilnahme an der Trauung. Sieben Monate später lag Corinna in den Wehen und kämpfte gegen ihre Angst an. Die Geburt kam für sie unerwartet, jedenfalls hatte sie die Zeichen nicht deuten können, bis ihr plötzlich eine Flüssigkeit warm die Beine herunterrann und sich in einer Lache auf dem Boden sammelte. Es war zu spät, um noch ins Krankenhaus zu gelangen, wie sie es eigentlich vorgehabt hatte. Das Kind wurde also im *Hotel zum Goldenen Schwan* geboren, in Beatrices altem Zimmer.

Beatrice war die Erste, die das Baby – ein kleines Mädchen – nach der Hebamme und Corinna in den Armen halten durfte. Corinna sah zu, wie sie es vorsichtig an sich drückte, sogar an ihm schnupperte.

»Sie ist vollkommen perfekt«, sagte sie.

Corinna war noch zu erschöpft, um klare Gedanken zu fassen. Die kamen erst am nächsten Tag, als sie neben der Wiege stand und in Lores winziges, leicht zerknautschtes Gesicht schaute. Irgendwann trat Beatrice auf die andere Seite der Wiege und sah das kleine Mädchen ebenfalls an. In diesem Moment wusste Corinna genau, was Beatrice dachte: Konnte man in diesem Gesicht etwas von Johannes erkennen? Würde die Kleine ihrem Vater irgendwann ähnlich sein? Corinna starrte ihre Tochter an und verbot es sich, an die Zukunft zu denken.

40

Frankfurt am Main, *1992*

Ein leises Donnergrollen ließ Mia den ganzen Nachmittag über immer wieder innehalten. Nun war der Abend herangekommen, und in der letzten halben Stunde war es so dunkel geworden, dass sie das Licht anschalten musste. Inzwischen folgten Blitze und Donnerschläge bereits Schlag auf Schlag. Ab und an war der See taghell erleuchtet, dann brauste mit einem Mal ein Sommergewittersturm los, und als Mia das nächste Mal aus dem Fenster sah, dümpelte das kleine Schlauchboot, das Alexa am letzten Wochenende mitgebracht hatte, mitten auf dem See.

Immerhin war das Gewitter jetzt vorüber. Von den Bäumen draußen waren etliche kleine, aber auch einige größere Äste abgerissen worden. Das Wasser lief vom Haus über den Kies in Rinnsalen zum See hinunter, doch es war wieder Ruhe eingekehrt.

Es dauerte lange, bis Mia an diesem Abend einschlief. Mitten in der Nacht ließ ein neues Gewitter sie aus dem Schlaf fahren. Sie blieb längere Zeit wach und versank dann wieder in wirre Träume. Als sie am nächsten Morgen schließlich erwachte, fühlte sie sich wie gerädert.

Ihr erster Weg führte sie in die Küche, wo sie gähnend den Kaffee-Vollautomaten in Gang setzte. Während die Maschine vor sich hin brummte, duschte Mia – die

Installation der Dusche war ein weiterer Punkt auf ihrer Liste gewesen, den sie kürzlich hatte erledigen können –, trocknete sich dann ab und schlüpfte in neue Kleidung. Es waren wieder einmal die letzten sauberen Wäschestücke, wie sie feststellte. Das bedeutete, sie ging entweder in den nächsten Tagen in einen Waschsalon, oder sie musste sich wieder Ersatz aus der Wohnung besorgen.

Nach dem Frühstück im Bett ging Mia ins Ausflugslokal. Hier und da war etwas Regen durch ein kaputtes Fenster und die offene Tür gepeitscht worden, doch der Schaden hielt sich in Grenzen. Das Regenwasser auf den Treppenstufen, die zum Vorplatz hinunterführten, war noch nicht vollkommen getrocknet, sodass sie dunkler aussahen als gewöhnlich. Unwillkürlich bewegte sich Mias Blick zu der Stelle, an der Florian sein Auto bei ihrer letzten Begegnung hier geparkt hatte. Hatte er sie wirklich versehentlich zur Seite gedrängt oder einfach die Beherrschung verloren?

Je mehr sie darüber nachdachte, desto besser verstand sie, dass sie noch Zeit für sich brauchte. Um über die neue Situation nachzudenken. Um zu einem endgültigen Schluss darüber zu kommen, wie es mit Florian und ihr weitergehen konnte – oder eben nicht. Sie dachte daran, wie Florian Séan angesehen hatte und was sie selbst dabei empfunden hatte. Die beiden Männer hatten sich belauert, doch es war nichts geschehen.

»Betrügst du mich etwa mit dem da?«, hatte Florian bissig gefragt, als sie ihn schließlich zum Auto begleitet hatte, froh, dass es zu keiner albernen Schlägerei gekommen war. Mia hatte ihm die Antwort verweigert.

Sie entschied sich, heute noch nach Frankfurt zu fahren.

»Was machst du denn schon wieder hier?«

Auch dieses Mal tauchte Florian plötzlich in der Tür auf, und Mia fragte sich, ob er überhaupt noch ins Büro ging. Sie jedenfalls war so beschäftigt mit Packen gewesen, dass sie ihn viel zu spät gehört hatte. Sie richtete sich auf, drehte sich zu ihm hin, sah, wie sein Blick an ihr vorbei zu dem Reisekoffer auf dem Bett wanderte.

»Du packst? Sogar deinen größten Koffer diesmal?«, fragte er scharf. Seine Mundwinkel zuckten dabei abfällig, aber er war sich offenbar nicht ganz sicher, welche Haltung er einnehmen wollte.

»Sieht so aus.« Mia runzelte die Stirn. Auch ihr wurde erst in diesem Moment bewusst, dass sie nicht die kleine Reisetasche gewählt hatte. Hatte sie eine weitere Entscheidung getroffen?

Florian wusste anscheinend nicht, was er von alldem halten sollte. Trotzdem versuchte er, sein überlegenes Lächeln zu vertiefen.

Mia achtete ohnehin kaum darauf. Als sie hier angekommen und ihn nicht angetroffen hatte, war ihr die Entscheidung zu packen sehr leichtgefallen.

Ob er wohl bei Carlotta übernachtete? Na ja, das sollte mich wohl nicht mehr kümmern. Nicht, wenn es wirklich und endgültig vorbei sein soll.

»Ich hole mir nur etwas Kleidung, Florian. Vorerst bleibe ich in meiner Bruchbude.«

Mia spürte ein zufriedenes Lächeln in ihren Mundwinkeln.

Jetzt war es heraus.

Sie hatte sich viel zu viele Gedanken darüber gemacht, was sie sagen sollte, dabei war es so einfach, die wach gelegenen Stunden ebenso unnötig wie die vielen Formulierungen, die sie erdacht und wieder verworfen hatte. Florian wirkte unschlüssig.

»Sei nicht albern«, brachte er dann heraus. Das Lächeln war längst aus seinem Gesicht gerutscht. Er verschränkte die Arme vor der Brust, wie er es oft tat, wenn er sich einer Situation nicht gewachsen fühlte.

»Ich kenne Carlotta einfach schon länger als dich«, murmelte er schließlich undeutlich. »Sie war da. Es ging mir schlecht. Da ist es eben passiert …«

»Na, dann hättest du eben Carlotta heiraten sollen und nicht mich.« Mia machte eine kurze Pause. Es hatte Zeiten gegeben, da hätte Mia den Tonfall ihrer Stimme für schnippisch gehalten, heute genoss sie ihn. »Aber letztendlich geht es mir auch nicht um sie. Ich habe erkannt, dass du dich nicht ändern wirst. Das hattest du auch nie vor, oder?« Sie fragte sich, ob er je zuvor so etwas von einer Frau gehört hatte. Vermutlich war er stets derjenige gewesen, der die Beziehungen beendet hatte. Florian war der Typ Mann, der die Dinge gern in der Hand hatte. Dass er offenbar immer noch nach Worten suchte, zeigte, dass sie ihn mit ihrem Schritt überrascht hatte. Er trat auf sie zu, streckte die Hand aus und hielt sich endlich an der schmalen Kommode neben der Tür fest.

»Aber warum, Mia? So geht das doch nicht. Ich habe mich doch entschuldigt. Und der Unfall mit dem Rad, das war ein Versehen … Ich … Ich habe das nicht gewollt.«

»Ich trenne mich trotzdem von dir«, entgegnete Mia sehr ruhig.

Florians Augen huschten über ihr Gesicht, aber es wollte ihm nicht gelingen, ihren Blick zu halten. Dann sah er zur Seite, berührte den silbernen Kerzenhalter, den sie einmal gekauft hatte.

»Das ist hübsch«, sagte er, als sähe er es zum ersten Mal.

Mia reagierte nicht darauf. »Du hast dich entschuldigt, aber du erkennst nicht, was du falsch gemacht hast, und es ist dir auch gar nicht wichtig«, sagte sie.

Florian sah sie wieder an.

»Kannst du nicht ein kleines bisschen verstehen, wie panisch ich war? Meine Firma geht den Bach runter, und ich wollte doch immer stark für dich sein. Ich …«

»Tja, und da hast du zum Trost mit Carlotta gevögelt …«

Florian hörte das leichte Übermaß an Bitterkeit in ihrer Stimme, ebenso wie sie. Mia presste die Lippen aufeinander. So wollte sie nicht klingen. Es war wirklich Zeit, dass sie aus dieser Wohnung verschwand.

»Und wie willst du hier weg?«, sagte Florian endlich. »Du bist mit dem Mercedes gekommen, schätze ich?«

Mia seufzte. »Ich weiß schon, dass das Auto dir gehört. Du kannst ihn gern behalten. Ich werde mich dann von Alexa abholen lassen.« Sie war nicht mit dem Gedanken hierhergekommen, sich zu trennen – jetzt war es geschehen. Sie zog das Handy aus der Tasche, um Alexa anzurufen. In diesem Moment war sie froh, dass Florian auf diesem technischen Spielzeug bestanden hatte.

Florian löste sich von der Kommode und kam weiter auf das Bett zu.

»Du kannst mich doch nicht mit allem allein lassen.«

Mia suchte in ihrer Tasche nach dem Autoschlussel.

»Doch, das kann ich.«

»Aber du hängst da mit drin.«

Sie hörte den drohenden Unterton in seiner Stimme. Plötzlich war da etwas Unbekanntes an ihm, etwas, was ihr Angst machte. Aber war dieses Verhalten nun neu, oder hatte sie es einfach überhört? Sie schaute ihn jetzt so lange starr an, bis er den Kopf senkte.

»Kann schon sein«, sagte sie dann. »Darum kümmere ich mich zur rechten Zeit.«

Vorübergehend war es still, dann versuchte Florian es erneut.

»Lass mich nicht allein, Mia. Ich habe Fehler gemacht, okay, aber das kann dir doch nicht alles bedeuten …«

Mia griff nach dem Koffer. »Nein, das bedeutet nicht alles, aber es ist auch noch viel mehr passiert. Ich hoffe, Carlotta erkennt bald, wer du wirklich bist.«

Florian machte ihr schweigend den Weg frei. Mia legte den Autoschlüssel auf das Brettchen unter dem Schlüsselbrett. Florians Abschiedsgruß erreichte sie am Treppenabgang: »Das wirst du noch bereuen, Mia.«

41

Der Goldene *Schwan, 1921–1925*

Zu dritt kehrten sie in das *Hotel zum Goldenen Schwan* zurück – Beatrice, Ludwig und sie, doch Corinna wusste, dass es nie wieder wie früher sein würde. Immerhin gelang es ihr, ihrem Umfeld eine mehr oder weniger glückliche Ehe vorzugaukeln. Die zweite Generation hatte nun die Führung des Hotels übernommen. Hermann Kahlenberg blieb die graue Eminenz im Hintergrund, Edith hatte sich vollkommen zurückgezogen und kurierte ihre wiederkehrenden Lungenbeschwerden in unterschiedlichen Sanatorien aus. Die Thalheims verweigerten standhaft jede Unterstützung. Für sie hätte der Sohn auch tot sein können. Für sie gab es Ludwig nicht mehr.

»Ich war ihnen nie wichtig, weißt du?«, lallte Ludwig eines Abends, als Corinna ihn wieder einmal volltrunken an dem Strand vorfand, an dem sie in der Kindheit so viele gemeinsame, glückliche Stunden verbracht hatten. Auch dieses Mal sorgte sie dafür, dass niemand etwas von seinem Zustand mitbekam, so wie sie es über lange Zeit auch bei ihrer Mutter getan hatte. Die Dinge änderten sich, und dann auch wieder nicht. Sie arbeitete nun in der Führung eines Hotels und musste doch wieder darauf achten, dass ein einziger Mensch nicht alles verdarb. Doch sie war auch von ihm abhängig. Er konnte die Wahrheit sagen. Sie konnte die Wahrheit sagen. Sie waren ein System, das sich gegenseitig vorsichtig ausbalancierte und keine Störungen vertrug. Corinna durchfuhr der Gedanke, dass sich für sie nie etwas ändern würde.

Ich muss kämpfen, murmelte sie wie ein Gebet tonlos vor sich hin, während sie die Hotelzimmer inspizierte, eins nach dem anderen, ich darf nicht aufgeben.

Ludwig und sie hatten zwei aneinandergrenzende Zimmer im Stockwerk der Familie bezogen, die einmal für weitere Kinder gedacht gewesen waren, doch Beatrice war ein Einzelkind geblieben. Sogar ein Bad hatte man damals eingerichtet, sodass Beatrice und ihr Vater das eine, Ludwig und Corinna das andere nutzen konnten.

Manchmal fragte Corinna sich, warum sie überhaupt hierher zurückgekehrt war. Warum sie nicht das Geld genommen und anderswo neu angefangen hatte? Aber sie dachte nie lange darüber nach. Hermann Kahlenberg war der einzige Mensch, dem sie je wirklich wichtig gewesen war, und sie wusste, wie wertvoll ihm das Hotel war. Deshalb war sie hier. Um ihm zu zeigen, dass das Hotel immer gut geführt werden würde, auch wenn er einmal nicht mehr da sein würde. Das Geld blieb da als Sicherheit und für das Wissen, dass sie immer etwas tun konnte, wenn sie nur wollte. Sie konnte hier fort. Wenn sie wollte.

Lore entpuppte sich unterdessen als pflegeleichtes Kind. Zwischen ihren Eltern kam es zu keinen Zärtlichkeiten. Manchmal forderte Ludwig den Beischlaf ein, schließlich waren sie verheiratet. Corinna ertrug es stumm, vergaß dabei aber nie, was er ihr angetan hatte. Beim ersten Mal stand sie allerdings kurz davor, sich zu übergeben.

Jeden Monat erwartete sie zitternd und voller Panik ihre Blutungen, doch einmal, einmal nur in ihrem verkorksten Leben schien Gott ein Einsehen zu haben. Sie wurde nicht mehr schwanger.

Nach einem Jahr bat Ludwig sie plötzlich um Verzeihung, aber es war zu spät. Sie nahm die Entschuldigung an, ohne etwas zu empfinden. Er spürte, dass sich zwischen ihnen nichts bessern würde, und zog sich zurück.

Wir sind wie zwei Himmelskörper, die einander umkreisen, die aneinandergebunden sind und sich doch niemals nahekommen können.

Mit Beatrice wurde es wieder leichter. Fast fühlte sich Corinna an die alte Freundschaft erinnert. Bin ich ansonsten zufrieden?

Sie, die Tochter der Hilfsköchin, leitete nun also gemeinsam mit Ehemann und Kindheitsfreundin ein Hotel. Vielleicht sollte sie zufrieden sein, aber ganz sicher fühlte sie sich trotz allem nicht. Der Gedanke, zumindest was das Hotel anging, von Beatrice abhängig zu sein, die offiziell die Geschäfte von ihrem Vater übernommen hatte und die Corinna deshalb zu jedem Zeitpunkt hätte herauswerfen können, behagte Corinna nicht vollkommen, aber sie musste die Situation wohl akzeptieren. Das Wichtigste war, dass sich Johannes nicht meldete. Seit jenen Ereignissen auf Gut Thalheim hatten sie nichts mehr von ihm gehört.

42

Auch der letzte Brief, den Ludwig an seine Mutter geschrieben hatte, lag heute Morgen ungeöffnet und mit dem Vermerk »unzustellbar« bei seiner Post. Er hatte sich daraufhin betrinken wollen, aber keine Flasche mehr in seinem Versteck gefunden. Corinna musste sie alle weggeräumt haben. Auch wenn er ihr gleichgültig war, wie sie ihm schon mehrfach bestätigt hatte, achtete sie darauf, dass er sich nicht betrinken konnte.

»Das Hotel hat einen Ruf zu verlieren, und ich werde alles dafür tun, dass das nicht passiert«, hatte sie ihm kühl auf seine Nachfrage hin gesagt. »Du magst mir gleichgültig sein. Der *Goldene Schwan* ist das nicht.«

Ludwig warf den Brief, den er nun schon geraume Zeit mit sich herumgeschleppt hatte, auf den Schreibtisch, stand auf und ging durch den Hintereingang in einem weiten Bogen zum See. Auf dem zweiten, weiter links liegenden Bootssteg entdeckte er die vierjährige Lore, die sich die Zeit wieder einmal allein vertrieb.

Sie hockte am Rand des Stegs, in die Beobachtung einer Entenfamilie vertieft, und sang leise. Er kannte sie nicht anders als singend oder redend, meist mit einem Lächeln auf dem Gesicht, und manchmal fragte er sich, wie es sein konnte, dass sie sein und Corinnas Kind war. Wie konnte so etwas Hübsches, Zauberhaftes, wie konnte so etwas Glückliches aus einem solchen Morast entstehen? Wie nur war dieses Kind von allem unberührt geblieben?

In den ersten Monaten hatte er sich geweigert, Lore näher kennenzulernen, aber Beatrice hatte immer wieder darauf bestanden, und nach und nach hatte sich die Kleine auch in sein Herz gestohlen.

»Lore?«, sagte er vorsichtig, um sie nicht zu erschrecken. Der Gedanke an die Gefahren, denen sie hier draußen, an diesem Ort, ausgesetzt war, schnürte ihm den Magen zusammen. Gleichzeitig hämmerte es in seinem Schädel. Sein Mund war trocken, seine Hände zitterten, und er sehnte sich nach einem Schluck Alkohol.

Trotzdem setzte er sich neben sie, beschloss, bei ihr zu bleiben, so lange wie möglich. Er erinnerte sich daran, dass Corinna ihm damit gedroht hatte, dass er seine Tochter nie wiedersehen würde, wenn er die Wahrheit sagte oder ihre Erziehung infrage stellte. Lore sang weiter von den Entchen, die auf dem See schwammen und die Köpfchen ins Wasser steckten. Als er seine Hand nach ihrer linken ausstreckte, ließ sie es zu, dass er sie für einen Augenblick festhielt, bevor sie ihm ihre kleinen, zarten Finger wieder entzog.

»Ich habe dich lieb, Kleines«, sagte er unwillkürlich.

»Ich dich auch, Papa«, piepste Lore zurück, ohne den Blick von den Enten zu nehmen.

Wird sie mich irgendwann zurückweisen, fuhr es Ludwig durch den Kopf, wenn sie älter ist vielleicht? Wird ihre Mutter ihr irgendwann doch die Wahrheit sagen und ihr zeigen, dass ihr Vater ein Monster ist?

Ludwig starrte auf den See hinaus, sah zu, wie die Reihe kleiner, gelber Enten hinter der Mutter herschwamm und endlich im Schilf verschwand.

Wie lange soll ich eigentlich weiterkämpfen, wenn der Kampf doch längst verloren ist?

An diesem Abend krabbelte Lore noch einmal aus ihrem Bettchen, als Mama die Tür zu ihrem Zimmer schloss, und holte die Puppe zu sich, die Papa ihr heute mitgebracht hatte. Es war eine größere Puppe als ihre alte. Sie trug ein schönes Kleid aus dunklem Samt und blasser Spitze. Sie hatte blassblaue Augen, einen roten Mund und blondgelocktes Haar. Lore fand sie wunderschön. Sie spielte mit der Puppe, bis sie schließlich – den Körper der Puppe mit ihren Ärmchen umklammernd – einschlief.

Früh am Morgen fand Corinna ihre Tochter auf diese Weise vor. Eine Porzellandhand der Puppe hatte einen Abdruck in Lores kleiner, rosiger Wange hinterlassen. Für einen flüchtigen Augenblick wurde Corinnas Ausdruck weich, dann verschwand jedes Gefühl erneut hinter ihrer starren Miene.

Corinna hatte alle Sorgfalt darauf verwandt, ihren Mann nach Möglichkeit nicht aus den Augen zu lassen, und doch gelang es Ludwig eines Tages, ihrer Überwachung zu entschlüpfen. Es war viel zu tun gewesen im Haus, in der Küche und mit den Gästen, von denen einige wieder da waren, die Beatrice und sie von früher kannten. Es dauerte dementsprechend lange, bis sie an diesem Tag Feierabend machen konnten. Als Beatrice endlich die Küchentür hinter sich schloss und die beiden Frauen einen kurzen Blick austauschten, war es fast ein wenig wie früher.

»Ich gehe mich waschen«, sagte Beatrice dann, »das brauche ich nach dem heutigen Tag. Ich denke schon seit zwei Stunden daran.«

Corinna nickte. »Ich überprüfe noch rasch die Eintragungen für morgen.«

Beatrice nickte, ohne etwas Weiteres zu sagen, denn in diesem Moment tauchte Hermann Kahlenberg auf und wünschte ihnen beiden ebenfalls eine gute Nacht. Er stand noch da, als Beatrice schon längst nach oben gegangen war.

»Ich bin froh, dass ihr zusammenarbeitet«, sagte Hermann dann. »Und ich bin stolz auf dich, so stolz darauf, was du aus dir gemacht hast, Corinna.« Sie musste verwirrt ausgeschaut haben, denn er fügte hinzu: »Ich habe deinen Werdegang immer verfolgt, immer, seitdem du dich in mein Herz gestohlen hast.«

Corinna musste sich zwingen, sich abzuwenden, bevor Hermann am oberen Treppenabsatz verschwand. Sie wusste bereits, dass etwas geschehen sein musste, als sie den Lichtschein sah, der aus dem Büro drang, doch nicht den kleinsten Laut hörte. Ludwig schlief schon seit Jahren nicht mehr vor ein oder zwei Uhr nachts. Als sie die Tür aufstieß, blieb sie einen Moment lang reglos stehen.

Ludwig saß am Schreibtisch. Fast konnte es so aussehen, als ob er schliefe. Sein Kopf war auf die Platte gesunken, die Augen waren geschlossen, seine Lippen leicht geöffnet. Die linke Hand umklammerte ein Arzneifläschchen, neben der rechten lag ein umgekipptes Glas Wasser, dessen Inhalt einen Teil der Papiere auf dem Tisch durchtränkt hatte.

Corinna gab sich einen Ruck und zog die Tür mechanisch hinter sich zu. Sie atmete tief durch, trat näher heran, so, dass sie hinter ihm zu stehen kam. Mit den Fingerspitzen war der Puls nicht zu spüren. Sie zog seine Augenlider nach oben, obgleich es sie würgte. Keine Reaktion.

Corinnas Kehle wurde eng. Für einen Moment lang musste sie sich aufrichten und sich nur auf ihre Atemzüge konzentrieren. Ihr Blick fiel auf das Fläschchen in Ludwigs linker Hand. Die Medizin, die man ihm gegen seine Herzbeschwerden verschrieben hatte, gegen den Druck auf der Brust, der einfach nicht mehr weggehen wollte. Er hatte es in der Hand gehalten, als sein Körper erschlafft war.

Draußen waren Schritte zu hören, auf der Treppe, dann in der Halle. Beatrices Schritte. Für einen Moment verharrten sie. Es klapperte. Ein leises Klirren. »Rinna?« war dann Beatrices leise Stimme zu hören. Corinna sagte nichts. Beatrices Schritte näherten sich erst zögernd, dann immer schneller. Die Tür wurde aufgestoßen. Corinna starrte die Freundin nur an, die, ein Glas Wasser in der Hand, in der Tür stehen blieb, sprachlos.

Corinna räusperte sich. »Er ist tot. Er hat sich umgebracht.«

Er kann mich nicht mehr verraten, fuhr es ihr gleichzeitig durch den Kopf.

Beatrice öffnete den Mund. »Vielleicht«, stotterte sie, »vielleicht …«

»Nein.« Corinna schüttelte den Kopf. Sie konnte sich endlich überwinden, das Fläschchen vom Schreibtisch zu nehmen. Ihr Blick fiel auf den Bogen Briefpapier neben seiner rechten Hand: ein Abschiedsbrief, wie sie vermutete, durch das umgekippte Wasser unlesbar geworden. Was auch immer Ludwig hatte sagen wollen, es war verloren. Vermutlich ist das gut, dachte sie, vermutlich ist das gut für mich.

Der Arzt, den sie am nächsten Morgen holten, nannte Herzversagen als Todesursache. Es sei davon auszugehen, dass Ludwig gerade das Mittel gegen seine Herzbeschwerden habe nehmen wollen, als er den Anfall erlitten habe. Corinna ließ die Beileidsbekundungen mit angemessener Betroffenheit über sich ergehen. Sie war nun Witwe mit einem Kind. Keiner konnte mehr verraten, was sie getan hatte. Der, der eine Gefahr für sie gewesen war, war nun tot, und für die Thalheims hatte es Ludwig schon lange nicht mehr gegeben.

43

Frankfurt am Main, 1992

*M*ia und Séan setzten ihre Nachforschungen fort. In den Zwanzigerjahren, einige Zeit nach dem Ersten Weltkrieg, war der *Goldene Schwan* offenbar wieder auf einem besseren Weg gewesen. Es gab neue Berichte über Feste, Empfänge, Tanzveranstaltungen und vieles mehr. Sie korrespondierten mit Berichten in Geschichtsbüchern und zeitgenössischen Berichten über eine geradezu grassierende Sucht, sich zu vergnügen, die bereits kurz nach den harten Jahren des großen Krieges ihren Anfang genommen hatte. Die wilden Zwanziger waren natürlich auch Mia ein Begriff. Die Küche des *Hotels zum Goldenen Schwan* erarbeitete sich jedenfalls in dieser Zeit einen fast legendären Ruf.

Am Wochenende kam häufig Alexa zu Besuch. Sie interessierte sich ganz besonders für die alten Möbel im Hause und machte sich, mit Mias Erlaubnis, daran, sie instand zu setzen. Dazu hatte sie eine kleine Werkstatt vor dem Hotel, mit Blick auf den See, aufgebaut.

»Himmel«, sagte sie, als Mia eines Tages mit einem Arm voll Unterlagen an ihr vorbeikam. »Ich glaube, ich mache die Möbelrestaurierung endlich zu meinem Beruf – was meinst du?«

Mia nickte lachend. »Warum nicht? Es hat dir schon immer Spaß gemacht. Du bist gut. Ich würde dich jedenfalls sofort weiterempfehlen.«

»Dann überlege ich mir das.« Alexa wandte sich dem kleinen Damenschreibtisch zu, den Mia und sie heute Morgen aus dem oberen Stockwerk nach unten getragen hatten. Mia hatte schon fast den alten Aufgang zu Terrasse und Wintergarten erreicht, wo sich heute das Ausflugslokal befand, als Alexa ihr etwas hinterherrief.

»Warte mal, he … Verdammt, was ist denn das?«

Mia drehte sich um. Alexa streckte den rechten Arm in die Luft und wedelte mit etwas herum.

»Hier, schau mal, das klemmte hinter einer der Schubladen dieses …« Sie deutete auf den Schreibtisch.

»Schreibtisches«, half ihr Mia und überlegte kurz, ob sie mit den vielen Unterlagen im Arm wieder zurücklaufen sollte. Sie entschied sich dafür. Alexa hielt einen Briefumschlag in der Hand und studierte die Adresse.

»Joe Flanagan«, las sie laut vor, als Mia sie erreicht hatte. »Joe Flanagan, Adelaide Road, Dublin.« Sie runzelte die Stirn.

Mia blieb stocksteif stehen. »Was steht da? Welchen Namen hast du da eben vorgelesen?«

Alexa sah die Freundin an, dann packte sie offenbar selbst die Erkenntnis. »Flanagan«, sagte sie langsam.

Etwas später saß Mia an ihrem Lieblingstisch im alten Ausflugslokal und blickte zum See hinunter. Der Stapel Unterlagen, den sie sortieren wollte, lag unberührt vor ihr. Den Brief hielt sie in der Hand. Sie hatte ihn gelesen. Sie fragte sich, ob sie ihn noch einmal lesen sollte. Es war ein sehr persönlicher Brief, ein Brief, der tiefste Gefühle offenbarte, ein Brief, der für einen anderen Menschen bestimmt war, und sie wusste einfach nicht, ob sie es sich erlauben durfte, ihn noch einmal zu lesen. Beatrice hatte ihn geschrieben. Beatrice, von der sie so lange geglaubt hatte, sie sei einfach verschwunden. Corinnas Freundin. Corinnas Cousine? Was auch immer …

Beatrice hatte diesen Brief an den Mann gerichtet, den sie offenbar immer aus tiefstem Herzen geliebt hatte. Aber sie hatte ihn nicht abgeschickt. Warum hatte sie ihn nicht abgeschickt? Warum, wenn sie in diesem Brief doch alles offenbart hatte, hatte sie ihn zurück in die Schublade gelegt und ihr Schicksal nicht herausgefordert? Hatte sie ein »Nein« befürchtet? Was hatte sie verunsichert?

Mia faltete den Brief nochmals auseinander und begann zu lesen …

»Mein lieber Johannes,
ich hoffe, Du verzeihst mir, aber dieser Name ist mir vertrauter als der auf dem Umschlag. Vielleicht fragst Du Dich, woher ich diese Adresse habe, woher ich Deinen Namen kenne … Dazu muss ich nur ein wenig zurückgehen. Etwa ein Jahr nachdem dieser letzte Krieg zu Ende ging, stand plötzlich ein britischer Soldat vor dem Eingang zum Goldenen Schwan. Zuerst hatten wir Angst. Wir dachten, es ginge um eine Beschlagnahmung, irgendein Vergehen, eine Einquartierung. Er stellte sich als Francis Thurlow aus London vor. Seine Schwester Leslie habe ihn geschickt, um etwas herauszufinden …

*Und dann fragte er mich, ob ich Beatrice sei und ob
ich einen Johannes von Thalheim kenne.*

*Ich glaube, mir wurde schwarz vor Augen, ja, wirklich …
Sobald ich Deinen Namen hörte, schlug mein Herz schnell,
so schnell. Etwas später erhielt ich dann einen Brief von
Leslie. Zuerst waren wir vorsichtig in dem, was wir uns
gegenseitig offenbarten, obgleich es mich drängte, mehr von
Dir zu erfahren. Doch die Umstände und all das führten
dazu, dass es Wochen und mehrere Briefe brauchte, um
einander vollständig zu vertrauen.*

*Leslie war wütend auf mich, wütend, weil ich mir hatte
vorstellen können, dass Du einer Frau Gewalt antust –
und ja, je mehr ich mich mit ihr austauschte, desto mehr
erkannte ich, wie falsch es gewesen war, Dich nicht einmal
anzuhören.*

*Leslie wollte mir zuerst auch nicht Deine Adresse geben.
Sie wollte mich prüfen. Sie wollte prüfen, ob sie mir
vertrauen konnte. An dem Tag, an dem ich Deine Adresse
erhielt, weinte ich vor Glück. Diesen Brief habe ich an
unserem Strand geschrieben, und ich hoffe sehr, dass wir bald
die Gelegenheit haben werden, über alles zu reden.«*

An dieser Stelle hatte Beatrice den Stift abgesetzt und etwas
tiefer erneut angefangen: »Ich liebe Dich«, stand dort. »Auf
immer und ewig. Frankfurt am Main, Mai 1947.«

Mia legte den Brief auf den Tisch, als sie spürte, wie
ihre Hände plötzlich vor Aufregung feucht wurden. Und
dann starrte sie wieder den Namen auf dem Umschlag
an, den Namen, der ihr einfach ins Auge springen musste:
Joe Flanagan.

Séan war an diesem Tag mit Alexas altem Polo zum Einkaufen gefahren. Nach gut zwei Stunden kehrte er zurück. Mia beobachtete, wie er ausstieg und kurz darauf mit den Einkäufen in der Küche verschwand. Nach etwa zehn Minuten war er bereits zurück auf dem Vorplatz und sah sich um. Alexa nickte stumm in die Richtung, in der sich Mia befand. Die konnte hören, wie er mit diesem leicht englisch gefärbten Akzent »Danke!« rief und sich dann auf den Weg zu ihr machte.

»Hallo!«, sagte Mia, als er am oberen Treppenabsatz angekommen war. Ihre Stimme klang seltsam klein. Sie räusperte sich, um ihr mehr Kraft zu geben.

»Hallo!«, gab Séan etwas unsicher zurück, schaute dann den Stapel auf dem Tisch an und den einzelnen Brief vor ihr. Er zögerte, bevor er weitersprach. »Ist etwas?«

Mia zog unwillkürlich die Schultern hoch. »Alexa hat einen Brief gefunden.«

»Okay.«

Séan entschied sich nach kurzem Zögern, näher zu kommen, setzte sich neben sie, rückte den Stuhl – auf einen scharfen Blick von Mia hin – etwas von ihr ab.

»Darf ich?«, fragte er mit rauer Stimme und deutete auf den Brief.

Mia nickte nur. Er schaute auf den Umschlag, las, las dann scheinbar noch einmal.

Für eine Weile sagte keiner von ihnen beiden etwas.

»Es ist kein Zufall, dass du dir diesen Ort ausgesucht hast, oder?«, fragte Mia dann.

»Nein.« Séans Antwort kam rascher als erwartet. »Anfang des Sommers rief mich meine Ma nach Hause. Ich sollte bei Grandad nach dem Rechten sehen. Ich habe seine Wohnung ein wenig aufgeräumt, ich habe Dinge gefunden, die ich mir nicht erklären konnte … Da war ein Armeemantel, da waren diese Seiten, die offenbar aus einem Buch herausgetrennt worden waren, in dieser komischen Schrift …«

»Sütterlin.«

»Ja … Da war eine getrocknete Blume. Natürlich fragte ich Grandad, und er deutete an, dass ich hier meine Antworten finden würde. Ich denke, er wollte, dass ich mir ein eigenes Bild mache …«

Mia holte tief Luft. »Warum hast du mir nichts gesagt?«

Séan zuckte die Achseln. »Weil es zuerst einmal nichts zu sagen gab. Weil ich nicht wusste, wonach ich eigentlich suche. Weil ich nicht verstanden habe, was es mit alldem auf sich hatte. Und ich habe mich ja durchaus bald auch für dieses Haus interessiert. Es ist ein Glücksfall, weißt du. Es gibt da so viel mehr an großer Geschichte hinter der kleinen persönlichen Geschichte …«

Mia schaute für einen Augenblick an ihm vorbei.

»Ich hätte mir trotzdem gewünscht, dass du mir das sagst, Séan. Von Anfang an.«

»Ich wollte nichts vor dir verbergen, glaub mir. Es schien mir einfach nicht wichtig. Ich kannte die Namen ja alle nicht. Ich verstand nicht, um was es ging, und Grandad war mir gar keine Hilfe.«

Mia runzelte die Stirn, und ein Gedanke begann sich erneut in ihrem Kopf zu drehen und zu winden, der sie schon seit Alexas Entdeckung beschäftigte: Waren Séan und sie etwa miteinander verwandt?

An diesem Abend kehrte Mia spät von einem langen Spaziergang zurück.

»Ich muss nachdenken«, hatte sie zu Séan gesagt. »Allein.«

Er hatte es akzeptiert. Als sie nun zurückkehrte, hatte Séan Spaghetti mit Tomatensauce gekocht und einen bunten Salat bereitet. Er hatte einen Tisch nah am Seeufer gedeckt und wartete offenbar ungeduldig auf sie, denn er lief am Ufer auf und ab, als sie ihn entdeckte.

Mia war wieder ruhiger, ging auf ihn zu, begrüßte ihn.

»Hunger?«, fragte er vorsichtig.

»Wie ein Bär.«

Er zögerte. »Bei uns sagt man ›wie ein Wolf‹.«

Mia nickte. »Sieht gut aus«, sagte sie dann mit einem Blick auf den Tisch. Séan rückte ihr den Stuhl zurück. Sie setzte sich.

Sie begannen schweigend zu essen. Als Séan seinen Teller zur Hälfte geleert hatte, legte er die Gabel ab.

»Ich …« Mia hob den Kopf und schaute ihn fragend an. Séan räusperte sich. »Ich möchte eine Einladung aussprechen, Mia. Komm mit mir nach Wexford. Besuchen wir Grandad. Klären wir alles, und dann …«

Sie unterbrach ihn. »In Ordnung. Fahren wir nach Wexford.«

44

London, 1925

»Ich habe mir gedacht, dass ich dich hier finde.«

»Leslie.« Johannes drehte sich zu seiner Großcousine um. Leslie hatte ihr silbrig blondes Haar in einen einfachen Zopf geflochten – anders als bei vielen Frauen heutzutage waren ihre Haare nicht kurz geschnitten –, dafür trug sie eine Hose zu ihrer grauen Kostümjacke, eine Basken-mütze auf dem Kopf und hatte ihre Lippen sehr dezent rot geschminkt. Als er sie zum ersten Mal gesehen hatte, hatte sie geraucht. Jetzt trat sie an seine Seite, sah über den Fluss hinüber zu ihrem Elternhaus hin.

»Du kommst immer hierher, um nachzudenken, um dir über die Dinge klar zu werden, nicht wahr?«

Er fragte sich nur kurz, woher sie das wusste. Leslie besaß einfach einen sechsten Sinn.

»Das tue ich.«

Sie musterte ihn und verschränkte dann die Arme. Eine Haltung, die bei ihr nicht verkrampft, sondern heraus-fordernd wirkte. Für einen Moment überkam Johannes das Bedürfnis, ihr die Mütze zurechtzuzupfen. Leslie war es zu verdanken, dass er begonnen hatte, sich im Haus seiner Verwandten in London wohlzufühlen. Mit Leslie an seiner Seite kam er sich nicht mehr wie ein Fremdkör-per vor, dabei hatte sie anfangs durchaus einschüchternd auf ihn gewirkt. Leslie wusste, was sie wollte. Sie wusste es besser als die meisten Menschen auf diesem Erdenrund. Jetzt lächelte sie ganz leicht.

»Und, bist du dir denn mittlerweile über manche Dinge klar geworden? Du bist ja ziemlich oft hier.«

Johannes zögerte, dann schüttelte er den Kopf. Leslie schwieg vorübergehend, eine Zeit, in der sie ihn fest anblickte.

»Du bist kein Monster, Joe«, sagte sie dann.

Er schüttelte mechanisch den Kopf. Woher wollte sie das wissen? Woher wusste sie überhaupt, für was er sich hielt? Nein, sie wusste gar nichts. Vor allen Dingen wusste sie nicht, was er getan hatte, damals, bevor man ihn hierhergeschickt hatte, weil seine Kreise Probleme dieser Art eben auf ihre Art lösten.

»Ich …« Er erwiderte ihren Blick. »Vielleicht bin ich ja doch ein Monster, und du erkennst es einfach nicht, Les.«

Sie schüttelte den Kopf.

»Ich weiß, dass du keines bist. Ich habe dich kennengelernt in den letzten Monaten, und ich kenne viele, die ebenso unter dem verdammten Krieg leiden wie du. Nein, zum Monstersein bist du ungeeignet.«

Johannes spannte den Kiefer an, bis es schmerzte.

»Ich habe im Krieg einiges getan, zu dem ich mich früher nicht fähig gehalten hätte«, sagte er dann kaum hörbar.

»Ich weiß. Das war der Krieg. Aber jetzt …« Sie schaute ihn wieder aus diesen so klaren, eisblauen Augen unverwandt an. »Jetzt musst du dir nichts vorwerfen, da bin ich mir sicher.«

Johannes hielt ihren Blick. Er zögerte noch – und dann benannte er seine Schuld, zum ersten Mal, seit es geschehen war: »Ich habe eine Frau missbraucht, Leslie. *Nach* dem Krieg. Das ist meine Schuld.«

Leslie lief nicht weg, als er die Worte aussprach. Eigentlich hatte er das auch nicht von ihr erwartet. Und dann forderte sie ihn ruhig auf zu erzählen, hörte sich an, was er zu jedem Punkt des Vorwurfs zu sagen hatte, hakte nach – und brachte ihn ins Grübeln. Hatte er vielleicht falschgelegen? Hatte er sich geirrt? Was war wirklich geschehen in jener Nacht? Was war mit seinen Erinnerungen, die ihm eben noch so glasklar erschienen waren? Waren sie richtig oder falsch? Wem konnte er trauen? Ehrlich gesagt wollte er zuerst nicht zweifeln. Welche Folgen würde das haben? Wenn er keine Schuld trug, wer dann? Wer blieb dann übrig von einer Familie, die einem doch auch Schutz bot, zu wem würde er zurückkehren können?

In den nächsten Tagen traf er sich häufiger mit Leslie. Sie sprachen über die Vergangenheit, über das, was vielleicht geschehen war, über Wahrheit und Unwahrheit. Sie sprachen über das, was er fürchtete, und darüber, dass die Wahrheit schmerzhaft sein konnte. Sie sprachen auch über das, was vor dem Krieg gewesen war, über das, was er sich gewünscht hatte.

»Du wolltest Koch werden?« Leslie hakte sich bei ihm unter, während sie dieses Mal kreuz und quer durch den Hyde Park spazierten. »Deine Eltern waren sicherlich entsetzt, schätze ich.«

»Das waren sie.«

Zum ersten Mal seit Langem schmunzelte Johannes, als er daran dachte. Dann hörte er auch Leslie glucksen.

»Wirklich ungewöhnlich, Joe … Eine Arbeit, bei der man die Hände benutzen muss. Für meine Brüder wäre das sicherlich nichts.«

Johannes lachte. Leslies jüngerer Bruder studierte noch, der Ältere war in einem beratenden Gremium bei einer Bank – was er dort eigentlich tat, war Johannes nicht ganz klar und Leslie, soweit er das verstanden hatte, auch nicht. Er spürte, wie ihn Leslie kurz fester beim Arm nahm.

»Und warum bist du davon abgekommen?«

»Vom Kochen?« Johannes' Blick wanderte in die Ferne. »Ich habe plötzlich nichts mehr geschmeckt. Das war, als ich aus dem Krieg zurückkam … Nichts mehr war wie zuvor …«

Ich konnte mich auf nichts mehr verlassen, setzte er stumm hinzu, und daran hat sich offenbar nichts geändert. Worauf konnte man sich verlassen, wenn einem die Familie so etwas antat? Für einen Moment lang liefen sie schweigend nebeneinanderher.

»Und heute?«, fragte Leslie dann.

Johannes lief noch einige Schritte weiter, überlegte, bevor er antwortete.

»Ich weiß nicht. Ich weiß es einfach nicht.«

Einige Tage später saßen Leslie und Johannes am späten Nachmittag im warmen Sonnenschein auf der Terrasse des Stadthauses der Familie Thurlow. Leslie hatte die Schuhe von sich gekickt und die Beine angezogen. In einer silbernen Schüssel warteten blank polierte Äpfel. Schläfrig dachte Johannes daran, dass er unten in der Küche ein Mädchen beim Polieren dieser Äpfel gesehen hatte.

»Probier doch einen«, forderte Leslie ihn auf.

Johannes blickte verblüfft zu ihr hin. Er hatte gar nicht bemerkt, dass sie ihn beobachtete. Er hob die Schultern.

»Ich weiß nicht. Ich habe eigentlich keinen Hunger und …«

»Versuch es – was soll schon geschehen?«

Johannes starrte die Äpfel an. Das war es. Er wusste nicht, was geschehen würde. Das war das Problem. Er hatte Angst vor dem, was geschehen konnte. Dass er nämlich immer noch nichts schmeckte und nie wieder etwas schmecken würde. Leslie stand mit einem Mal neben ihm. »Mach Platz.«

Er gehorchte wortlos. Sie setzte sich. Für einen Moment lang starrte er ihre Füße an. Er mochte es, mit Leslie zusammen zu sein. Dann war plötzlich Beatrice in seinen Gedanken. Etwas in ihm zog sich schmerzhaft zusammen.

»Was ist?«

Leslie war offenbar wieder etwas aufgefallen. Er kannte wirklich niemanden, der aufmerksamer war als diese Frau.

»Nichts.«

Er war dankbar, dass sie es dabei beließ. Keine Nachfragen, wie sonst. Stattdessen reichte sie ihm einen der Äpfel, der so blank poliert war, dass es fast wie ein Frevel erschien, ihn zu essen.

»Bitte, probiere ihn.«

Es war eine Ahnung von Apfel, aber die Ahnung war eben da. Johannes war so überrascht, dass er trotz mangelnden Hungers mehrere Bissen aß, bevor er ihn zur Seite legte. An diesem Abend schrieb er seinen ersten Brief an Beatrice, seit er gegangen war. Er schickte ihn zwar nicht ab, aber es fühlte sich gut an, und er hatte zum ersten Mal seit Langem das Gefühl, kein Monster zu sein. Er konnte sich zwar immer noch nicht erklären, was damals geschehen war, aber irgendwann würde es ihm gelingen. Er war sich sicher, dass er Corinna nichts getan hatte. Es war nur ein Gefühl, aber zum ersten Mal hatte er den Eindruck, seinen Gefühlen wieder trauen zu können.

In den nächsten Tagen wagte er sich an weitere Esssachen heran. Es schmeckte noch nicht auf die gleiche Art und Weise wie früher, aber er bekam zumindest eine Ahnung, wie es einmal geschmeckt hatte.

Eines Abends stand er im Billardsalon vor einem kleinen Bild, das eine Küste zeigte. Leslie war auch da. Sie waren oft zusammen, nein, sie waren in den letzten Tagen tatsächlich kaum einmal getrennt gewesen.

»Irland«, sagte sie. »Etwas Grundbesitz aus Mamas Verwandtschaft. Wir waren lange nicht mehr da, der Krieg und dann der Bürgerkrieg, du weißt. Mummy sagt immer, sie muss nirgendwo hin, wo einem der Nachttopf unter dem Hintern weggeschossen wird.«

Lady Thurlow war eine robuste Dame. Johannes konnte sich gut vorstellen, dass sie sich genauso ausgedrückt hatte.

»Weißt du«, fuhr Leslie fort, »angeblich ist das Urgroßvater passiert. Sie mussten ihm die Porzellansplitter aus dem Po operieren.«

Johannes lachte leise. Dann trat er noch einmal näher an das Bild heran: Sandstrand, Dünen, das Dach von etwas, was wie ein kleines Cottage aussah. Leslie folgte seinem Blick.

»Hat Mamas Schwester gemalt. Sie starb noch als Jugendliche. Ich glaube, an den Masern. War eine schöne Zeit, die wir da immer hatten. Angeln, im Meer toben … Sandburgen bauen.«

»Habt ihr selbst Fische geangelt und gegessen?«

Er wusste nicht, warum er das fragte, aber Leslie kam die Frage offenbar nicht sonderbar vor.

»Ja, haben wir. Es war wirklich urig. Ich habe mich frei gefühlt dort.«

Leslies Blick wirkte einen Moment lang entrückt. Johannes dachte an den Geschmack von buttrigem Fisch mit ein paar Kräutern, Kartoffeln, in Asche gebacken, Karotten, dazu Meersalz … Er lächelte in sich hinein.

»Das kann ich mir vorstellen. Meinst du, ich könnte mir das mal ansehen?«, fragte er dann. Es schien ihm der richtige Ort zu sein. Er musste dorthin, um wieder zu sich zu finden, und er würde seinen Eltern nichts davon sagen. Vielleicht später, aber zuerst einmal würde er einfach gehen. Er sah, wie Leslie die Stirn runzelte, dann trat sie einen Schritt zurück.

»Klar, sicher doch, du gehörst schließlich zur Familie. Warum nicht?«

»Danke.« Er lächelte sie an. »Eine Partie Billard?«

45

Wexford, *1992*

Am zweiten Tag kehrten Mia und Séan von einem Ausflug zu den Robbenbänken zurück und schlenderten danach noch ein wenig durch Wexfords Fußgängerzone. Séan zeigte ihr die Plätze, die in seiner Kindheit und Jugend wichtig für ihn gewesen waren. Gegen Nachmittag kauften sie sich Sandwiches gegen den plötzlich aufkommenden Hunger. Mia wählte Thunfisch, Séan Käse und Ei. Zum Nachtisch, etwas später, gab es frisch gebackene *scones* mit dicker Sahne, Johannisbeergelee und Tee. Danach kehrten sie zum Auto zurück. Wieder einmal lief Mia automatisch zur Fahrertür, was Séan zum Schmunzeln brachte.

Gestern hatte Joe ein Treffen abgelehnt, weil er sich zu müde fühlte; heute Abend würde es so weit sein. Mia überlief ein unwillkürlicher Schauder. Als ob er die Veränderung bemerkt hätte, drehte sich Séan plötzlich zu ihr hin. »Bist du bereit, ihn zu sehen?«

Mia nickte.

»Wieso fragst du?«

»Du bist blass geworden.«

Mia rang sich ein Lächeln ab. »Natürlich bin ich bereit. Wir haben um dieses Puzzle gekämpft, oder nicht? Warum sollte ich ausgerechnet jetzt zurückschrecken? Weiß er, wer ich bin?«

Séan kratzte sich am Hinterkopf. »Ich habe ihm alles gesagt, was ich herausgefunden habe.«

Der Weg zu Joes Cottage war genauso, wie Séan ihn ihr beschrieben hatte. Unterwegs hatten sie Janice abgeholt. Am Cottage angekommen, erwartete Joe sie bereits im Eingang, ein groß gewachsener, irgendwie eleganter Mann mit vollem grauem Haar, schlank und in eine feine graue Hose und ein mittelblaues Hemd gekleidet.

»So habe ich ihn ja noch nie gesehen«, flüsterte Séan Mia zu, bevor sie ihn erreicht hatten.

»Frau Belman!«, grüßte Joe sie zuerst auf Deutsch, umarmte danach Séan und seine Mutter. Dann ging es in Englisch weiter. Der Esstisch war in dem kleinen, lauschigen Garten hinter dem Cottage gedeckt worden. Der *stew* schmeckte vorzüglich. Joe schenkte einen Weißwein dazu aus, trank allerdings selbst vorwiegend Wasser.

»Ich vertrage nicht mehr allzu viel Alkohol«, erklärte er sich.

Nachdem der Apple Crumble gegessen war, rieb sich Séan wohlig stöhnend den Bauch. »Du müsstest viel öfter kochen, Joe.«

Joe hob die schmalen Altmännerschultern. »Es hat lange gedauert, bis ich wieder mit Vergnügen kochen konnte«, sagte er langsam, nach einer ungewöhnlich langen Pause. »Man darf es nicht übertreiben.«

Mia wollte sich eigentlich zurückhalten und konnte sich dann aber doch nicht beherrschen. »Waren Sie denn einmal Koch?«

Wieder antwortete Joe nicht gleich, schaute sie nur mehr prüfend an. Janice mischte sich ein: »Joe hat verschiedentlich als Koch gearbeitet, bevor er hierherkam.«

Séan runzelte die Augenbrauen. »Das wusste ich ja gar nicht.«

»Du warst noch klein«, gab Janice zurück, »und …«

»Es hat mich nie lange an meinen Arbeitsstellen gehalten«, meldete sich jetzt wieder Joe zu Wort. »Erst als ich hierherkam …«

Er sprach nicht weiter.

»Deine Arbeitgeber waren immer sehr zufrieden«, mischte sich Janice ein.

»Ja, das waren sie«, bestätigte der alte Mann ruhig.

Kurz breitete sich Schweigen über ihrer kleinen Gruppe aus. Dann räusperte Joe sich. »Gehen wir ein Stück, Frau Belman?«

Mia wechselte unwillkürlich einen Blick mit Séan. Der nickte ihr aufmunternd zu. Wenig später folgte sie Joe auf dem Weg in Richtung Meer, den Séan ihr schon genau beschrieben hatte. Hintereinander gehend und ohne ein Wort miteinander gewechselt zu haben, erreichten sie das Ufer. Bald würde die Sonne untergehen. Der Strand war schon in abendliches Licht getaucht. Joe trat bis ans Wasser vor und schaute über das Meer zum Horizont. Dass die Wellen an seinen Schuhen leckten, machte ihm offenbar nichts aus.

»Da drüben ist Europa«, sagte er endlich. »In all den Jahren bin ich nie dorthin zurückgegegangen. Vielleicht hätte ich es wagen müssen, aber die Vergangenheit hat mir Angst gemacht …«

Mia stellte sich neben ihn und nahm allen Mut zusammen. »Nur einmal standen Sie kurz davor, nicht wahr?«

Es war ein Schuss ins Blaue. Sie hatte geraten und wusste nicht, was nun geschehen würde. Joe drehte sich zu ihr hin. Einen Moment lang schaute er sie nur an, als suche er etwas in ihrem Gesicht.

»Ja, das stimmt«, antwortete er dann ruhig, und Mia spürte, wie sie sich innerlich entspannte. Hier war es, das letzte Puzzleteil, jetzt würde sie endlich erfahren, wohin es gehörte. In Joes Gesicht arbeitete es, aber er wandte den Blick nicht ab.

»Bea… Beatrice hatte mir geschrieben«, fuhr er dann fort, »zum ersten Mal, nach über fünfundzwanzig Jahren. Es war 1947. Bereits der zweite große Krieg war vorübergegangen. Der Brief kam über London, von meiner Großcousine Leslie. Er war nicht gerade schnell gereist, und ich war wie gelähmt, als ich ihn in der Hand hielt.«

Mia schaute ihn ernst an. »Es war nicht leicht für sie. Sie hatte von Leslie erfahren, dass Sie noch leben, aber sie traute sich wohl nicht sofort, Ihnen zu schreiben. Es gibt da noch einen zweiten Brief …« Mia zögerte und zog ihn dann aus ihrer Handtasche. »Sie hat ihn aus irgendeinem Grund nicht abgeschickt. Ich glaube trotzdem, dass er Ihnen gehört.«

Joe nahm ihn mit einem Nicken entgegen. »Danke.«

Er schaute wieder auf das Meer hinaus.

»Leslie wollte übrigens immer, dass ich den Kontakt zu Beatrice aufnehme. Sie sagte stets, dass wir nur zusammen die ganze Wahrheit herausfinden können, über das, was damals geschehen sein soll.«

»Wie reagierten Sie eigentlich auf ihren ersten Brief?«

Joe lächelte. »Ich schrieb ihr natürlich sofort auch einen Brief, einfach, damit ich nicht die Gelegenheit hatte, den Schwanz einzuziehen. Ich entschuldigte mich für meine Flucht … Für mein Schweigen … Ich schrieb ihr, dass ich sie noch immer lieben würde, ganz gleich wie viel Zeit vergangen war … Und dass wir herausfinden müssten, was damals geschehen war.«

Mia spürte, wie ihr Hals trocken wurde. Sie musste sich räuspern, bevor sie sprach. »Die angebliche Vergewaltigung.«

»Sie wissen also …?«

»Nur wenig bislang. Ich habe ein paar Puzzleteile zusammengesetzt.« Sie holte Luft. »Seit wann wissen Sie, dass Sie keine Schuld tragen? Sie wissen es doch, oder?«

Joe starrte sie an. »Seit dem Tod meiner Mutter. Seit mein Vater die Wahrheit gesagt hat.«

Er brach ab. Zum ersten Mal wandte er den Blick ab, doch Mia hatte gesehen, dass seine Augen feucht schimmerten, sein Ausdruck voller Schmerz war.

»Warum sind Sie damals nicht zurückkehrt?«

»Warum sollte ich? Es gab zu diesem Zeitpunkt niemanden, zu dem ich zurückkehren wollte.«

»Aber Beatrice …«

Sie musste jetzt wissen, was wirklich geschehen war, nicht nur das, was sie sich ausgemalt hatte, anhand der Briefe, der Erzählungen, des Rezeptbuchs, der Fotos. Das Meeresrauschen im Hintergrund hatte bei aller innerer Anspannung etwas Beruhigendes. Sie ließ Joe nicht aus dem Blick.

»Schicksal«, sagte er langsam. »Auch nach dem Krieg war das Leben nicht ohne Gefahr. Beatrice hielt sich zu diesem Zeitpunkt öfter in Frankfurt auf. Sie hatte ein Hotel zu versorgen, eine Familie, vielleicht auch deine Mutter?« Joe schaute Mia fragend an.

»Ich weiß nicht«, sagte die. »Womöglich.«

Joe senkte den Kopf, bevor er weitersprach. »Bei der Arbeit an einem zerbombten Haus explodierte ein Blindgänger. Sie war sofort tot.«

Mia hatte unwillkürlich die Hand vor den Mund geschlagen und musste sich jetzt zwingen, sie wieder sinken zu lassen.

»Corinna setzte mich davon in Kenntnis«, sagte Joe leise. »Da sie offenbar fürchtete, ich könne ihr nicht glauben, schickte sie eine Kopie des Totenscheins mit. Sie fragte mich auch, ob wir uns sehen könnten. Ich habe nie geantwortet, und bin danach aus Dublin fortgezogen, ohne meine Adresse zurückzulassen. Ich bin einfach wieder verschwunden. Einfach wieder geflohen ... War das gut so?«

Mia zuckte die Achseln. Dann drehten sie sich beide zum Meer hin. Mia hatte mit einem Mal das Bedürfnis, das Wasser zu berühren, bückte sich und tauchte die Finger hinein. Joe blieb stehen. Einen Moment später fühlte sie seinen Blick auf sich. Dann stellte er die Frage, die sie sich nicht getraut hatte zu stellen: »Sie sind Corinnas Enkelin, nicht wahr? Séan hat es mir erzählt. Sie sind meine Nichte.«

Mia richtete sich auf. Von ihrer Hand tropfte das Wasser herab. Sie rieb sie an ihrer Jeans trocken.

»Und sie sind Johannes von Thalheim.«

»Ich war Johannes von Thalheim«, verbesserte er sie. »Es geht mir besser, seit ich diesen Namen hinter mir gelassen habe. Und wenn ich das richtig verstehe, hat sich Corinna ebenfalls von diesem Namen getrennt. Er scheint einfach kein Glück zu bringen.«

»Ich weiß nicht, ob Glück von einem Namen abhängt.«

»Wahrscheinlich nicht. Trotzdem kennt man mich hier nur als Joe Flanagan.« Er lächelte sie an.

»Sie sprechen immer noch gut Deutsch«, konnte sie sich nicht hindern zu sagen.

Joe nickte. »Für manche ist es nicht leicht, ihre Sprache zu verlassen.« Er betrachtete sie. »Wir sind also verwandt miteinander. Wäre es da nicht an der Zeit, sich zu duzen?« Er reichte ihr die Hand. »Joe.«

»Mia.«

Mia schaute in Richtung Land und dann wieder aufs Meer. Sie fragte sich zum wiederholten Mal, ob es recht gewesen war, den Brief einfach zu lesen. Aber eigentlich gehörte sie doch zur Familie, nicht wahr? Und jetzt würde sie von Joe alles erfahren, was sie nicht wusste, und zwar von Anfang an.

Sie blieben am Meer, bis es dämmrig wurde. Als sie zum Cottage zurückkehrten, war Janice schon gefahren. Nur noch Séan wartete auf sie. Er hatte Ordnung gemacht und auch etwas Holz gehackt, welches er gerade neben den Kamin stapelte, als Joe und Mia zur Tür hereinkamen.

»Danke, das wäre aber nicht nötig gewesen«, brummte Joe.

Séan machte eine abwehrende Handbewegung. »Mia und ich, wir machen uns jetzt auf den Weg. Ich habe Janice gesagt, wir laufen zurück«, sagte er. »Du wirst etwas Ruhe brauchen, Grandad.«

Joe hatte bereits seinen Sessel angesteuert und sich hineingesetzt. »Halb so wild. Kommt ihr die Tage noch einmal?«

Mia nickte. »Sehr gern.«

Als sie Joe die Hand zum Abschied reichte, hielt der sie länger fest.

»Wer bist du nun? Wie nennt man das …? Meine Großnichte.«

Mia lächelte. »Ich kenne mich nicht besonders gut aus mit Verwandtschaftsverhältnissen, aber das könnte sein.«

»Dann hoffe ich, dass ich dich noch häufig sehe.«

Er lächelte verschmitzt. Dann verabschiedete sich auch Séan von ihm. Kurz darauf befanden sie sich erneut auf dem Weg in Richtung Meer. Auf dem schmalen Pfad ging es wieder im Gänsemarsch hintereinander her. Mia war in Gedanken versunken. Es gab so viele neue Sachen, die sie erfahren hatte, so viel, über das sie noch nachdenken musste. Ihr inneres Familienfoto hatte sie ergänzt. Ihre Adoptiveltern waren darauf, aber auch Corinna, Beatrice und ihre eigene Mutter Lore, sogar Ludwig, ihr Großvater, all die Personen, die sie nie kennengelernt hatte. Als sie aufblickte, wichen die Dünen gerade links und rechts zurück und ließen erstmals den freien Blick aufs Meer zu. Séan wirkte wie ein Schattenriss vor der hellen Fläche. Eine späte Möwe kreiste nahe über dem Wasser. Eine Sache beschäftigte Mia allerdings noch sehr.

»Séan?«

474

»Hm.« Er drehte sich zu ihr hin. Im Halbschatten war sein Gesicht nur schlecht zu erkennen. Sie zögerte.

»Hat man dich nach ihm benannt?«, fragte sie dann endlich.

»Nach Joe? Ja, ich denke schon. Warum fragst du?«, erwiderte er, während er weiter auf die freie Strandfläche hinauslief. Mia folgte ihm.

»Du wurdest also nach deinem Großvater benannt?«

Séan blieb wieder stehen. »Ja, sehr traditionell, oder?«

Mia gab keine Antwort, in ihr arbeitete es. Wie konnte sie die nächste Frage nur stellen, ohne sich vollkommen lächerlich zu machen? Sie bemerkte erst, dass sie stehen geblieben war, als Séan sie ansprach.

»Was ist denn? Wir haben noch ein Stückchen Weg. Bald wird es hier draußen ziemlich dunkel werden, so ganz ohne Straßenlaternen.« Jetzt schien er etwas zu bemerken, schaute sie prüfend an. »Ist etwas, Mia?«

Sie nahm allen Mut zusammen. »Ist Joe dein Großvater? Ich weiß, es ist absurd, aber ich muss dir diese Frage stellen«, stotterte sie weiter, »denn wenn ich es nicht tue … Weißt du, in meinem Leben haben sich einige Dinge als nicht wahr erwiesen, und …«

»Mia, Mia, ganz ruhig. Es ist schon in Ordnung. Natürlich ist Joe mein Großvater …«

Mia fühlte, wie ihre Knie weich wurden. Dann war jetzt alles vorbei. Jetzt in diesem Moment, da ein leichter Wind, der vom Meer her kam, verbarg, woher ihre Gänsehaut wirklich kam.

»Allerdings«, hörte sie Séan weitersprechen, »sind wir nicht verwandt in dem Sinn. Er war der Stiefvater meines Vaters. Der erste Mann meiner Großmutter ist früh gestorben. Joe und sie haben danach geheiratet, und Joe wurde zum Vater meines Vaters.«

Was sagte Séan da? Mia war nicht sicher, ob sie ihn richtig verstanden hatte. »Ihr seid nicht verwandt?«, vergewisserte sie sich.

»Nein, Joe hatte keine eigenen Kinder.«

Sie standen jetzt so dicht voreinander, dass sie seine Wärme spürte.

»Ist das gut oder schlecht?«, fragte er leise.

Mia lachte. »Gut«, sagte sie, »das ist sehr gut.«

46

Kein Phoenix aus der Asche, *1947*

Corinna wurde weder kalt noch heiß. Ihre Knie wurden nicht weich. Sie spürte keinen Schmerz, und das war das Erschreckendste an allem: Nicht mehr spüren zu können, weder Gutes noch Schlechtes, weder Hass noch Liebe. Ich bin tot, dachte sie, während sie dem Mann zuhörte, der ihr die Nachricht von Beatrices Tod überbrachte. Wenn einem alles gleichgültig war, wenn man nichts mehr fühlte, dann war man tot. So war es doch. Dann war man ein lebender Leichnam.

Was erzählte der Mann da? Beatrice war durch einen Blindgänger getötet worden? Der Krieg hatte sie also doch noch geholt, wie so viele vor ihr, wie die Küchenjungen, die im Osten gefallen waren, wie das jüdische Zimmermädchen, von dem Corinna gar nicht gewusst hatte, dass sie jüdisch war. Wie Beatrices Mutter, die bei einem Luftangriff verschüttet worden und erstickt war.

Abends kam Lore zu ihr, um sich den Gutenachtkuss zu holen. Corinna versuchte, ihr eine gute Mutter zu sein, aber Beatrice und das Kind waren immer enger miteinander gewesen. Corinna wusste das. Sie selbst konnte einfach niemanden in ihr Herz lassen.

»Wann kommt Tante Beatrice eigentlich nach Hause?«, fragte Lore, als sie schon in der Tür stand, um in ihr Zimmer zu gehen.

»Sie kommt nicht mehr«, gab Corinna zurück. »Sie ist fortgegangen.«

»Aber …?«

»Kein aber, geh, ich will alleine sein.«

Corinna lauschte den sich entfernenden Schritten ihrer Tochter.

Ich war immer alleine, dachte sie dann, und ich werde immer alleine sein.

Es war schon fast Mitternacht, als sie noch einmal in Beatrices Zimmer ging. Das Zimmer sah aus wie eines, das nur kurz verlassen worden war. Es herrschte die für Beatrice übliche Unordnung. Auf dem Tisch lag ein Brief an Johannes. Corinna las ihn emotionslos, faltete ihn zusammen und legte ihn in die Schublade von Beatrices Schreibtisch. Sie würde ihn nicht abschicken. Er würde ihn nie bekommen.

Ein paar Tage später suchte sie den Totenschein hervor und schrieb an Johannes. Es dauerte Monate, bevor sie sich eingestand, dass sie wohl keine Antwort erhalten würde. Anfang des neuen Jahrzehnts starb Hermann Kahlenberg infolge eines schweren Schlaganfalls. Corinna hatte sich immer gewünscht, seine Tochter zu sein. Als sie es nun Schwarz auf Weiß in den Unterlagen las, in einem persönlich an sie gerichteten Brief, fühlte sie rein gar nichts. Es war zu spät. Nichts war ihr mehr wichtig, keine Beziehungen, keine Menschen, nur das Hotel, dass sie geerbt hatte. Solange es ihr möglich war, würde sie alle Kraft, die sie besaß, in dieses Hotel, in den *Goldenen Schwan*, stecken.

Und wenn ich das nicht mehr kann, wenn ich dafür keine Kraft mehr habe, bin ich endgültig und wirklich tot.

Epilog

Mia hockte auf dem Bootssteg und ließ die Beine im Wasser baumeln. Es war ein warmer Sommerabend, eben waren die letzten Gäste gegangen, die sich heute Nachmittag in ihrem kleinen Café eingefunden hatten. Neben ihr, mit ihrem Stein beschwert, lag Séans Brief. Sie hatten die versteinerte Wasserlilie bei ihrem letzten gemeinsamen Ausflug zum Leuchtturm von Hook Head gefunden. Im Herbst kam er für ein Austauschsemester nach Frankfurt. Sie würden viel Zeit miteinander verbringen können.

Mia schloss die Augen und lauschte den abendlichen Geräuschen. Hinter ihr knarrte es mit einem Mal leise. Sie warf rasch einen Blick über die Schulter zurück, sah Alexa, die sich näherte. Über den Tag war es heiß gewesen. Die Freundin trug immer noch ihren lilafarbenen Badeanzug, der ihr rotes Haar noch mehr zum Leuchten brachte, einen Pareo mit einem rot-lila Paisleymuster, und hatte eine Leinwand unter den Arm geklemmt.

»Ein Bild?«, fragte Mia. »Hast du etwas gemalt?«

Alexa nickte und drehte das Gemälde zu ihr hin. Mia starrte es einen Moment lang an, ohne etwas zu sagen.

»Es ist wunderschön«, lächelte sie dann. »Wirklich, wunderschön.«

Das Ölbild zeigte den See, im Hintergrund das Hotel und im Vordergrund den Bootssteg, auf dem zwei junge Frauen nebeneinandersaßen und die Beine ins Wasser baumeln ließen.

»Sind das …?«, setzte Mia an, schloss den Mund wieder, denn sie hatte etwas erkannt. »Nein, das sind nicht wir …«

»Nein«, bestätigte Alexa.

Mia kniff die Augen zusammen, um genauer hinzusehen. Zwei junge Gesichter, langes Haar, vom Wind leicht zerzaust. Die beiden jungen Frauen trugen Kleidung des frühen 20. Jahrhunderts, hatten die Röcke geschürzt, die Köpfe einander zugeneigt und waren offenbar in ein Gespräch vertieft. Vor ihnen lag der See, darauf, kaum noch zu erkennen, ein kleines Ruderboot.

»Ich habe sie mir als Freundinnen vorgestellt, Beatrice und Corinna, weißt du …«, sagte Alexa. »Sie waren schließlich einmal Freundinnen, und wer weiß, vielleicht, wenn sie mehr Zeit gehabt hätten …«

Mia musste plötzlich mit den Tränen kämpfen, dann lächelte sie. »Das ist eine sehr schöne Idee, Alexa. Lass uns an das Gute denken, daran, wie es hätte gewesen sein können.«